22訂版

知っておきたい特許法

特許法から著作権法まで

工業所有権法研究グループ 編

はしがき　第二一訂版の改訂に当たって

平成三〇年、令和元年と続いて、知的財産法が改正された。その背景としては、「第四次産業革命の下、ＩｏＴやＡＩなどの情報技術の革新が目覚ましく進み、企業の競争力の源泉は、データ、その分析方法、これらを活用した製品やビジネスモデルへ移り変わりつつある」と、また「デジタル革命により業種の垣根が崩れ、オープンイノベーションが進む中、中小・ベンチャー企業等が優れた技術を活かして飛躍するチャンスが拡大するとともに、優良な顧客体験が競争力の源泉となってきている」と説明されている。

主な改正内容は次のとおりである（平成三〇年法律第三三号、令和元年法律第三号）。

○特許・意匠出願における新規性喪失の例外期間を一年に延長
○特許料等の軽減措置を全中小企業へ拡大
○侵害訴訟での書類提出手続についてインカメラ手続を拡充
◇侵害行為に伴う損害の賠償額の算定方式の見直し
◇侵害訴訟での専門家の査証制度の創設
◇意匠法保護対象に建築物及び画像を加え保護対象の拡充等
◇関連意匠制度の見直し
◇意匠権の存続期間を二五年と改正
○相手方を限定し提供する大量データの不正取得等を不正競争行為に追加
○技術的制限手段不正競争行為に、その効果を妨げる役務の提供を追加その前に、環太平洋パートナーシップ協定の締結に伴う関係法律の整備に関する法律（「ＴＰＰ担保法」平成二八年法律第一〇八号）により、著作権法等が改正されている。

これらの改正内容をできるだけ分かり易く紹介することを心掛けたが、発刊以来四〇年経過し、度重なる改定でつぎはぎになっていることは否めない。その点も少しは配慮したつもりである。著作権法は中央大学教授堀江亜以子、それ以外は弁理士工藤莞司が担当した。

読者の知的財産制度アウトラインの理解につながり、同制度各法への更なるアプローチへの一助になれば幸いである。

令和元年一二月

工業所有権研究グループ代表　工藤　莞司

初版はしがき

本書は、昭和五四年一月から八月まで、「時の法令」に連載した「工業所有権の話」に加筆訂正を行ったものである。

この「工業所有権の話」は、特許関係の仕事に従事していない一般の学生、サラリーマンなどを対象として、できる限りわかりやすく特許法などを概説するという目的のもとに、特許庁制度改正審議室林洋和、特許庁審査第一部審査官工藤莞司、同田辺秀三の三人が、それぞれ分担して執筆をしたものである。したがって、各法によって書き方もまちまちであり、また、とにかく「平易に」ということを第一と考えたため、舌たらずな面もあった。今回の加筆訂正に当たっては、これらのことを改め、「正確かつ平易」を目途としたが、残念ながら、二兎を追ったため、かえってわかりにくくなってしまったのではないかと危惧している。

いずれにせよ、特許関係に何ら係わりがない人々が本書によって工業所有権に興味を抱いていただければ望外の幸せである。

昭和五五年二月

特許庁工業所有権法研究会

目次

第6章 著作権法のあらまし

法令名略称

特法　特許法
特施令　特許法施行令
特施規　特許法施行規則
特登令　特許登録令
特登規　特許登録令施行規則
実法　実用新案法
実施令、実施規、実登令、実登規（特許法の場合に準ずる）
意法　意匠法
意施令、意施規、意登令、意登規（特許法の場合に準ずる）
商標　商標法
商施令、商施規、商登令、商登規（特許法の場合に準ずる）
不競法　不正競争防止法
著法　著作権法
知財　知的財産基本法

裁判例等出典略称

下刑　下級裁判所刑事裁判例集（一九五九―一九六八）
下民　下級裁判所民事裁判例集（一九五〇―）
刑集　最高裁判所刑事判例集（一九四七―）
行裁　行政事件裁判例集（一九五〇―）
高民　高等裁判所民事判例集（一九四七―）
ジュリ　ジュリスト（一九五二―）
特企　特許と企業（一九六九―一九九二）
取消集　審決取消訴訟判決集（一九四七―）
判時　判例時報（一九五三―）
判タ　判例タイムズ（一九五〇―）
民集　大審院判例集・民事（一九二二―一九四七）
民集　最高裁判所民事判例集（一九四七―）
無体・知的裁集　無体財産権関係民事・行政裁判例集（一九九一以降は、知的財産権関係民事・行政裁判例集と改称）（一九六九―）
速報　知的財産権判決速報（一九七五―）

序　章

知的財産権制度とは何か

Patent

一　知的財産権と産業財産権

1　知的財産権の概要

知的財産権とは、人間の精神的創作活動によって生じた発明、考案、デザイン、コンピュータ・プログラムや、小説、絵画、音楽のような創作物と、商標、商号のような営業活動における標識に関する権利の総称です。

「知的財産基本法」（平成一四年法律第一二二号）は、知的財産権とは、「特許権、実用新案権、育成者権、意匠権、著作権、商標権その他の知的財産に関して法令により定められた権利又は法律上保護される利益に係る権利をいう」と定義しています（知財二条二項）。また、TRIPS協定（世界貿易機関を設立するマラケシュ協定附属書一C＝平成六年条約第一五号）では、知的財産権には、著作権及び関連する権利（九〜一四条）、商標（一五〜二一条）、地理的表示（二二〜二四条）、意匠（二五〜二六条）、特許（二七〜三四条）、集積回路の回路配置（三五〜三八条）、開示されていない情報の保護（三九条）が含まれるとしています。

それぞれの権利に対応して特許法、意匠法、著作権法、商標法などの法律が定められており、これらを総称して知的財産法と称しています。パブリシティ権のように、具体的な保護法がなく、裁判例によって権利として認められたものもあります。また営業秘密のように、権利でないものも知的財産の仲間うちです。

知的財産権は、大別すると、人間の精神的創作活動の結果生じた創作物に関する権利と、営業上の信用が化体した標識に関する権利に分けることができます。

創作活動の結果生じた創作物に関する権利で立法化されているものとしては特許権、実用新案権、意匠権、半導体集積回路配置利用権、新品種育成者権、著作権があり、営業上の標識に関する権利で立法化されているものとしては商標権、商号権があります。営業秘密については不正競争防止法により保護されています。

知的財産権の領域は、社会の発展とともにその範囲を広げてきており、今後ますます拡大され、財産としての重要性は一層注目を集めています。

知的財産権という語は、「Intellectual Property」の訳語ですが、世界知的所有権機関（WIPO：World Intellectual Property Organization）設立条約においては、「知

図表１　知的財産権の概念図

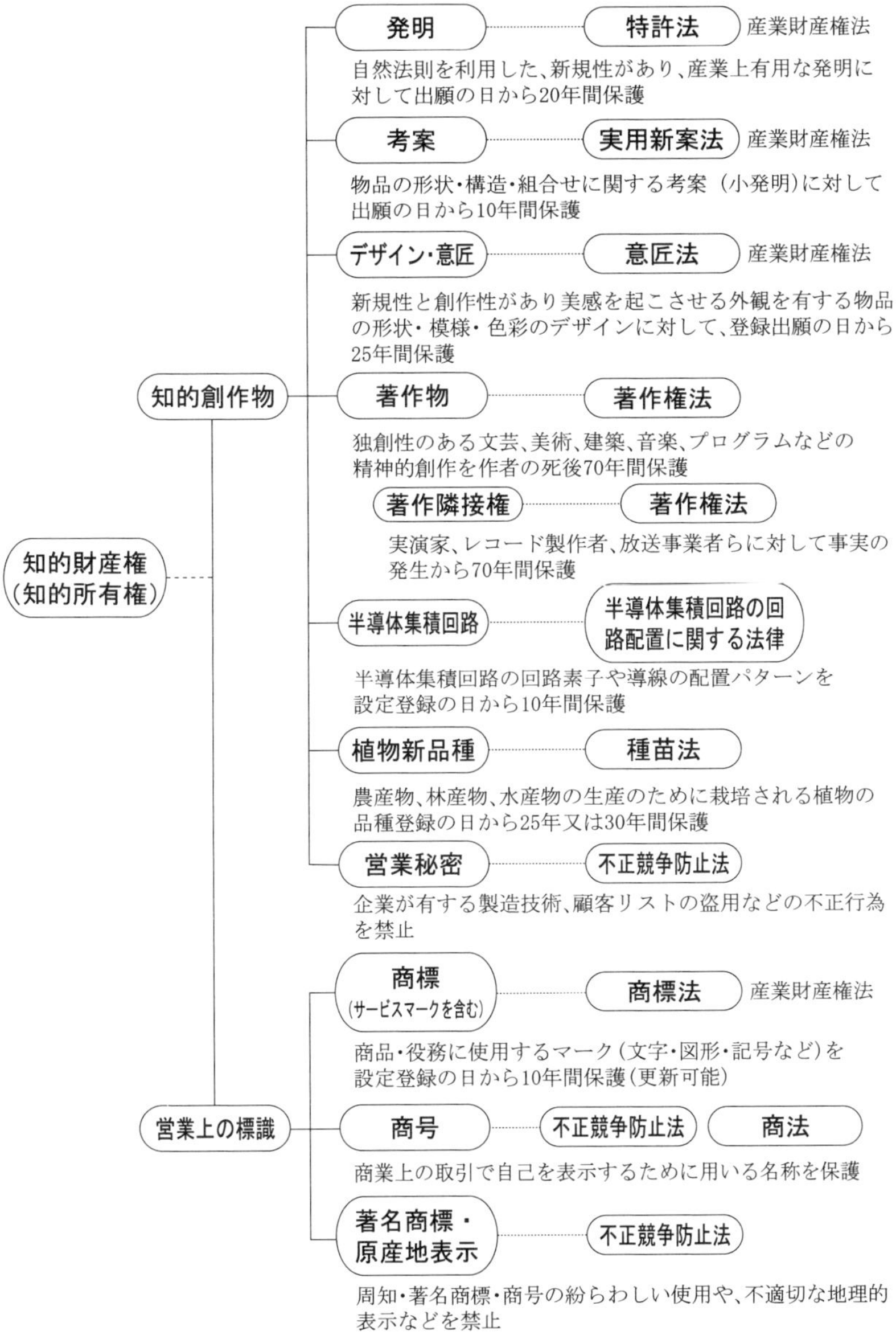

知的財産権
（知的所有権）
知的創作物
発明
特許法
産業財産権法
自然法則を利用した、新規性があり、産業上有用な発明に対して出願の日から20年間保護
考案
実用新案法
産業財産権法
物品の形状・構造・組合せに関する考案（小発明）に対して出願の日から10年間保護
デザイン・意匠
意匠法
産業財産権法
新規性と創作性があり美感を起こさせる外観を有する物品の形状・模様・色彩のデザインに対して、登録出願の日から25年間保護
著作物
著作権法
独創性のある文芸、美術、建築、音楽、プログラムなどの精神的創作を作者の死後70年間保護
著作隣接権
著作権法
実演家、レコード製作者、放送事業者らに対して事実の発生から70年間保護
半導体集積回路
半導体集積回路の回路配置に関する法律
半導体集積回路の回路素子や導線の配置パターンを設定登録の日から10年間保護
植物新品種
種苗法
農産物、林産物、水産物の生産のために栽培される植物の品種登録の日から25年又は30年間保護
営業秘密
不正競争防止法
企業が有する製造技術、顧客リストの盗用などの不正行為を禁止
営業上の標識
商標
（サービスマークを含む）
商標法
産業財産権法
商品・役務に使用するマーク（文字・図形・記号など）を設定登録の日から10年間保護（更新可能）
商号
不正競争防止法
商法
商業上の取引で自己を表示するために用いる名称を保護
著名商標・
原産地表示
不正競争防止法
周知・著名商標・商号の紛らわしい使用や、不適切な地理的表示などを禁止

産業財産権標準テキスト「意匠編」６ページより一部訂正

的所有権」と公式に訳されており、知的所有権についても広範な定義規定を置いています。しかし「Property」を「所有権」と訳すのは妥当ではないといわれています。所有権とは、物（民法八五条で有体物とされている）に対する絶対的・観念的な支配権原であって、ここにいうPropertyは、財産一般を意味するもっと広い概念であるからです。

平成一四（二〇〇二）年七月三日、政府の知的財産戦略会議において「知的財産戦略大綱」が決定され、この大綱において、従来の「知的所有権」の用語を「知的財産権」に統一することがうたわれました。

また、知的財産権のうち、特許権、実用新案権、意匠権、商標権の四つを総称して「工業所有権」と称していましたが、この工業所有権の用語に替えて「産業財産権」を使用することとされました。

知的財産権の概念は、**図表1**のとおりです。

2　知的財産権関係主要条約

技術や発明には国境がないといわれているように、産品の輸出入に伴い、特許や商標は国境を越えるため、国際的な保護が必要です。このため、工業所有権の保護に関するパリ条約が明治一六（一八八三）年に成立しています。その後、さまざまな国際条約が成立しました。そのうち、主な条約は**図表2**のとおりです。我が国が未加入のものもあります。いずれの条約も、各国がその主権に基づき、国ごとに特許権等を付与することを前提とした条約です。欧州特許条約（ＥＰＣ）のような広域条約はありますが、全世界に権利の効力が及ぶような単一の特許権を付与する条約はまだありません。

3　産業財産権

前述した知的財産権のうち、狭義には特許権、実用新案権、意匠権及び商標権を「産業財産権」と呼びます。従来は、英語「industrial property」や仏語「propriété industrielle」の日本語訳として、「工業所有権」と呼ばれていたものですが、平成一四（二〇〇二）年七月三日に決定された「知的財産戦略大綱」の中で、「工業所有権」の用語に替えて「産業財産権」を使用することとされたのは前述のとおりです。従来、特許等の保護の対象として、工業分野のみならず商業分野や農業分野までを含むにもかかわらず（パリ条約一条（３））、「工業」では狭すぎるという指摘や、「所有権」という訳も必ずしも

図表２　知的財産権関係主要条約一覧（2020年１月現在）

条約名	概要	発効・加盟国数（予定含む）	我が国の批准等
パリ条約（調印日 1883.3.20）	本条約は、特許、実用新案、意匠、商標、サービスマーク、商号、原産地表示、原産地名称及び不正競争の防止に関する国際的保護のための条約である。主な内容は次のとおり。 1.〔内国民待遇〕本条約の同盟国は、工業所有権の保護に関して、他の同盟国の国民に対し、自国民に与えるものと同一の保護を与えなければならないという原則 2.〔優先権制度〕同盟国の一に提出された最初の出願に基づいて、一定期間内に他の同盟国に出願した場合には、第一国の出願日が第二国の出願日として取り扱われるという制度 3.〔各国特許独立の原則〕特許等の権利は各国ごとに設定されるという原則	1884年７月７日発効 加盟国174（日本、アメリカ、ドイツ、フランス、イギリス、ロシア連邦、アルジェリア等）	1899年７月15日発効
国際特許分類に関するストラスブール協定（IPC）（1971.3.24）	本条約は、国際的に共通な特許分類について規定している。我が国では特許公報等にIPCを使用する。	1975年10月７日発効 加盟国62（日本、アメリカ、ドイツ、フランス、イギリス、ロシア連邦等）	1977年８月18日発効
特許協力条約（PCT）（1970.6.19）	本条約は、一の国際出願により多数国における特許権等の取得を容易にすることを目的としており、このために出願の方式の統一、各国における審査開始前の先行技術調査の実施等により、各国別審査に要する労力重複の軽減を図っている。また、本条約は特許の分野における発展途上国援助をも目的としており、国際予備審査制度、発展途上国に対する技術情報の提供等を規定している。	1978年１月24日発効 加盟国152（日本、アメリカ、ドイツ、フランス、イギリス、ロシア連邦、カメルーン等）	1978月10月１日発効
虚偽の又は誤認を生じさせる原産地表示の防止に関するマドリッド協定（1891.4.14）	本協定は、外国の地名を原産地として表示するように、当該生産物について虚偽の又は誤認を生じさせる原産地表示をすること等を禁じている。	1892年７月15日発効 加盟国35（日本、イギリス、ドイツ、フランス、アルジェリア等）	1953年７月８日発効
標章の登録のための商品及びサービスの国際分類に関するニース協定（1957.6.15）	本協定は、商標及びサービスマークの登録のための商品及びサービスの国際分類に関する協定である。	1961年４月８日発効 加盟国83（日本、アメリカ、イギリス、ドイツ、フランス、ロシア連邦、アルジェリア等）	1990年２月20日発効
商標法条約（TLT）（1994.10.27）	本条約は、各国商標制度の手続面の調和を目的とするもので、各国商標法において、一出願多区分制の導入、多件一通方式の採用、更新時の実体審査等の禁止、存続期間満了後の更新手続の許容及びモデル国際願書様式の採用などの義務付けを内容としている。	1996年８月１日発効 加盟国53（日本、モルドバ、ウクライナ、スリ・ランカ、チェッコ、イギリス等）	1997年４月１日発効

標章の国際登録に関するマドリッド協定 (1891. 4. 14)	本条約は、一の出願で多数国での商標（サービスマークを含む）登録を可能とする国際登録制度を創設している。国内登録を基礎として本国の国内官庁を経由して国際事務局に国際登録をすれば、各指定国が12月以内に拒絶の予告をしない限り各指定国について国内登録の効果を生ずる。国際登録は20年存続し（更新可）、５年間は国内登録に従属する。	1892年７月15日発効 加盟国56（フランス、ドイツ、イタリア、モナコ、ロシア連邦等）	未加入
標章の国際登録に関するマドリッド協定についての議定書（プロトコル） (1989. 6. 27)	本プロトコルは、標章の国際登録に関するマドリッド協定の加盟国の増加を目的として、審査主義国にも配慮したものである。国内登録のほかに国内出願をも基礎として国際登録を可能とし、拒絶の予告期間を12月又は18月とし、存続期間を10年とし、また国内登録への従属により国際登録が取り消された場合は国内登録への変更を認めている。	2000年３月13日発効 加盟国97（日本、スペイン、スウェーデン、イギリス、中国、デンマーク等）	2000年３月14日発効
特許手続上の微生物の寄託の国際的承認に関するブダペスト条約 (1977. 4, 28)	本条約は、一定の要件を満たした微生物の寄託機関を国際寄託当局として国際的に承認し、いずれか一の国際寄託当局に行った微生物の寄託は、すべての国の特許手続において（有効なものと）認めることを規定したものである。	1980年８月19日発効 加盟国75（ハンガリー、ブルガリア、アメリカ、フランス、日本、イギリス等）	1980月８月19日発効
意匠の国際分類を定めるロカルノ協定 (1968. 10. 8)	本協定は、工業意匠に関する国際的分類を規定した協定で、この協定の同盟国は、意匠の寄託若しくは登録に当たって、その意匠に国際分類の適切な符号を表記しなければならない。締結以前の日本は独自の日本意匠分類を採用しており、意匠公報にロカルノ分類を併記していた。最新の分類は2014年１月１日に発行した第10版で、32のクラス及び219のサブクラスで構成されている。	1971年４月27日発効 加盟国54（日本、フランス、ロシア連邦等）	2014年９月24日発効
工業意匠の国際寄託に関するヘーグ協定 (1925. 11. 6)	本協定は、意匠の国際寄託制度を創設したもので、無審査寄託である。国際寄託の出願は仏語でWIPO事務局に行い、国際寄託は国内寄託と同一の効果を有することなどを定めている。1960年及び1999年に審査国に配慮した改正がなされた。	1928年６月１日発効 加盟国62（ベルギー、エジプト、フランス、ドイツ、スペイン等）	未加入
意匠の国際登録に関するハーグ協定のジュネーブ改正協定 (1999. 7. 2)	本協定は、複数国で意匠登録を行う際の手続の簡素化のための条約である。本改正協定以前は、無審査主義国の制度を念頭において作成されたものであったため、審査主義を採用する国の加入が困難であった。本改正協定は審査主義国に配慮した内容となっている。	2003年12月23日発効 加盟国46（日本、フランス、ドイツ、EU、韓国等）	2014年９月24日発効
世界貿易機関（WTO）を設立するマラケシュ協定 (1994. 4. 15)	本協定は、世界貿易機関を設立するとともに、その附属書において、知的所有権の貿易的側面に関する協定（TRIPS協定）などを定めたものである。TRIPS協定は、知的所有権の有効かつ十分な保護を促進し及び知的所有権の行使のための措置・手続を確保するために加盟国にそれらの実施を求めているもので、具体的には、パリ条約の遵守、著作権・商標・地理的表示・意匠・特許などの取得可能性などの基準及び知的所有権の行使手続の原則などについて定めている。	1995年１月１日発効 加盟国・地域153（日本、アメリカ、アルゼンティン、カナダ、ケニア、イギリス、韓国等）	1995年１月１日発効

特許法条約（PLT）(2000. 6. 1)	本条約は、各国で異なる特許出願等に関する手続の統一化及び簡素化を目的とし、出願人の利便性向上及び負担軽減を図る条約で、出願日の認定要件、指定手続期間の満了後の当該手続期間の延長許容、手続期間経過で喪失した権利等の救済及び優先権の主張に係る救済に係る規定等を設けている。	2005年4月28日発効 加盟国37	2015年6月17日国会承認
商標法に関するシンガポール条約（STLT）(2006. 3. 27)	本条約は、1996年発効の商標法条約（TLT）を取り込み、各国で異なる商標出願等に関する手続の統一化及び簡素化を目的とし、出願人の利便性向上及び負担軽減を図る条約で、新しいタイプの商標（色彩や音など）、電子出願に関する手続及び手続期間経過に対する救済に係る規定を設けている。	2009年3月16日発効 加盟国等42国1政府間機関	2015年6月17日国会承認
ベルヌ条約：文学的及び美術的著作物の保護に関するベルヌ条約 (1886. 9. 9)	本条約は、著作権の国際的な保護のために締結されたものであり、内国民待遇（5条1項)、無方式主義（5条2項)、等を原則とする。同盟国が国内法によって最低限保護すべき内容（著作物・著作者、保護期間など）が規定されている。我が国の著作権法もこれらに準じている。	1887年12月5日発効 加盟国177	1899年7月15日発効
万国著作権条約 (1952. 9. 6)	本条約は、ユネスコ主導の下、締結された国際条約である。アメリカを中心としたパン・アメリカン体制の下では、著作権の発生に方式主義を採用しているが、本条約はこれらの国々において、無方式主義を採用している国々の著作物を保護するために制定された。 方式主義を採る国においても著作物の複製物（書籍など）に「©発行年、著作者名」を表示すれば、保護を受けることができる。本条約とベルヌ条約の両方に加盟している国では、ベルヌ条約が適用される。	1955年9月16日発効 加盟国100	1956年4月28日発効
WIPO著作権条約（WCT）(1996. 12. 20)	保護対象は表現されたものすべてに及ぶ（プログラムや創作性のあるデータベースも含む)。思想・手続・運用方法・数学的概念には及ばない。著作物のデジタル化に対応した。 ベルヌ条約20条の特別の取極として採択された。本条約の加盟国はベルヌ条約の実体規定を遵守する義務があり、さらに本条約による追加的義務も遵守することになる。	2002年3月6日発効 加盟国89	2002年3月6日発効
ローマ条約：実演家、レコード製作者及び放送機関の保護に関する国際条約 (1961. 10. 26)	本条約は、実演家、レコード製作者、放送事業者の権利を保護対象とする。著作権に隣接する権利の保護であることから、ベルヌ条約又は万国著作権条約の加盟国でなければならない。	1964年5月18日発効 加盟国91	1989年10月26日発効
レコード保護条約：許諾を得ないレコードの複製から	本条約は、レコード製作者を、レコードの無断複製物の作成、輸入、複製物の頒布から保護する。保護期間は、音の固定又はレコードの発行から20年より短くてはならないとしている（4条)。	1973年4月18日発効 加盟国77	1978年10月14日発効

のレコード製作者の保護に関する条約（1971. 10. 29）			
WIPO 実演・レコード条約（WPPT）（1996. 12. 20）	本条約は、実演家とレコード製作者の権利について定めている。この条約により実演家人格権が認められた（5条）。 WCT と同じく、著作物のデジタル化に対応している。	2002年5月20日発効 加盟国89	2002年10月9日発効
TPP11 協定（環太平洋パートナーシップに関する包括的及び先進的な協定）（2018. 10. 31）	TPP は、アジア太平洋地域においてモノの関税だけでなく、サービス、投資の自由化を進め、知的財産や金融サービス、電子商取引など、幅広い分野で21世紀型のルールを構築する経済連携協定である。知的財産も対象で、「著作物等の保護期間の延長」、「審査遅延に基づく特許権の存続期間の延長」等を含んでいる。	メキシコ、日本、シンガポール、ニュージーランド、カナダ、オーストラリア、ベトナム、チリ、ペルー、マレーシア、ブルネイ	2018年12月30日発効

妥当ではないといわれていました。

本書では、従来の工業所有権に替えて、産業財産権の用語を使用します。一般的には、特許権、実用新案権、意匠権及び商標権を指し、産業財産権法といった場合は、特許法等従来の工業所有権四法を指します。これら四法は登録制度を設け、いずれも経済産業省特許庁で所管しています。そして、パリ条約にならえば、広義では不正競争の防止まで含めて、産業財産権や産業財産権法ということになります。

著作権は、産業財産権とともに知的財産権ないし無体財産権に含まれますが、同法は文部科学省文化庁が所管しています。産業財産権制度の概要は**図表3**を参照してください。

4　産業財産権法の基本的仕組み

特許法や商標法等は世界のほとんどの国でそれぞれ独自の法律を制定していますが、それらの基本的仕組みにおいては、次のような共通性を有しています。

〔権利主義〕 発明等を創作した者は、特許や登録を受ける権利を取得し、国家に対して、権利付与を請求することができます。国家の恩恵（裁量）で特許等が付与さ

図表３　産業財産権制度の概要

	要件又は特性	存続期間
特許	①　産業上利用できる発明 ②　新規性、進歩性のある発明 ③　物の発明、方法の発明 （先願主義）	出願の日から20年（医薬品などの特定分野に係る特許については５年を限度として延長可能）
実用新案	①　産業上利用できる考案 ②　新規性、進歩性のある考案 ③　物品の形状、構造又は組合せに係るもの （先願主義）	出願の日から10年
意匠	①　工業上利用できる意匠の創作 ②　物品（物品の部分を含む）の形状、模様若しくは色彩又はこれらの組合せ ③　美感を起こさせるもの ④　新規性があり、創作が容易でない意匠 （先願主義）	登録出願の日から25年（令和２年４月１日施行）
商標	①　文字、図形、記号、立体的形状、色彩又はこれらの組合せ、音等 ②　商品・サービスに使用するもの ③　商品・サービスとの関係で識別力を持つもの ④　特に他人の登録商標と同一又は類似でないもの （先願主義）	設定の登録の日から10年（ただし、更新可能）

れるものではありません。このため、いったん権利付与が拒否されたときでも、請求者に対しては、審判等による不服の制度が設けられています。現在では、恩恵主義をとる国はないようです。

我が国では、特許法、実用新案法、意匠法が採用しています。商標法では、保護対象が創作とは無関係で、権利主義からの説明は馴染《なじ》みません。

〔先願主義〕　同一発明等が競合した場合は、先に出願した者に権利が付与されます。これに対して、先に発明等をした者に権利を付与する先発明主義や先使用主義があります。アメリカの特許法や商標法がそうでしたが、アメリカは二〇一一年に特許法を改正し二〇一三年三月一六日から先願主義へ移行しました。先願主義は、国家に対する権利付与請求（出願）の先後の認定は容易ですが、過去の発明や使用の先後の認定は容易ではなく、一方、先発明主義等の下では、権利付与後に先発明者等の出現があったりして権利が安定しません。その点、先願主義においては、国家に対して発明等の公開を先に申し出た者に権利を付与することになり、特許法等の制度目的にかなっています。先願主義は世界の趨勢《すうせい》です。

我が国では、特許法、実用新案法、意匠法、商標法のいずれもが採用しています。

〔**審査主義**〕発明等については、国家が権利付与の実体的要件を定め、国家の審査によりその要件を満たした発明等についてのみ権利を付与します。これに対して、方式審査等のみで権利を付与し、実体的な審査は付与後の審判や裁判にゆだねる無審査主義があります。審査主義によるときは、付与された権利は安定しますが、その反面、権利付与に時間を要します。無審査主義では、その反対になります。

我が国では、特許法、意匠法、商標法が審査主義を採用していますが、実用新案法は無審査主義です。

〔**登録主義**〕発明等について付与される権利は、国家が備える登録簿に登録されたときに発生します。このため、権利の発生や存在は登録簿により明確で、また登録簿は公開されますので、権利の公示性が確保されます。これに対して、使用により権利が発生する使用主義がありますが、権利の発生や存在の確認は容易ではありません。アメリカ商標法は使用主義を採用しています。そこでの登録は権利発生の確認の登録と位置付けられます。

我が国では、特許法、実用新案法、意匠法、商標法のいずれもが登録主義を採用しています。

なお、我が国著作権法では、無方式主義を採用し、創作により著作権は発生し、産業財産権のように国家に対する手続（出願）は不要です。

二 産業財産権の登録制度の仕組み
――「特許」制度を中心に

特許などの産業財産権制度は、だれの、どのような内容の権利が存在するかを登録しておき、その発明などを無断で実施・使用することを禁止する制度です。

ところで、登録されている「内容」があいまいだったり、既に登録されているものと同じだったりしたのでは、せっかくの登録制度も十分に機能しません。

例えば、「特許」として登録されているモノの発明の「内容」があいまいなものであったら、その特許発明を「避けて」モノをつくろうとしても、どのように避けたらよいのか分かりません。避けたつもりでも、後で「特許権に触れる」と裁判所で判断されるようなことになるとたいへんです。

また、全く同じモノについての発明が二つ特許された場合はどうでしょうか。先に出願して特許を得た甲が、後に出願して特許を得た乙から「それは私の特許ですから、そのモノをつくってはいけません」といわれるかもしれません。甲は「私のほうが先だ」といっても、乙も特許を得ているのですから、話がややこしくなりすぎます。このような場合、「先に出願して特許を得たほうが勝ち」であることをはっきりさせるような仕組みが必要となるでしょう。

＊

ここでは、発明についての特許の場合を例にとりながら、我が国の登録制度の骨子を見ておきましょう。できるだけ特許法の条項を引用せずに説明します。

話を単純化するために、あるモノに関する発明について の特許（狭義の「特許制度」）を例にとって説明しますが、「実用新案の場合はどこが違うのだろうか」、「意匠の場合は?」、「商標の場合は?」というふうに、他の制度との違いは何か——についても考えながら読んでください。

1 出願

発明をした者（又はそれを譲り受けた者＝「特許を受ける権利」の承継人）は必ず「出願」をしなければ特許を得ることはできません。

出願の基本は、「だれの」に対応する出願人の住所、氏名（名称）等が記載されている文書（願書）と、「どのような発明」に対応する発明の内容が記載されている文書（明細書など）とが合体したものです。

(1) 発明者＝出願人

それでは、「だれの」は、どのようにして定められるのでしょうか。

まず、基本的に、「発明をした者」が特許を受けることができる——という考え方が貫かれています。これを、「特許を受ける権利は原始的に発明者に帰属する」というように説明することがあります。

それでは、特許を受ける権利は、「どの」発明の発明者に帰属するのでしょうか。というのは、明細書には複数の発明が記載されることがありますが（複数の発明が記載されるのがふつう）、そのうちのある発明はAが、他の発明はBが完成させたということもあり得るからです。この点については理論的にもめんどうな議論がありますが、ここでは一応、後に見る「特許請求の範囲」に記載された発明の発明者に、その出願についての特許を受ける権利が帰属する、ということにしておきます。したがって、明細書の「発明の詳細な説明」にのみ記載され、特許請求の範囲には記載されていない発明の発明者は、その出願についての特許を受ける権利を有しない、ということになります。

(2) 明細書・特許請求の範囲

「どのような発明」――に対応する、発明の内容が記載されている文書が「明細書・特許請求の範囲」です。必要な場合には「図面」も添えて、「願書」に添付して特許庁(長官)に提出します。これが「出願」です。

明細書・特許請求の範囲に記載すべき事項の詳細については後で説明しますが、基本は、「発明の詳細な説明」と「特許請求の範囲」です。

発明の詳細な説明には、「その発明の属する技術の分野における通常の知識を有する者がその実施をすることができる程度に明確かつ十分に記載しなければならない」と定められており、この要件を満たしていない出願は特許されません。

「…通常の知識を有する者」というのは、いわゆる素人のことではなく、その技術分野において一定の知識を持った人(「当業者」)というように考えておけばよいと思います。

「…実施をすることができる程度に明確かつ十分に」記載しなさい、ということですから、まず、発明が「完成」していなければなりません。次に、発明を実施するために必要な過程が書かれていなければなりません。これらの不可欠の事項を、一般的には、「目的、構成、効果」などごとに記載します。

次に、特許請求の範囲ですが、この記載が、「特許権」の範囲を定めることになります。この特許請求の範囲には、発明の詳細な説明に記載したものであって、「特許を受けようとする発明」を明確に記載した「請求項」に区分して記載しなければなりません。

以上が明細書・特許請求の範囲に記載すべき事項の基本です。

＊

このように説明すると、明細書・特許請求の範囲の記載方法はずいぶん簡単なものだと思われるかもしれませんが、もちろんそうではありません。的確な明細書・特許請求の範囲を書くことができるようになるには、関連した法規に精通する必要があるほか、かなりの「年季」も必要です。

特許請求の範囲に記載された事項は、他人の無断実施を排除し得る「範囲」を定めることになります。したがって、「他人」から見ると、企業活動などの「権利」を制限されることにもなるわけです。この意味で明細書・特許請求の範囲は単なる技術文献ではなく、「法的文献」（権利文献）でもあります。

特許制度は、一般に、特許を受けた発明の公開の代償として、国家が一定期間の独占権を与えるものである（「公開代償説」）といわれますが、独占権を与えるに足りる発明であるかどうかは、明細書・特許請求の範囲の記載いかんにかかっているわけです。

まず、明細書・特許請求の範囲は、「設計図」などとは異なるものであることに注意してください。保護の対象とされる発明は「技術的思想」であって、「技術」ではないからです。

しばしば、モノをつくるための設計図の説明をもって明細書・特許請求の範囲の記載に代えようとする人がいます。

設計図には、例えば、モノの寸法が記載されます（寸法が記載されていなければ特定のモノはつくれない）。その寸法が、特許を受けようとする発明にとって必須の条件であることもあるでしょうが、寸法を変えても「技術的思想」としては異なるものではない——というときには、寸法の記載は、むしろ発明の内容を必要以上に「狭く」することになるでしょう。

モノをつくる「技術」としては完成していても、特許を得るために必要な「技術的思想」と一致するとは限りません。

技術的能力と特許を受けるための明細書・特許請求の範囲を作成する能力とは一致するとは限らないとしばしばいわれるのは、端的にいえば右のように事情に基づくものだといえるでしょう。

次に、これもしばしば発明者がいうことですが、明細書・特許請求の範囲には発明の詳細はできるだけ書かずに秘密にしておきたい——というのがあります。

特許を受けようとする発明にとって、必須でない（無関係の）事項を記載する必要がないことはもちろんですが、必須の事項を「隠す」こともできません。

そもそも特許制度は、先ほど公開代償説として説明しましたように、発明者（及びその承継人＝出願人＝特許権者）と第三者との間のバランスに基づいて成り立っている制度であって、発明者にのみ一方的な「利益」をもたらす制度ではないからです。したがって、特許請求の範囲に記載されていない（隠された）発明に基づいて権利の行使ができないのは、当然のことであるといえるでしょう。

＊

明細書・特許請求の範囲の記載方法の基本は、右のように、完成した発明を十分に開示するとともに、必要かつ十分な特許請求の範囲を記載する——ということに尽きます。具体的な記載方法に習熟するには、かなりの経験を要します。やはり専門家に相談すべきでしょう。

2　出願公開

出願公開制度は、昭和四五（一九七〇）年の改正で、特許、実用新案制度についてのみ新たに設けられたものです（実用新案制度については平成五年の法改正で廃止）。

この制度の目的は、出願件数の増大によって審査が遅延し、出願された発明の公表が遅れるため、重複研究、重複投資を招いているという弊害を除去することにあります。公開は後に述べる審査の状況のいかんにかかわらず、出願から一年六月後に出願内容を公開するというものです。この出願内容は特許公報に掲載されます。

出願公開があった後に第三者が「業として」その発明を実施したときには、特許出願人はその第三者に対して「補償金」の支払を請求することができます。

3　出願審査の請求

この制度も、昭和四五（一九七〇）年の改正で特許、実用新案制度についてのみ新設されたものです（実用新案制度については平成五年の法律改正で廃止）。

この改正は、「陳腐化した出願や誤算的出願など独占的権利を付与する必要のない出願についての審査の無駄を省く」ことを目的として、出願人から「審査をしてください」という請求を待って審査を行うこととしたものです。現在では、出願された件数のうち、六〇〜七〇％が審査請求されています。

なお、この改正以前には、出願されたものはすべて審査していました（意匠、商標については現在でもすべての出願について審査しています）。

4　審　査

出願がされ、出願審査の請求がされても、すべてが特許・登録されるというわけではありません。

「特許庁審査官」による審査（行政法にいう「独立した行政（官）庁」としての「特許庁審査官」による審査）が

されることになります（実用新案制度についての「審査」は、平成五年の法律改正によって、基本的にはされないことになりました。第二章で詳しく説明します）。

特許法では、「このような場合には特許する」という形ではなく、「このような場合には特許しない」という形で拒絶理由が規定されています。

この拒絶理由は、特許法では四九条に、そのすべてが列挙されています。「すべて」ですから、ここに列挙されている理由以外の理由によって拒絶査定がされることはありません。同時にまた、ここに列挙されている理由に該当すると審査官が判断したときには、必ず拒絶査定をしなければなりません。

量的に見ると、拒絶理由として判断の対象とされる事項は、先に述べた、明細書の発明の詳細な説明や特許請求の範囲の記載が法規の定めに適合したものであるかどうかのほか、次のようなものです。

○発明、すなわち自然法則を利用した技術的思想の創作のうち高度なものであるかどうか
○産業上利用できる発明であるかどうか
○新規（新しい）な発明であるかどうか
○進歩性を有する、すなわち、既に世間で知られた技術から容易にその発明をすることができるものであるかどうか
○他人より先の出願であるかどうか

＊

意匠法では一七条に、商標法では一五条にそれぞれの登録拒絶の理由が列挙されています。なお、これらに対応する改正前の実用新案法一一条は、平成五（一九九三）年の改正で削除されています。

右の審査をすると、審査官は、必ず特許すべきか否かについての判断をすることになります。

拒絶をすべき理由を見いだしたときは出願人にその旨を通知し、見いださなかったときは、出願公告制度が廃止されたため、特許すべき旨の査定をすることになります（平成六年改正）。

これは商標法でも平成八（一九九六）年の改正で特許法、意匠法と同様になりました。

5　拒絶理由の通知

審査の結果、審査官が拒絶理由を見いだしたときには、拒絶理由を出願人に通知します。

拒絶理由の通知とは、出願に係る発明は新規性がない

とか、既に他の出願人から出願されているとか、内容審査の基準から見て特許を与えられない理由を述べるものです。

この拒絶理由の通知を出願人が受けると、出願の内容を一定の範囲で手直しをしたり、意見書を提出できます。審査官は、それらを見た上で、特許査定あるいは拒絶査定をします。

6 特許権の設定の登録

以上の手続を経て特許査定がされると、特許料の納付を条件として特許権の設定登録がされます。

特許権の設定登録の後、前述の拒絶理由に該当するものであるなど特許の要件を満たしていないと考えた場合には、特許無効の審判を請求することができます。

その審決に不服であれば、知的財産高等裁判所に審決の取消しを求めて訴訟を起こすこともできます。

7 拒絶査定不服審判

拒絶査定がされた場合、その査定に不服があるときには、拒絶査定不服審判を請求することができます。そして、特許無効審判の場合と同様に、さらに知的財産高等裁判所に審決の取消しを求めて訴訟を起こすこともできます。

＊

以上、概略したように、出願→方式審査→〈出願公開〉→〈審査請求〉→〈実体審査〉→特許査定→権利の設定登録、というのが、特許になるまでのおおまかな流れであり、審判制度も設けられています（なお、〈　〉は、四法すべてに認められている制度ではないものです。**図表5**参照）。

三 産業財産権をめぐる動向

近年の特許、商標など産業財産権をめぐる動きは、非常に活発です。法制度の改正状況は、本書で紹介しているとおりですが、周辺の事情は次のとおりです。

1 国内の動向

〔知的財産基本法の制定〕 平成一四（二〇〇二）年七月三日、内閣総理大臣が開催する「知的財産戦略会議」において、「知的財産戦略大綱」が決定されました。ポイントは、知的財産立国を実現するため、総合的な国家

図表４　出願件数の推移

種別＼年別	特　許	実用新案	意　匠	商　標	計
明治17年				883	883
18	425			1,296	1,721
19	1,384			607	1,991
22	1,064		176	1,029	2,269
23	1,180		497	819	2,496
30	1,542		320	3,228	5,090
35	3,095		730	3,529	7,354
40	4,754	8,862	1,438	5,954	21,008
大正元年	7,168	14,809	2,420	11,909	36,306
5	6,383	14,195	3,109	14,074	37,761
10	12,026	27,038	2,785	36,809	78,658
昭和元年	12,495	27,467	7,354	21,726	69,042
10	16,645	40,988	12,364	29,661	99,658
20	4,258	4,427	—	2,401	11,086
30	34,508	60,933	14,195	36,357	145,993
40	81,923	108,553	37,262	62,123	289,861
50	159,821	180,660	52,250	155,469	548,200
57	237,513	202,706	59,390	139,198	638,807
58	254,956	205,243	57,618	150,318	668,135
60	302,995	204,815	55,237	161,546	724,593
昭和計	5,366,694	5,581,581	1,659,795	4,369,834	16,977,904
平成元年	351,207	153,302	48,596	172,780	725,885
3	369,396	114,687	40,134	167,906	692,123
4	371,894	94,601	39,170	311,011	816,676
5	366,486	77,101	40,759	174,585	658,931
10	401,932	10,917	39,352	112,469	564,670
11	405,655	10,283	37,368	121,861	575,167
12	436,865	9,587	38,496	145,668	630,616
13	439,175	8,806	39,423	123,755	611,159
14	421,044	8,602	37,230	117,406	584,283
15	413,092	8,169	39,267	123,325	583,853
16	423,081	7,986	40,756	128,843	600,666
17	427,078	11,387	39,254	135,776	613,495
18	408,674	10,965	36,724	135,777	592,140
19	396,291	10,315	36,544	143,221	586,371
20	391,002	9,452	33,569	119,185	553,208
21	348,596	9,507	30,875	110,841	499,819
22	344,598	8,679	31,756	113,519	498,552
23	342,610	7,984	30,805	108,060	489,459
24	342,796	8,112	32,391	119,010	502,309
25	328,436	7,622	31,125	117,674	484,857
26	325,989	7,095	29,738	124,442	487,264
27	318,721	6,860	29,903	147,283	502,767
28	318,381	6,480	30,879	161,859	517,599
29	318,481	6,106	31,961	190,939	547,487
30	313,567	5,388	31,406	184,483	534,844

（注）―印は出願件数の最高を示す。　（資料）特許行政年次報告書（2019年版）

図表5　出願から特許までの手続〔特許の例〕

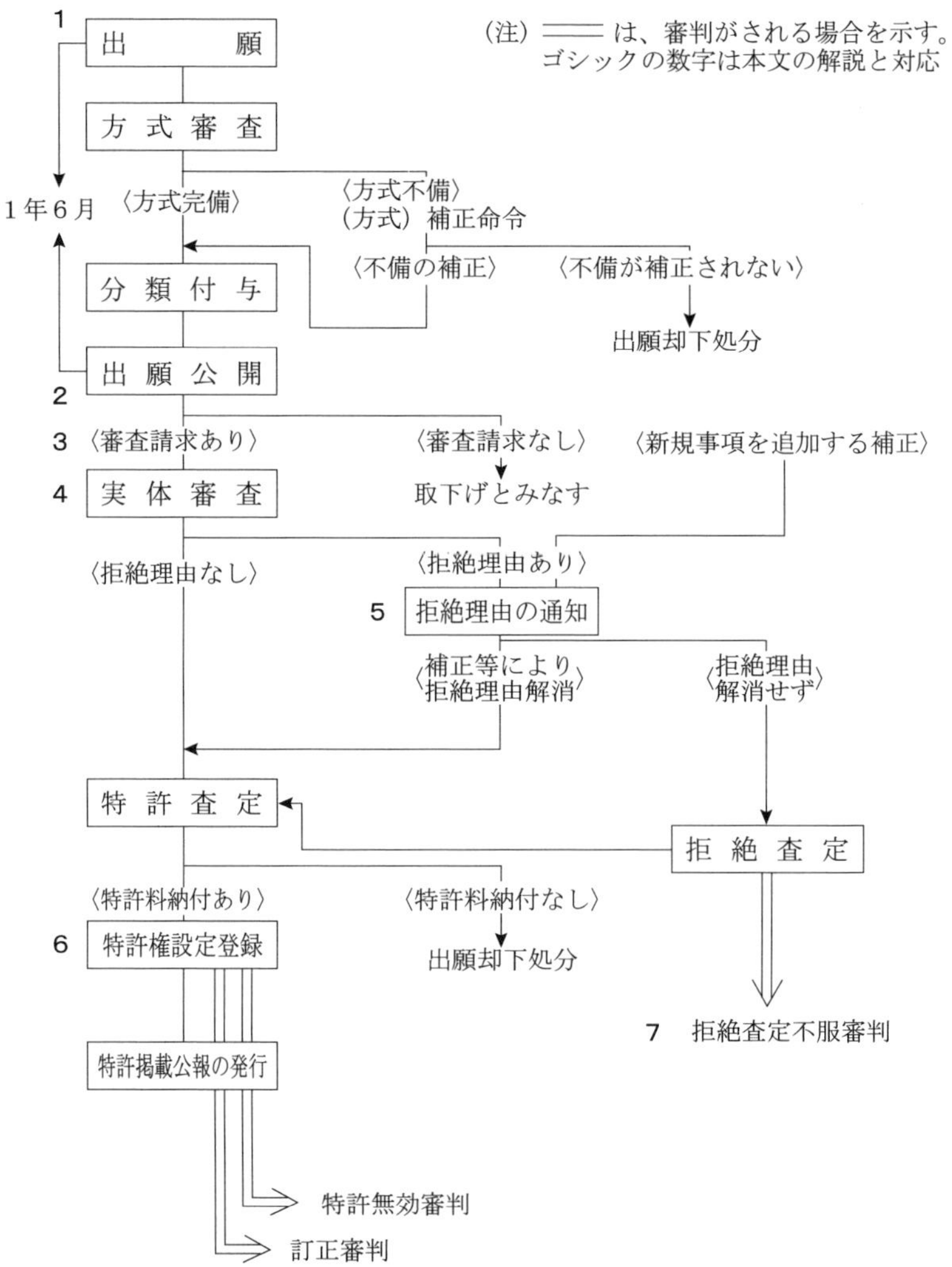

(注) ══ は、審判がされる場合を示す。
ゴシックの数字は本文の解説と対応

的な取組が必要として、①創造戦略、②保護戦略、③活用戦略、④人的基盤の充実が挙げられました。これを受けて、同年一一月二七日に「知的財産基本法」（平成一四年法律第一二二号）が制定されました。知的財産に関する施策を集中的計画的に推進し、知的財産の創造・活用による付加価値の創出を基軸とする活力ある経済社会を実現することを目的に掲げ、知的財産に関し、大学の研究開発の促進や特許など権利付与手続の迅速化、裁判など紛争処理の迅速化、侵害の取締り、新分野（ポストゲノム、再生医療）の保護、専門家の育成などが基本的施策とされています。

〔知的財産推進計画策定の続行〕 前述の知的財産基本法を推進するために設置された知的財産戦略本部は、知的財産推進計画を見直すため、平成一六（二〇〇四）年五月二七日に、「知的財産推進計画二〇〇四」を策定しました。創造、保護、活用、人材育成等五分野・四〇四項目からなるもので、特許審査の迅速化や農林水産物等の地域ブランドの保護制度、模倣品対策等が含まれています。その後毎年の改訂を受けて、平成一七（二〇〇五）年には商標法及び不正競争防止法等、同一八（二〇〇六）年には意匠法等が改正されました。

知的財産推進計画二〇一四では、「第一　産業競争力強化のためのグローバル知財システム」の構築として、①世界最速、最高品質の特許審査の実現及び知財システムの国際化の推進、②職務発明制度の抜本的な見直し、③営業秘密保護の総合的な強化等を、さらに「第二　中小・ベンチャー企業の知財マネジメント強化支援」、「第三　デジタル・ネットワーク社会に対応した環境整備」、「第四　コンテンツを中心としたソフトパワーの強化」について定められ、第四の中では模倣品・海賊版対策も検討されています。

〔知的財産高等裁判所の設置等〕 平成一五（二〇〇三）年の民事訴訟法の改正で、特許権、実用新案権、回路配置利用権及びプログラム著作物の著作権に関する訴訟については、専属管轄化が図られ、東京地裁又は大阪地裁に提起することとされました（民事訴訟法六条）。高度で専門的な技術などが審理の対象となるため、従来知的財産専門部があって経験豊富な裁判官や調査官が担当し、迅速で的確な裁判を確保しようとするものです。また、意匠権、商標権、著作権（プログラム著作物の著作権に関するものを除く）及び不正競争防止法等に関する訴訟については、普通裁判籍等のほか、東京地裁又は大阪地裁にも提起することができることとされて（民事訴訟法六条の二）、いわゆる広域的競合管轄化が図られました。

そして、右特許権等に関する訴訟に対する控訴はすべて東京高等裁判所に集中することとされ、平成一六（二〇〇四）年には知的財産高等裁判所設置法（平成一六年法律第一一九号）により、東京高等裁判所に特別の支部として知的財産高等裁判所が設置されました。

平成二六（二〇一四）年五月、知財高等裁判所は、アメリカのアップル社と韓国サムスン社間の特許権侵害に係る損害賠償請求権不存在確認訴訟の控訴審において、五人の裁判官の大合議審理をして、ＦＦＲＡＮＤ宣言（公正、合理的かつ非差別的な条件でライセンス許諾をする用意ある旨の宣言）をしたサムスン社特許（「必須標準特許」と呼ばれる）については、アップル社に対し同条件内のライセンス料相当額を損害額としての支払を認定し、同額を超える損害賠償の請求については権利の濫用との判断を示しました（知財高平二六・五・一六判）。この事件の審理に当たって、知財高等裁判所は、ＦＦＲＡＮＤ宣言に係る特許権の権利行使の可否という重要性にかんがみ、民事訴訟法の枠内ですが、広く一般から意見募集をして、注目を集めました。

〔特許審査の迅速化〕　特許出願件数が四〇万件近い中で、平成一九（二〇〇七）年には、第一次審査に要する期間、「ＦＡ期間」は二七月、審査待ち案件は八八・八万件にのぼっていました。特許庁では、平成一六（二〇〇四）年度～平成二〇（二〇〇八）年度の五年間で五〇〇名程度の任期付き審査官を増員して、特許審査の迅速化を図ってきたところ、平成二四（二〇一二）年には権利化まで二九・六月、「ＦＡ期間」は、平成二五（二〇一三）年には一一月となりました。

〔スーパー早期審査の試行開始〕　特許庁では、従来、特許出願や意匠登録出願、商標登録出願に係る実施（使用）関連出願や外国出願案件等については、出願人より、「早期審査に関する事情説明書」の提出があったときは、早期審査や早期審理を実施し、特許出願では平均五・九月で最終結果が出されています。この成果を踏まえて、平成二〇（二〇〇八）年九月から、より権利化の重要度が高い特許出願については更なる審査期間の短縮化を目指す、スーパー早期審査の試行が開始されました。

〔日系企業の模倣品対策の支援〕　商標、意匠などをそっくりまねた模倣品が世界中で出回っています。その大半はアジア諸国で製造されて、日系企業が被害に遭っています。被害の実態調査、アジア諸国のエンフォースメント（権利行使手続）体制の調査とともに、「模倣品110番」を設置するなどして相談事業等が行われています。

平成一四（二〇〇二）年四月には、官民一体となって模倣品・海賊版対策を推進するために、「国際知的財産保護フォーラム」が発足して、同一二月には官民合同の調査団を中国に派遣し、中国中央政府や地方政府に対して、模倣品取締りの強化等の申入れを行いました。

〔知的財産侵害物品の水際対策の強化〕 平成一七（二〇〇五）年関税定率法（明治四三年法律第五四号）が改正されて、水際で輸入差止め可能な輸入禁制品として、従来の特許権、意匠権及び商標権等侵害物品のほかに、不正競争防止法（平成五年法律第四七号）上の周知表示混同惹起《じゃっき》行為、著名表示冒用行為及び商品形態模倣行為に係る各組成物品が加えられました。模倣品や海賊版の海外からの流入を阻止する対策の一環として強化されたものです。特許庁の調査によれば、二〇一二年度の我が国企業一社当たりの平均被害額は一・九億円で、模倣被害総額は一〇〇一億円（前年度一二五五億円）と前年度に比べて減少しました。模倣被害率（模倣被害社数／総回答社数四三〇〇社）は二一・八％（前年度二三・四％）で、前年をわずかですが下回っています。

水際を所管する財務省の発表によれば、二〇一三年は、輸入差止件数が過去最高であり、その件数は二万八一三五件で、前年（二〇一二年）に比べ五・七％増となりました。輸入差止点数は六二万八一八七点です。中国からの知的財産侵害物品の輸入差止件数は二万五八四四件で、仕出国別の構成比では全体の九一・九％を占めています。

2　国際的動向

〔修正実体審査主義採用国と日本国特許庁の役割〕 特許権は原則として各国ごとに独立して成立するため、各国ごとに出願し、各国特許庁は独自に審査する必要があります。経済のグローバル化に伴い、同じ発明を各国ごとに出願する例が増えて、出願人は各国ごとに手続をとり、各国特許庁も重複して審査しなければなりません。このため、近年、クロアチア、シンガポール、マレーシア等の国では、他国の特許庁の審査結果を利用して特許権を付与する修正実体審査主義を採用しています。修正実体審査主義を採用する国の特許庁が、あらかじめ定めた他国の特許庁（「所定特許庁」と呼ばれます）の審査結果を受け入れることにして、同じ発明の出願については、一定の手続で提出された所定特許庁の審査結果（我が国に関しては特許公報の英訳）を受け入れ利用して特許権を付与するものです。日本国特許庁は、クロアチア（平成一三（二〇〇一）年六月）、シンガポール（平成一四（二〇〇二）年八月）、マレーシア（平成一五（二〇〇三）年二月）について所定特許庁となりました。特許庁間の重複審査が排除されて、迅速な権利付与に貢献することになります。

〔商標法に関するシンガポール条約の採択〕 すでに発効している商標法条約（我が国加入済み）を改正した条約が、二〇〇六年三月二七日にシンガポールで採択されました。商標法条約からは独立したもので、同条約の内容に、出願手法の多様化の許容や手続の更なる簡素化・共通化、手続期間不遵守に対する救済措置などを加えたものです（二〇〇九年三月一六日発効）。

〔模造品の取引防止に関する協定の成立とその後〕 二〇〇五年我が国が提唱して交渉が開始された「模造品の取引の防止に関する協定（Anti-Counterfeiting Trade Agreement：ACTA）」は、平成二三（二〇一一）年一〇月一日東京で署名式が行われて成立しました。同協定は、

Ⅰ　法的規律の形成

　国境措置、民事執行、刑事執行、デジタル環境における執行

Ⅱ　国際協力の推進

Ⅲ　執行実務の強化

の三部構成です（特許行政年次報告書二〇一一年三二五ページ）。交渉参加国及び署名国は、日本、オーストラリア、カナダ、EU、韓国、メキシコ、モロッコ、ニュージーランド、シンガポール、スイス及びアメリカです。

我が国は、平成二四（二〇一二）年一〇月五日受諾書を寄託し、同協定の最初の締約国となりました。ACTAは、六番目の批准書等が寄託された日の後三〇日で発効しますが、発効するに至っていません。

〔特許審査ハイウェイ〕 特許審査ハイウェイは、出願人の外国での早期権利化を容易にするとともに、各国特許庁にとって、第一庁の先行技術調査と審査結果の利用可能性や審査の負担の軽減、質の向上を図ることを目的として、平成一六（二〇〇六）年七月に開始されました。

図表６　知的財産権関係民事事件の新受件数（全国地裁第一審）

年次	新受(件)
平成12年	610
13	554
14	607
15	635
16	654
17	579
18	589
19	496
20	497
21	527
22	631
23	518
24	567
25	552
26	550
27	534
28	505
29	694
30	490

（資料）知的財産高等裁判所 HP（2020年３月現在）

例えば、日本国特許庁（第一庁）で特許可能と判断された発明に係る、ＰＣＴ（特許協力条約）出願等について、出願人の申請により、アメリカ特許商標庁（第二庁）において簡易な手続で早期審査が受けられるようにする仕組みで、アメリカのほか、イギリス、韓国、ドイツ、デンマーク、スペイン、メキシコ、スウェーデン、ＥＰＯ（欧州特許庁）、カナダ、シンガポール、ハンガリー、オーストリア、フィンランド、ロシア各特許庁等の間で利用可能（試行を含む）とされています。

３　知的財産権関係民事新受事件件数

知的財産権をめぐる民事紛争事件件数は、**図表６**のとおりです。

Patent

第１章

特許法のあらまし

特許を取得するための手続を知らなかったために、せっかくの長年の苦労の結晶である発明が特許されなかったり、何億円も稼いでいた特許権が一夜のうちに消滅してしまい、悔やんでもあとの祭りということがしばしばあります。これは、特許法が正確に理解されていないところに一つの大きな原因があると思われます。

特許出願の手続が厳格すぎる、複雑すぎるという批判をよく耳にしますが、これも特許法が理解されていない一つの表れであると思います。特許出願の手続は、特許権という独占権を付与するものであり、特許権が第三者へ与える影響も非常に大きいので、その手続はむしろ厳格に進める必要があります。

また、発明は「技術的思想」といわれるように、目に見えない観念的なものですので、形式的にも整った様式で特許請求の範囲・明細書が作成されていなければならないという要請もあるわけです。

このようなことから、特許法には特許付与の手続、特許権などに関する詳細な規定が設けられています。そして、代理人として特許出願の手続をしたり、審判の請求の手続をする、弁理士といういわゆる職業代理人の制度が設けられています。

＊

我が国に特許法ができたのは、今から一〇〇年以上前の明治一八（一八八五）年です。一世紀以上にわたる伝統のある法律ですし、しかも手続法的側面が強いことから手続が精緻《せいち》に規定されており、また実際に、特許を与える、与えないという膨大な審決・裁判例があります。

したがって、平易に解説するにも限度があると思いますが、なるべく特許法上の特許出願の手続に沿って若干の裁判例を含めながら簡潔に話を進めていきたいと思います。

一　特許制度は何のためにあるのか

1　特許制度の目的

特許法は、その一条で「この法律は、発明の保護及び利用を図ることにより、発明を奨励し、もって産業の発達に寄与することを目的とする。」と定めています。もう少し分かりやすく特許法の体系とのかかわりでいえば、発明をした者に対して、その発明という新技術を公開する代わりに特許権という独占権を与えて発明を奨励し、そして、特許権の存続期間中は特許権者自身又はその許諾により、特許権消滅後は何人も自由にその発明を実施することによって産業の発達を図ろうというものであるといえるでしょう。

アメリカ旧特許庁の玄関には、リンカーン元大統領の「特許制度は、天才の火に利益という油を注いだ」（THE PATENT SYSTEM ADDED THE FUEL OF INTEREST TO THE FIRE OF GENIUS）という言葉が刻まれているそうですが、特許制度の目的を端的に表しています。

歴史

特許は、江戸時代は保護されていなかった

諸外国では、一三世紀に既に特許が付与されていたといわれていますが、我が国では、徳川時代には、新製品の製作・発売などは禁止されており（新規法度）、工業所有権に係る制度ができたのは、明治時代に入ってからです。

明治四年に、我が国で初めての特許法といえる専売略規則が公布され、その後、明治一八年に高橋是清などの手により、専売特許条例が公布されました。

この専売特許条例は、実質的には我が国初の特許法であり、このため、公布された四月一八日は、「発明の日」と称され、現在でも記念されています。

また、商標については明治一七年に、意匠については明治二一年に、実用新案については明治三八年に、それぞれ制度が設けられています。

なお、これらの諸制度は、大正一〇年と昭和三五年に大幅な改正が行われ、さらに昭和四五年、五〇年、五三年、六〇年、六二年、平成二年、三年、五年、六年、八年、一〇年、一一年、一三年、一四年、一五年、一六年、一七年、一八年、二〇年、二三年、二六年及び二七年にも改正されています。


特許制度は、自主技術を開発するためのインセンティブとなるとともに、優秀な外国の先進的技術を導入するための保証になりました。すなわち、昭和四〇年前半までの高度成長時代は外国からの技術導入によって支えられてきた面も多く、その過程で外国が安心して我が国に技術を輸出できたのも、我が国にしっかりした特許制度があったからにほかなりません。

2　特許法上の「発明」

「発明」をどのように定義すべきかについては、いろいろ議論のあるところですが、我が国の特許法では、「この法律で『発明』とは、自然法則を利用した技術的思想の創作のうち高度のものをいう。」（特法二条一項）と定義されています。

したがって、発明は、まず「技術的思想」であることを要します。「技術」の定義をめぐっても、いろいろ議論があるところですが、ここでは「一定の目的を達成するための合理的な手段」であるとしておきます。そして、「発明」は、一定の自然法則を利用することにより一定の目的を反復継続して実現させる可能性を有する必要があります。

したがって、発明家なら一度は夢みるといわれる永久機関は、エネルギー保存の法則などの自然法則に反し、この技術的思想ということができません。技術は、だれが行っても同じ結果を得るものでなければなりませんので、熟練者などの属人的な技術や秘訣や勘とは異なります。

次に、発明は技術的思想の「創作」でなければなりません。発明は、これまで認識されていなかった事物などを認識し紹介するにすぎない「発見」とは区別されま

特許制度が存在しなければ

明治一八年に専売特許条例が創設される前の明治六年、臥雲辰致《がうんたっち》は紡績機械（ガラ紡）を発明しました。そこで臥雲は、その筋の官庁に「専売権」を求めて願い出ましたが、「我が国には専売に関する成規は存在しない」としてこの願い出は聞き届けられません。しかし、それを販売することは「勝手なる事」として、発売の許可は得ました。

臥雲は、明治一〇年に上野公園で開催された第一回内国勧業博覧会にガラ紡を出品して最高の栄誉である鳳紋《ほうもん》賞碑を受賞しますが、これはかえって模倣の格好の場となりました。というのは、このガラ紡はその構造が簡単であったため、だれでも容易に模倣することができたからです。なかには自ら紡糸するためではなく模造機を作って一時の利を得ようとする者さえいたといいます。

一方、臥雲は貧困を極めていたため、このガラ紡の事例は「特許制度が必要である」理由としてしばしば持ち出されるようになった——というものです（特許庁編『工業所有権制度百年史・上巻』発明協会・一九八四年、二〇、三〇、一一六ページによる）。

す。

しかしながら、例えば、ＤＤＴが既に存在する場合に、それが殺虫性を有することを新たに「発見」したときは、これを用途発明といい、特許法上の「発明」に属するとされています。

発明は、技術思想が「自然法則を利用したもの」でなければなりません。自然法則とは、化学的・物理的法則の自然界を支配する原理・原則をいい、感情・思考力などの精神的なものに対する概念です。

したがって、自然法則を利用していない経済界の法則、暗号、商売のやり方、宣伝方法、ゲームのルールなどは発明ということができません。

判決も、「和文字、数字及び記号等を適当に組合せて、電報用の暗号を作成する方法は、到底自然法則を利用した、技術的考案に該当しないものとしなければならない。」としています（東京高昭二八・一一・一四判・昭二六（行ナ）一二、行裁四―一一―二七一六）。また、「電柱及び広告板を数個の組とし電柱に付した拘止具により、一定期間ずつ移動順回して掲示せしめ、広告効果を大ならしめようとする広告方法は、広告板の移動順回には少しも自然力を利用せず、この点では［大正一〇年］特許法第一条の工業的発明を構成することができない。」としています（東京高昭三一・一二・二五判・昭三一（行ナ）一二、行裁七―一二―三一五七）。さらに、「数学的課題の解法ないし数学的な計算手順（アルゴリズム）そのものは、純然たる学問上の法則であって、何ら自然法則を利用するものではないから、これを法二条一項にいう発明ということができないことは明らかである。また、既存の演算装置を用いて数式を演算することは、上記数学的課題の解法ないし数学的な計算手順を実現するものにほかならないから、これにより自然法則を利用した技術的思想が付加されるものではない。したがって、本願発明のような数式を演算する装置は、当該装置自体に何らかの技術的思想に基づく創作が認められない限り、発明となり得るものではない。（略）本願発明は既存の演算装置に新たな創作を付加するものではなく、その実質は数学的なアルゴリズムそのものというほかないから、これをもって、法二条一項の定める「発明」に該当するということはできない。」としています（知財高平二〇・二・二九判・平一九（行ケ）一〇二三九　判時二〇一二―九七）。

なお、発明は自然法則を利用した技術的創作であって

「貸借対照表」に係る考案は、自然法則を利用しているか

発明の定義について、次のような判決があります。実際は実用新案法の「考案」についてのものですが、特許法の「発明」との違いは高度か否かの差だけですので、考え方は「発明」と同じです。

「実用新案法は、『考案』については、たとえ技術的思想の創作であったとしても、その思想が、専ら、人間の精神的活動を介在させた原理や法則、社会科学上の原理や法則、人為的な取り決めを利用したものである場合には、実用新案登録を受けることができない。

本件考案は、貸借対照表について、『損益資金』、『固定資金』、『売上仕入資金』及び『流動資金』の四つの資金の観点からとらえたこと、各資金に属する勘定科目を、貸方と借方に分類することにより、各部ごとの貸方と借方の差額により求めた現金預金を認識できるようにしたことに特徴がある。そうすると、本件考案は、専ら、一定の経済法則ないし会計法則を利用した人間の精神活動そのものを対象とする創作であり、自然法則を利用した創作ということはできない。」

計算書、資金繰り表など個別に表を作成する必要がない等の効果も、自然法則の利用とは無関係の会計理論ないし会計実務を前提とした効果にすぎない。

確かに、『損益資金』、『固定資金』、『売上仕入資金』及び『流動資金』の欄が、『縦方向または横方向に配設され』ることは、見やすくなるという点で、自然法則を利用した効果を伴うということができる。しかし、そのような効果は、そもそも本件考案の特徴であると評価できるものではなく（本件明細書の考案の詳細な説明によっても、本件考案の効果として記載されているわけでない。）、技術的な観点で有用な意義を有するものではない。」

また、いわゆる「ビジネスモデル」発明や考案が特許法や実用新案法の保護対象となることとの関係については、「コンピュータ・ソフトウエア等による情報処理技術を利用してビジネスを行う方法に関連した創作が実用新案登録の対象になり得るとすれば、その所以は、コンピュータ・ソフトウエアを利用した創作が、法二条一項所定の『自然法則を利用した技術的思想の創作』であると評価できるからである。」として、右考案「貸借対照表」については、自然法則の利用が否定されました（東京地平一五・一・二〇判・平一四(ワ)五五〇二、判時一九〇八―三）。さらに

「また、本件考案の効果、すなわち、企業の財務体質等を知ることができる、企業の業績の予想を的確に行うことができる、損益の認識が容易にできる、貸借対照表、損益

後段では、「ビジネスモデル」発明や考案については、コンピュータ・ソフトウエアの利用が必要であるとの見解を示しました。

も、実用新案の対象である考案（実法二条一項）と比較し「高度」なものでなければなりません。

以上が特許法上の発明の意味ですが、特許法上、発明を「物の発明」と「方法の発明」とに分け、さらに、「方法の発明」を、「物の生産を伴う方法の発明」と「物の生産を伴わない方法の発明」とに分けています。

「物の発明」の例としては、機械、器具、装置、医薬、化学物質などの発明があります。「物の生産を伴う方法の発明」としては、医薬の製造方法、食品の加工方法、植物の栽培・育種方法などの発明があり、「物の生産を伴わない方法の発明」としては、測定方法、分析方法、空気の浄化方法などの発明があります。

平成一四（二〇〇二）年の改正で、「物の発明」としてコンピュータ・プログラムを含むことが明確化されました（特法二条三項）。

これらの発明の種類の区分は、主として特許出願する場合に一の願書で出願（特法三七条）することができるかどうかや、特許となった場合の特許権の効力に差異が生じるので意義があります。

二　特許されるための条件

1　特許を受けることができる発明（特許要件）

「発明」であってもすべてが特許されるというものではありません。特許法上保護するに値しないものは、特許を受けることができません。発明が、特許法上特許されるかどうかの基準を「特許要件」といいます。

以下、特許要件を見ていきましょう。

⑴　産業上利用することができる発明

特許制度は産業の発展のために設けられているわけですから、産業上利用することができないような発明は、特許を与えて保護する必要はないので特許を受けること

ができません（特法二九条柱書）。

「産業」とは広い意味で用いられており、工業だけでなく、農業、鉱業、水産業なども含みます。

産業上利用できる発明とは、発明自体が産業上利用できるということであって、発明を利用して製造した物が産業上利用できることを要するという意味ではありません。

学術的・実験的のみに利用される発明は特許されませんし、人体にX線を投射して病気を治療するなど、人体を発明の必須の構成要件とするような発明は、産業上利用することができない発明であるとして特許されません（産業別審査基準「治療衛生」。東京高昭四五・一二・二二判・昭四三(行ケ)一五八、取消集六〇一）。

なお、未完成の発明は、産業上利用できる発明に該当しないとして特許されないという最高裁判決があります（最高昭五二・一〇・一三判・昭四五(行ツ)一〇七、民集三一―六―八〇五）。

(2) 新規性のある発明

次の要件は、発明の「新規性」です。

もちろん、発明は創作を要件としていますから、通常は当然に新しいものですが、特許法上客観的に新しい発明でなければなりません。これを発明の新規性といいます。次の発明は、新規性がないとして特許されません（特法二九条一項）。

① 特許出願前に日本国内又は外国において公然知られた（これを「公知」といいます）発明
② 特許出願前に日本国内又は外国において公然実施をされた（これを「公用」といいます）発明
③ 特許出願前に日本国内又は外国において、頒布された刊行物に記載された発明又は電気通信回線を通じて公衆に利用可能となった発明

平成一一（一九九九）年の改正で、新規性がないとされる発明の範囲が従来の「国内公知・公用」から「世界公知・公用」へと拡大されました。従来の扱いでは、外国では公知・公用のものとして自由に利用できる技術が、我が国で公知・公用でない場合は新規性要件を満たして特許されることとなって自由に利用できないため、我が国の技術開発が後れをとる状況が生ずること、また、現在では外国の技術情報もインターネットなどを通じて従来よりは容易に調査可能となったことにより、新規性の要件については国内と外国を区別して扱う必要性が乏しくなったためです。

また、インターネット上で開示された発明についても新規性がないとして扱うため、③に「電気通信回線を通じて公衆に利用可能となった発明」が追加されました。新規性を失う状態・時点は、インターネットにより公衆がアクセス可能となった状態で、掲示された時点をいうと解されています。

これらは、特許要件の一つである先願の発明（後述⑸）の場合と違って、日だけではなく時・分も問題となります。つまり、同日に、一方で特許出願があり、他方に上記の①〜③の事由があった場合には時間の前後で判断され、一分でも特許出願が早いときは特許されます。

①の「公然知られた」とは、秘密を脱した状態をいうとされ、秘密保持義務のある多数の者が知っていても公然と知られたことにはならず、他方、秘密保持義務のない一人の者が知ったときであっても公然と知られたことになると解されています。また、③との関係から、公然と知られ得る状態に置かれただけでは足りず、現に知られたことを意味すると解されています。「刊行物」とは、一般的には公開的な性質を有する文書・図面などをいうとされていますが、最近の複写技術の著しい発達により、特許出願の明細書の複写物も刊行物に当たるという判決があります（東京高昭五三・三・九判・昭五〇（行ケ）七八、無体一〇―一―四八）。

新規性がないとして拒絶される特許出願は少なくあり

歴史

まぼろしの特許法

我が国で初めて制定された特許法は専売略規則です。明治四年太政官布告第一七五号をもって公布されたもので、官許を受けることができる発明、権利の存続期間、明細書・図面の添付など近代特許法に必要なものはほとんど網羅されていました。しかし、この専売略規則は公布されたものの施行されないまま廃止されてしまいました。

その理由としては、高橋是清の自伝によれば、「さてこれを実施する段となって、発明の審査に当るものがいない。やむなく多数の外国人を雇はねばならない。さうすれば費用も沢山かかる。その割合にはろくな発明も出来ないといふので、五年三月二十九日の布告百五号をもってその実施を中止することになった。」といわれています。

ません。ですから、特許出願をするときは、工業所有権情報・研修館、各地方経済産業局、各県立図書館や発明協会の都道府県の各支部等で、特許公報などにより、事前調査を十分にする必要があります。平成二七（二〇一五）年からは特許情報プラットフォーム（J-PlatPat）が構築されて特許庁ホームページに掲載され、インターネットを通じてアクセスすることができます。既に特許されている発明、公開されている発明を特許出願することは、出願人にとっても費用や時間が無駄ですし、特許庁にとっても同様です。

ちなみに、特許出願であって出願審査の請求がされたもののうち約半分は新規性がないなどの理由で特許されません。

(3) 新規性喪失の例外

次の発明については現実には新規性を失ったものであっても、特許法上は新規性を失わないとみなし、例外を認めています（特法三〇条）。

① 特許を受ける権利を有する者の意に反して新規性を喪失した発明

② 特許を受ける権利を有する者の行為に起因して新規性を喪失した発明

新規性喪失の例外規定については、平成二三（二〇一一）年に大幅に改正されました。右のように、改正前の制限規定から、本人の「意に反した」場合のみならず、「意思に基づいて」新規性を喪失した場合も対象となりました。出願前の発明の公開の多様化に対応したものです。次の進歩性の判断についても、例外扱いとされます。

しかしながら、発明、実用新案、意匠又は商標に関する我が国のみならず外国等の公報掲載の場合は該当しません。

これらの規定の適用を受けようとするときは、いずれも新規性を喪失するに至った日から一年以内（平成三〇年改正）に特許出願をしなければなりません。そして、②は特許法三〇条二項の適用を受けようとする書面を特許出願と同時に提出し、さらに②の適用を受けることができる発明であることを証明する書面をその特許出願の日から三〇日以内に特許庁長官に提出しなければなりません。以上の手続のすべての要件を具備した特許出願についてのみ新規性喪失の例外が認められます。

もっとも、この例外的取扱いは、先願主義の例外ではありませんので、例えば、新規性が喪失した時点から特許出願までの間に他人が同一の発明を特許出願しているときは、後願の発明又は拡大された先願の範囲に該当する発明となり特許されません。その他人の先願も新規性がないとして特許されません。

自己がした発明は、特許出願前に公知・公用となっても特許を受けられると誤解している人が見受けられますが、自らの手で公知・公用とした場合であっても、新規性がないとして特許されないことに注意する必要があります。

(4) 進歩性のある発明

この特許要件も特許制度の目的にかかわるものです。特許法の目的が新しい発明を奨励することにあるわけですから、発明が特許法上の保護を受けられるためには、公知・公用の発明に基づいて容易になし得ないものでなければならないのは当然です。

だれでもが簡単にできる発明に対しても特許を与えることとすると、かえって日常的に行われている技術的な改良などに支障をきたすおそれもあり、特許制度の目的にも反することになります。ですから、その発明の属する技術の分野における通常の知識を有する者が、公知・公用の発明を用い又は刊行物に記載された発明に基づいて容易に発明をすることができたときは、特許を受けることはできません（特法二九条二項）。

これを「発明の進歩性がない」といいます。進歩性は特許法上の用語ではありませんが、特許要件を表す言葉としては普通に用いられるもので、英語の「inventive step」からきています。

平成一一（一九九九）年の改正で、自らの行為などで公知・公用などとなった場合は、新規性喪失の例外の適用の場合と同一の要件及び手続で、進歩性の要件についても例外とすることとされました（特法三〇条）。

発明が進歩性を有するかどうかの判断は容易ではありませんが、一般的には発明の目的、構成及び効果から判断すべきものであるとされています。例えば、公知・公用の発明を単に寄せ集めたにすぎない発明、あるいは発明の構成要素の一つをほかの公知発明に置き換えたにすぎない発明などは、原則として進歩性がないとして特許されません。

(5) 先願の発明

同一の発明は、全く関係なしに複数の人によってなされる場合もあり得ます。このような場合、発明について特許すべきかをめぐっては、大別して二つの考え方があります。

一つは、先になされた発明を特許するという考え方で「先発明主義」と呼ばれ、アメリカなどが採用していました（二〇一三年三月一六日からアメリカも先願主義に移行しました）。これは、考え方としては公正ですが、発明がいつなされたかを後日客観的に判断することは非常に困難であること、権利が不安定になりやすいこと、また、審査の遅延にもつながることなどから、最近の立法例では採用されていません。

もう一つは、発明の先後にかかわりなく先に特許庁に出願したものを特許するという考え方で「先願主義」と呼ばれ、我が国はじめ多くの国が採用しています。

これは、特許出願の先後関係を容易に判断することができるとともに、先に発明の公開の意思表示をした者に特許を与えるわけですから、特許制度の目的にも沿ったものということができます。

我が国の特許法は、次のように定めています（特法三九条）。

① 同一の発明について異なった日に二以上の特許出願があったときは、最先の特許出願人のみが特許を受けることができる。

② 同一の発明について同一の日に二以上の特許出願があった場合は、時間の先後に関係なく特許出願人の協議により定めた一の出願人のみが特許を受けることができる。

特許出願と実用新案登録出願との関係も①、②と同様で、両者が競合した場合は、先に出願した者のみ特許又は実用新案登録を受けることができ（特法三九条三項、実法七条三項）、同日出願の場合は、協議で定めた一の出願人のみが特許又は実用新案登録を受けることができます（特法三九条四項）。

ここでいう発明とは、願書に添付した特許請求の範囲に記載された発明を指します。

いったんなされた特許出願が、特許出願の体をなしていないため却下処分となった場合（願書に特許出願人の氏名が記載されていない場合、明細書が添付されていない場合など）、特許庁長官の手続補正命令に応ぜず、特許出願が却下された場合、あるいは特許出願人の都合で特許出願が取り下げられた場合などは、その特許出願は先願としての地位（後の出願を排除する地位）は初めからなかったとみなされます（特法三九条五項）。従来は、特許出願が拒絶された場合及び放棄された場合でも先願の地位が残ることとされていましたが、平成一〇（一九九八）年の改正で、先願の地位は残らないとされました。ただし、前記②の場合で、協議が成立せず又は協議をすることができなかったことを理由に特許出願が拒絶された場合は先願の地位は残ります（特法三九条五項）。出願公開前の審査を可能とし、また、諸外国の扱いに整合させたものです。

他人の発明又は考案を盗んで出願したいわゆる冒認《ぼうにん》出願については先願の対象とはされない旨の規定（特法三九条六項）は、平成二三（二〇一一）年の改正で削除されました。なお、「特許出願の日」は、願書を特許庁へ直接持参した場合はその日が特許出願の日となり、郵便によった場合は通信日付印の日が特許出願の日となります（特法一九条）。

(6) 特許公報に掲載・公開された明細書・特許請求の範囲等に記載された発明ではないこと（拡大された先願の範囲）

特許出願をする場合は、特許請求の範囲に特許を請求する発明を記載するわけですが、この発明を説明するために、特許出願書類全体、特に明細書の発明の詳細な説明には特許請求の範囲に記載した発明に限らず周辺の関連発明を記載する場合もあります。

このような発明は、その特許出願が特許掲載公報の発行又は出願公開されるまでは秘密ですが、特許出願の日

歴　史

高橋是清の手になる特許法

明治一八年の特許条例　これは高橋是清が立案したもので二六か条からなり、公知・公用の発明は特許されないこと、医薬品は不特許分野とされていること、特許の無効、権利侵害についての刑事罰などが規定されているもので、先の専売略規則に比べれば完備したものでした。

明治二一年の特許条例　この改正は、当時の専売特許所長高橋是清が海外の産業財産権制度を調査してきた結果に基づいて立案されたものです。その内容も従来のものに比し画期的なもので、先発明主義を採用し、特許出願は審査官をして審査せしむべきことを明定し、さらに拒絶査定に不服のある者は再審査を請求することができることとしました。

歴　史

パリ条約への加入

明治三二年の特許法　この改正は、主としてパリ条約に加入したことに伴うもので、パリ条約への加入は、明治二〇年代の条約改正問題の一環として欧米諸国と締結した条約で約束していたものです。

なお、この改正により工業所有権関係の法令の名称は特許法、意匠法、商標法と呼ばれるようになり、現在に至っています。

明治四二年の特許法　明治三二年の改正が条約加入のために早急になされたものであり、十分な検討をする余裕がなかったこと及びその後の社会的経済的事情の変化などを考慮して、明治四二年に新特許法が公布されました。

なお、これより先、明治三八年に実用新案法が公布されており、明治四二年の改正は、特許法、意匠法、商標法のほかに、この実用新案法の改正も併せて行われました。

から一年六か月後には必ず出願公開されるわけですから、特許出願の全体、すなわち願書に最初に添付した明細書、特許請求の範囲又は図面に記載された発明（又は考案）と同一の発明で後願に係るもの（特許請求の範囲に記載された発明）は、特許出願されても、もう新しい技術とはいえず、それは特許制度の目的から見て特許を与えて保護する必要はない発明なので特許されません（特法二九条の二）。

この場合、「願書に最初に添付した明細書、特許請求の範囲又は図面」とされていますので、途中の補正で追加された発明や要約書だけに記載されている発明は含まれません。

出願公開後に、その出願が放棄され、取り下げられ又は無効とされてもこの二九条の二は適用されます。ただ、先願の明細書、特許請求の範囲又は図面に記載されている発明（又は考案）と後願の特許請求の範囲に記載されている発明とが同一であっても、両者の発明者（又は考案者と発明者）が同一の場合又は両者の出願人が後願の出願時に同一である場合は適用されません。

2　特許を受けることができない発明（不特許事由）

特許法上、次の発明については、特許を受けることができません（特法三二条）。

○公の秩序、善良の風俗又は公衆の衛生を害するおそれがある発明

このような発明は、産業上利用することができる新規性・進歩性を有するなどの特許要件を満たす場合であっても特許されないのは当然でしょう。これに該当する発明としては、紙幣偽造機、泥棒を目的とした七つ道具、阿片吸飲具などが挙げられます。

従来、我が国の産業の発達を考慮して政策的に、化学物質の発明及び原子核変換の方法により製造されるべき物質の発明は不特許事由とされていましたが、前者は昭和五〇（一九七五）年の物質特許制度の導入などに伴う改正で、後者はＴＲＩＰＳ協定を受けた平成六（一九九四）年の改正で、それぞれ不特許事由から削除されました。

三　特許を受ける権利

1　特許を受ける権利

我が国の特許法には「特許を受ける権利」に関する規定があります（特法三三条、三四条）。

この特許を受ける権利は、発明が完成したことにより発生する、というのが一般的な考え方です。この権利の性質についてはいろいろな説・考え方がありますが、ここでは国家に対して特許を請求する権利であるから、公

歴　史

第一次大戦後の国情を反映

大正一〇年の特許法　昭和三五年三月までの約四〇年間にわたって施行されていました。主として第一次世界大戦後の我が国の社会的・経済的事情を反映して立案されたものですが、純法律的に見てもきわめて精緻なものといわれています。

先発明主義に代えて先願主義を採用したこと、特許と実用新案との区別を明確にしたこと、出願公告制度、異議申立制度及び拒絶理由通知制度を採用したことなどがその主たる改正点でした。

権としての請求権であるとともに、私権としての財産権の一種である――というように考えておきましょう。

この権利は、我が国の場合には法人発明という考え方を採用していませんから、自然人のみが原始的に取得します。後に述べますが、職務発明でも、発明した従業者がこの権利を取得します。企業側は法定通常実施権を有するだけです。

財産権ですから当然に移転できますが、質権の目的とすることはできません。

この権利が共有に係るときは、その持分の譲渡にはほかの共有者の同意が必要です。

特許出願前のこの権利の移転は、特許出願が第三者対抗要件です。また、二重譲渡により同日に二以上の特許出願（又は特許出願と実用新案登録出願）があったときは、出願人の協議で定めた者のみが以後の特許出願手続を進めることができます。

特許出願後のこの権利の移転は、相続・合併などの一般承継を除き、特許出願人名義変更届をもって、特許庁長官に届け出なければ効力を生じません。また、特許出願人から承継した同一の届出が同日に二以上あったときは、協議で定められた者のみに効力が生じます。

この権利は、特許出願され特許となったとき、又は特許されないことが確定したときなどに消滅します。

2　職務発明制度の改正

平成二七（二〇一五）年の改正で職務発明制度が改正されました。

従業者等（法人の役員、国家公務員又は地方公務員を含む）が職務上発明をしたときは、特許を受ける権利は従業者等に帰属し特許権を取得した時は、その使用者等（法人、国又は地方公共団体を含む）は、通常実施権を有します（特法三五条一項）。しかし、多くの使用者等では、職務発明規程を設けて、特許を受ける権利を承継して、使用者等が特許権を取得しています。このときは、発明をした従業者等は、使用者等に対し、相当の対価請求権を有します（特法前三五条三項）。

しかし、現在では、他企業との共同研究が盛んとなり、特許を受ける権利の承継手続等が複雑化しています。これらを解消するため改正されました。

① 従業者等がした職務発明については、契約、勤務規則その他の定めにおいて、あらかじめ使用者等に特許を受ける権利を取得させることを定めたとき

歴　史

現行法の誕生

昭和三五年の特許法（現行法）　現行法は工業所有権制度改正審議会により昭和二六年一一月から同三一年一二月までの審議を経た答申に基づいて昭和三五年に全面改正されたものです。戦後の社会経済情勢の変化への対応、発明者・権利者の利益保護の拡大、一般国民・第三者の利益の考慮、制度の簡素化、行政の改善を目的としてなされたものです。

また、それまでの大正一〇年の片仮名スタイルを戦後の新法スタイルに書き改めています。改正点は、発明の新規性の判断基準に外国で頒布された刊行物を含めたこと、発明の進歩性を特許要件としたこと、併合出願を認めることとしたこと、特許権の効力は業としての実施以外の実施に及ばないこととしたこと、確認審判制度を廃止し判定制度を設けたこと、特許権の存続期間は、出願日から二〇年を超えることができないこととしたこと、特許権の存続期間の延長制度を廃止したこと、権利侵害について新たに規定を設けたこと、審判の審級を一審制としたことなどです。

その後、昭和四五年改正では出願公開及び出願審査の請求制度の導入、昭和五〇年改正では物質特許制度及び多項制の採用、昭和五三年改正では特許協力条約の加盟による国内法整備、昭和六〇年改正では特許協力条約の変更に伴う国内法整備と国内優先権制度の導入、昭和六二年改正では多項制の改善及び特許権の存続期間の延長制度の創設等、また、平成二年改正では要約書の採用などが行われました。さらに、同年にはペーパーレス計画の実施に伴い、特許法の特例を定めるものとして工業所有権に関する手続等の特例に関する法律が制定されました。

その後、特許法は、平成五年、同六年、同一〇年、同一一年、同一四年、同一五年、同一六年、同一七年、同一八年、同二〇年、同二三年、同二六年及び同二七年に改正されました。平成二六年の改正で、特許付与後異議制度が特許無効審判とは別制度となりました。

平成一六年の改正は、特許法等の一部を改正する法律（平成一六年法律第七九号）のほか、裁判所法等の一部を改正する法律（平成一六年法律第一二〇号）の中で、侵害訴訟における特許無効の抗弁に関する規定の法定化や書類提出命令に関する規定を整備しました。その後、特許法は平成二八年、同三〇年、令和元年に改正されています。

は、その特許を受ける権利は、その発生した時から使用者等に帰属することとされました（特法三五条三項）。使用者等において、この定めがない場合は、従業者等が特許を受ける権利を享有することには、変わりはありません（特法三五条一項）。

② 従業者等は、契約、勤務規則その他の定めにより職務発明について使用者等に、特許を受ける権利を取得させた場合又は承継させた場合には、相当の金銭その他の経済上の利益を受ける権利を有します（三五条四項）。経済上の利益には、金銭に限らず昇進、昇格、報奨等をも含みます。

③ 経済産業大臣は、発明を奨励するため、産業構造審議会の意見を聴いて、相当の金銭その他の経済上の利益の内容を決定するための基準の策定に際して使用者等と従業者等との間で行われる協議の状況等について指針を定めるものとされました（三五条六項）。

職務発明については、発明者のインセンティブを確保しながらも、使用者等の原始的帰属の途《みち》も開いたものです。企業（使用者等）の多くは改正後の原始的帰属の途、大学や研究機関、中小企業は在来の途・発明者帰属になるものと考えられています。企業側には原始的帰属の声が高かったことは確かです。

3　仮実施権制度の新設

平成二〇（二〇〇八）年の改正で、出願段階でライセンスを認める制度が新設されました。すなわち、特許を受ける権利を有する者は、その取得すべき特許権について仮専用実施権を設定し又は仮通常実施権を許諾することができることとされました（仮専用実施権者は、特許を受ける権利者の承諾を得て、仮通常実施権を許諾することができます。特法三四条の二、三）。仮専用実施権は登録が効力発生要件です（特法三四条の四）。仮通常実施権は、法律上の当然対抗力を有します（特法三四条の五。平成二三年改正）。

改正前は、特許法上出願段階の実施権の設定はありませんでしたが、実際の事業活動では、ベンチャー企業の資金調達のためなどに積極的にライセンス契約が行われていました。しかし、登録制度がなかったため、特許を受ける権利を有する者に異動があった場合、対抗力が問題とされていました。例えば、権利者が異動した場合のほかに、特許を受ける権利を有する者が破産した場合は、破産管財人により解除されるときがあって不安定な権利となっていました。

仮実施権は、当該特許出願の願書に最初に添付した明細書、特許請求の範囲及び図面の範囲内で設定をすることができ、その後の補正や分割出願に対しても、設定の範囲に応じて効力を有します。特許出願の取下げなどについては、仮実施権者の承諾を要します。

特許を受ける権利について、設定登録があったときは、その特許権について、専用実施権が設定され又は通常実施権が許諾されたものとみなされます。

四　特許出願

発明が完成したというだけでは特許されません。特許を受けるためには、特許出願をしなければなりません。特許出願という要式行為を通じて、発明者又はその承継人の特許を受けようとする意思が確認されるとともに、特許制度の目的の一つである発明の公開の意思も確認されることになります。また、定められた様式に基づいて記載された明細書・特許請求の範囲により特許性の判断も可能となります。

1　特許を受けることができる者

特許出願をする資格、これは特許された場合は特許権を享有できる資格となるわけですが、この権利の主体となり得る資格については、日本人に関しては特許法上特段の定めがありませんので、民法上の一般原則が適用されることとなります。したがって、権利能力を有する自然人及び法人は、外国在住者であっても自らの名義で特許出願をすることができます。

地方公共団体なども特許出願人となり、特許権を享有することができます。

法人格のない社団や財団、個人経営の××製作所や○○商店などは、その名義では特許出願をすることができません。したがって、グループで発明したときは、グループ名ではなくて個人全員の名義で特許出願しなければなりません。

外国人の権利能力については、特許法は、次の場合以外は特許権などを享有することができないとしています（特法二五条）。

① 外国人が日本国内に住所又は居所（法人にあっては営業所）を有するとき

② ①以外の外国人については、(i)その外国人が属する国が、日本国民に対して、内外人平等主義、相互主義をとっているとき、又は(ii)条約に別段の定めがあるとき（パリ条約上の同盟国民（準同盟国民を含みます）若しくは世界貿易機関の加盟国の国民又は通商に関する日本国とインドとの間の協定に基づくインド国民など）

特許を受けることができる者は、以上の一般的な権利能力に加えて、当然のことながら特許を受ける権利を有する者でなければなりません。すなわち、発明者又はその承継者に限られます。

他人の発明を盗んで特許出願をした者などの、いわゆる冒認出願は特許されません（特法四九条七項）。また、特許を受ける権利が共有に係るときは、共同で特許出願をしなければなりません（特法三八条）。

2 特許出願に必要な書類

願書に必要事項を記載し、これに明細書、特許請求の範囲、要約書のほか必要がある場合には図面を添付して特許庁長官に提出しなければなりません（特法三六条）。

従来は明細書の中に特許請求の範囲を記載することとされていましたが、平成一四（二〇〇二）年の改正で、これを作成方式上分離し、特許請求の範囲として、明細書とは別個に作成して提出することとなりました（特法三六条二項）。特許協力条約（ＰＣＴ）や先進諸国の例に合わせたものです。記載事項や記載要件に変更はありません。

ここでは、右の願書などの作成方法の基本を説明します。

とりわけ明細書や特許請求の範囲は、記載方法の基本が異なるわけではないものの、発明の形態や技術分野の違いによる具体的な表現方法の差異に留意する必要があります。この点に注意しながら、必要に応じて発明の形態の違いや技術分野の違いに基づく明細書や特許請求の範囲の表現方法の差異を調査されるよう希望しておきたいと思います。最も簡便でかつ正確な調査は、まず自らの発明の属する技術分野の最近の公報を何件か読み、次いで他の技術分野のそれを読む——という方法が考えられます。

(1) 願　書

願書は、Ａ４判の用紙を用い、次の事項を記載しなければなりません（規定の詳細は、特法三六条一項、特施規二三条様式二六などを必ず参照してください。**図表1‐1**参照）。なお、発明の名称は平成一〇（一九九八）年の改正で願書記載事項から削除されました。

① 整理番号

整理番号の欄には、ローマ字、アラビア数字又は「‐」を組み合わせた記号（一〇字以内）を記載します（様式二六・備考六）。この記号は、特許出願人が任意に決めることができますが、特許出願の番号が付与されるまではその代わりをするものですから、特許出願ごとに違う記号を使用しなければなりません。

② 国際特許分類

国際特許分類の欄には、特許出願に係る発明を最も適切に表示する国際特許分類（ＩＰＣ）を記載します。国際特許分類が分からない場合には、この欄には記載しなくても問題はありません。

③ 請求項の数

④ 発明者の住所と氏名

法人発明が認められませんので、共同発明の場合には必ず全員の氏名を記載しなければなりません。

図表1-1　願 書

特許
印紙
（　　　円）
【書類名】　特許願
【整理番号】
（【提出年月日】　令和　　年　　月　　日）
【あて先】　特許庁長官　　　殿
（【国際特許分類】）
【請求項の数】
【発明者】
　　【住所又は居所】
　　【氏名】
【特許出願人】
　　【識別番号】
　　【郵便番号】
　　【住所又は居所】
　　【氏名又は名称】　　　㊞　又は　識別ラベル
　（【国籍】）
【代理人】
　　【識別番号】
　　【郵便番号】
　　【住所又は居所】
　　【氏名又は名称】　　　㊞　又は　識別ラベル
【提出物件の目録】
　　【物件名】　明細書　1
　　【物件名】　（図面　1）
　　【物件名】　要約書　1

⑤ 特許出願人の識別番号、氏名（名称）及び住所（居所）等

特許出願人は、自然人又は法人に限られます。

識別番号は、ペーパーレス計画を円滑に実施するために導入されたもので、識別番号付与請求書を特許庁に提出することにより付与を受けることができます。識別番号の付与を受けていなくても特許出願はできます（識別番号付与請求書を提出していない場合は、特許庁が職権で識別番号を付与します）が、識

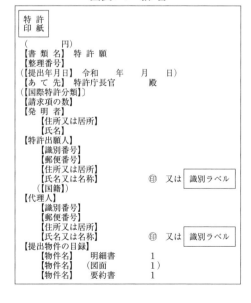

別番号の通知を受けた後は、手続に係る書面にこの番号を記載しなければなりません。

自然人の場合は住民票上の住所、戸籍上の氏名を、法人の場合は商業登記簿上のものを正確に記載します。勤務先などを居所として記載することもできますが、この場合、○○株式会社内と正確に記載する必要があります。

代理人によって手続をする場合を除き、押印（法人の場合は代表者の印鑑）します（特許庁が交付する識別ラベルを手続に係る書面に貼付した場合は押印を省略することができます）。これらの印鑑は印鑑登録してある必要はありませんが、特許庁に対してする手続はすべて同一の印鑑を使用しなければなりません。

この欄には、このほかに、特許出願人が外国人の場合は、国籍を記載しなければなりません。

⑥　代理人の識別番号、氏名及び住所

弁理士などを代理人として特許出願をする場合は、代理人の識別番号、住所及び氏名を記載し、代理人が押印するか又は代理人の識別ラベルを貼付します。この場合は、その特許出願の手続を委任した旨の記載のある特許出願人からの委任状の添付が必要です（特施規四条の三）。

日本国内に住所又は居所（法人にあっては営業所）を有しない在外者が特許出願をする場合は、必ず日本国内に住所又は居所を有する者を代理人（これを「特許管理人」といいます）として手続をしなければなりません（特法八条）。

⑦　添付物件の目録

この欄には、通常、明細書一、特許請求の範囲一、図面一、要約書一、委任状一のように記載します。

(2)　明細書・特許請求の範囲

明細書・特許請求の範囲は、特許出願の書類の中で最も重要なものです。明細書・特許請求の範囲はその特許出願に係る発明の内容を公開する役割を果たすものであり、かつ特許権の内容を確定するものであるからです。

したがって、明細書・特許請求の範囲は、特許を請求する請求書、発明を公開する技術文献、特許された場合の権利書などとしての意義を有します。

①　明細書・特許請求の範囲の記載要件

右のような趣旨を達成するために、明細書には、発明の名称、図面の簡単な説明、及び発明の詳細な説明の各事項を記載しなければなりません（特法三六条三項）。

明細書・特許請求の範囲の記載要件は次のように定められています。

(i)　明細書の「発明の詳細な説明」は、経済産業省令の定めるところにより、その発明の属する技術分野における通常の知識を有する者が実施できる程度に明確かつ十分に記載しなければなりません（特法三六条四項一号）。

(ii)　その発明に関連する文献公知発明（二九条一項三号に掲げる発明）のうち、特許を受けようとする者が特許出願の時に知っているものがあるときは、その発明が記載された刊行物の名称等を記載しなければなりません（特法三六条四項二号）。

(iii)　特許請求の範囲には、請求項を区分して、各請求項ごとに特許を受けようとする発明を特定するために必要と認める事項のすべてを記載しなければなりませんが、一の請求項に係る発明と他の請求項に係る発明とが同一である記載となることを妨げません（特法三六条五項）。

(iv)　特許請求の範囲の記載は、次のⓐ〜ⓓにも適合するものでなければなりません（特法三六条六項）。

ⓐ　特許を受けようとする発明が「発明の詳細な説明」に記載したものであること

ⓑ　特許を受けようとする発明が明確であること

ⓒ　請求項ごとの記載が簡潔であること

ⓓ　その他経済産業省令で定めるところにより記載されていること

右(iii)及び(iv)の記載方法は、平成六（一九九四）年の改正で、発明内容の多様化への対応及び国際的ハーモナイゼーションなどの必要性を踏まえて、従来の発明の目的、構成及び効果の観点に立った記載から、多様な発明の内容を第三者に分かりやすくするために、記載の自由度を認める記載方法を採用したものです。この結果、例えば、バイオに係る発明については構造や用途、有用性など、情報技術に係る発明についてはその装置の作用や動作方法などによって発明を記載することができるようになりました。

明細書・特許請求の範囲の重要性にかんがみ、明細書や特許請求の範囲の記載に不備がある場合には、前記(ii)及び(iii)を除き、そのことによって特許されず（特法四九条四号）、特許されても特許無効の対象（前記(iv)ⓓを除く）となります（特法一二三条一項四号）。

また、(ii)は、平成一四（二〇〇二）年の改正で、先行技術文献開示制度として導入されました。特許出願の際に、出願人が知っている先行技術があるときは、その文献情報を明細書に開示することとして、審査官が審査に活用し、より迅速、的確な権利付与を図ろうというものです。出願人の過度な負担とならないように出願の時において知っている文献情報に限られます。

他方、実効性を確保するため、先行技術の記載がないなど先行技術文献開示要件に違反する特許出願は、拒絶の対象ですが（特法四九条一項五号）、特許無効審判の対象とはされません。当該拒絶理由の通知の前には、必ず審査官からの事前通知がなされて、出願人が意見を述べる又は補正の機会が与えられます（特法四八条の七、一七条の二柱書、同条一項二号）。

② 出願の単一性

二以上の発明について一の願書で特許出願をすることができます。この場合、一定の技術的関係を有することにより発明の単一性の要件を満たす必要があります（特法三七条）。右の一定の技術的関係については、特許協力条約規則と調和させる形で経済産業省令で定められました（特施規二五条の八）。「下駄」と「飛行機」のように著しく技術のかけ離れた発明を一つの出願に記載すると、特許庁での審査に過度の負担がかかるばかりか、技術情報としての価値も損なわれることになるからです。そして、一つの出願に取りまとめられる発明の範囲のことを「出願の単一性」といいます。

右の技術的関係とは、二以上の発明が同一の又は対応する特別な技術的特徴を有していることにより、これらの発明が単一の一般的発明概念を形成するように連関している技術的関係をいうとされています。その特別な技術的特徴とは、発明の先行技術に対する貢献を明示する技術的特徴をいい、そして、技術的関係については、二以上の発明が別個の請求項に記載されているか単一の請求項に択一的な形式によって記載されているかどうかにかかわらず、その有無を判断するものとするとされています。

(3) 図　面

特許法上、図面は明細書及び特許請求の範囲のように必ず願書に添付して提出しなければならない書類ではありません。特許出願人が特許出願に係る発明を理解するのに必要と認めるときのみに提出すればよいわけです。

一般的には、発明が方法の発明であればほとんど必要なく、逆に、物の発明であればほとんど必要であるといえましょう。

(4) 要約書

要約書は、平成二（一九九〇）年の改正で、特許法上必ず願書に添付して提出しなければならないこととされた書類です（特許協力条約に基づく国際出願では従来から提出が義務づけられていました）。

近年の出願件数の増大、技術の高度化・複雑化は特許公報等の利用に当たって必要な情報への的確なアクセスを困難なものとしています。

要約書は、特許出願の願書に添付した明細書、特許請求の範囲又は図面に記載した発明の概要（以下「要約」といいます）などを記載した書類であり、その記載事項を特許公報（原則として公開公報）のフロントページに掲載することにより特許公報の利便性の向上を図ろうとするものです。要約書は、明細書や特許請求の範囲、図面とは異なり、専ら技術情報として用いられるものであるため、要約書の記載は特許発明の技術的範囲を定めるに当たって考慮してはならないこととされています。

(5) 外国語による出願手続

① 外国語書面出願

前記の明細書、特許請求の範囲、必要な図面及び要約書は日本語によるものですが、平成六（一九九四）年の改正により、これらに代えて、明細書及び特許請求の範囲に記載すべき事項を外国語で記載した書面及び必要な図面に含まれる説明を外国語で記載した書面（外国語書面）並びに要約書に記載されるべき事項を外国語で記載した書面（外国語要約書面）を願書に添付して出願をすることができることとなりました（特法三六条の二）。そして、この場合には、特許出願の日から一年四月以内に外国語書面及び外国語要約書面の日本語による翻訳文を、特許庁長官に提出しなければなりません。

右期間内に日本語による翻訳文の提出がない場合

は、特許庁長官は通知し、このときは省令で定める期間内に限り提出することができます。日本語による翻訳文の提出がなかったときは、出願は取り下げられたものとみなされますが、正当な理由（出願人の病気による入院や使用の期間管理システムに発見不可能な不備があったときなど）があるときは、省令で定める期間内に限り、提出することができます（特法三六条の二第三項〜八項）。以上は平成二七（二〇一五）年の改正によるものです。

外国語による出願は、平成六（一九九四）年の改正は、同年一月の日米特許庁間の合意を受けて、外国語（英語）出願制度を導入したものです。従来は、パリ条約による優先権を主張して我が国に特許出願をするときは、第一国出願の言語（外国語）で作成された明細書などを翻訳する必要がありました。しかし、我が国への出願が通常、優先期間を経過する直前になってしまうため短期間での日本語への翻訳が要請され、しかも、その翻訳に誤訳があっても第一国出願に基づいて訂正することが認められなかったため、発明の適切な保護が図れないとの指摘があり、出願後一年二月以内（平成一八年改正）に日本語による翻訳文の提出を条件として、外国語による出願を認めたものです。

② 原文及び翻訳文の扱い

提出された外国語書面又は外国語要約書面の翻訳文は、願書に添付して提出された明細書、特許請求の範囲及び図面又は要約書とみなされて、それぞれ審査の対象となり、特許が付与されます。

また、外国語で作成された外国語書面、いわゆる原文は、出願日における発明の内容を開示した書面として位置づけられて、その翻訳文及び翻訳文の訂正を目的とする補正とともに出願公開公報に掲載されるため（特法六四条二項、一九三条）、この書面に基づいて、拡大された先願の範囲（特法二九条の二、実法三条の二）が適用され、また国内優先権の基礎とすることができます（特法四一条、実法八条）。

③ 翻訳文の訂正と原文に記載のない事項の扱い

翻訳文の誤訳の訂正を目的とする補正は、特許査定謄本の送達前までは、明細書、特許請求の範囲又は図面の補正ができる期間内に（特法一七条の二）、特許後は、訂正審判又は無効審判における訂正において、実質的に特許請求の範囲を拡張・変更しないものに限り、認められます（特法一二六条一項二号、一三四条の二第一項二号）。

前記の翻訳文に記載された事項が外国語により作成された外国語書面、いわゆる原文に記載されている事項の範囲外のものであるときは、拒絶理由（特法四九条六号）及び無効理由（特法一二三条一項五号）となります。

(6) 先の特許出願を参照すべき旨を主張する方法による出願

平成二七（二〇一五）年の改正で、先の特許出願を参照すべき旨を主張する方法による出願が認められ、先の特許出願には、外国出願も含まれます。この場合、その旨及び先の特許出願に関する事項を記載した書面を出願と同時に提出し、省令で定める期間内に明細書及び必要な図面を提出しなければなりません。提出された明細書等が先の特許出願に係る明細書等に記載された事項の範囲内にないときは、その特許出願は、実際の明細書等の提出時にしたものとみなされます（特法三八条の三）。

(7) 明細書又は図面の一部の記載が欠落している出願の扱い

特許庁長官は、明細書又は図面の一部の記載が欠落している出願を発見した場合は、その旨を通知し、出願人は省令に定めるところに従いその補完をすることができ、このときは、原則として補完書を提出した時が出願日とみなされます（特法三八条の四）。これは平成二七（二〇一五）年改正によるものです。

(8) その他の書類

そのほかに次のような書類の提出が必要とされる場合があります。

① 戸籍謄本・同意書

未成年者、成年被後見人が特許出願をするときは、法定代理人によりしなければなりませんので（特法七条一項）、この場合、戸籍謄本を添付しなければなりません。

被保佐人が特許出願をする場合は保佐人の、また、法定代理人が手続をする場合に後見監督人があるときは後見監督人の同意を、それぞれ得なければなりませんので（特法七条二項・三項）それらの同意書を添付しなければなりません。

② 新規性喪失の例外の適用に関する書面

新規性喪失の例外の適用を受けようとするときは、特許出願と同時にその旨を記載した書面を、また、特許出願の日から三〇日以内にその特許出願に係る発明が特許法三〇条一項又は三項に該当するものであることを証明する書面を提出しなければなりません（特法三〇条四項）。

③　優先権証明書

特許出願の際に、パリ条約第四条D(1)の規定により優先権の主張をするときは、経済産業省令で定める期間内にその旨並びに第一国出願の同盟国の国名及びその出願年月日を記載した書面を、また、出願公開制度との関係から、第一国出願の出願の日（二以上の出願に基づいて優先権を主張する場合（併せて国内における優先権を主張する場合を含みます）には、それらの出願の日のうち最先の日）から一年四か月以内（天災地変等の自己の責めによらない理由で提出できないときは、その理由がなくなった日から一四日（在外者は二月）以内で、期間経過後六月以内）にその優先権に係る証明書を提出しなければなりません（特法四三条一項、二項、六項）。

平成二七（二〇一五）年の改正で、右期間内に提出がない場合は、特許庁長官は通知し、このときは省令で定める期間内（自己の責めによらない理由があるときは別途提出可）に限り提出することができるとされました（特法四三条六項、七項、八項）。

優先権に係る証明書については、第一国で電子化されてインターネットを通じて我が国特許庁と交換送付が可能なパリ同盟国の政府や工業所有権に関する国際機関の場合には、所定の書面の提出をもって右証明書を提出したものとみなされます（特法四三条五項）。

また、提出期間について、分割出願又は変更出願の場合は、平成一〇（一九九八）年の改正で「最先の日から一年四月又は新たな特許出願の日から三月のいずれか遅い日まで」となりました（特法四四条三項、四六条五項）。

ＴＲＩＰＳ協定を受けた平成六（一九九四）年の改正で、次の出願についてもパリ条約の例により優先権が認められたので、該当する特許出願については、パリ条約に基づく優先権主張の手続に準じて、所定の書面及び証明書を提出しなければなりません（特法四三条の二）。

○日本国民又はパリ条約の同盟国の国民（準同盟国民を含みます）が、世界貿易機関の加盟国におい

てした出願
○世界貿易機関の加盟国の国民が、パリ条約の同盟国又は世界貿易機関の加盟国においてした出願
○パリ条約の同盟国又は世界貿易機関の加盟国のいずれにも該当しない国であって、優先権に関し我が国と相互主義を採用する国として特許庁長官が指定した特定国の国民又は日本国民、パリ条約の同盟国の国民（準同盟国民を含みます）若しくは世界貿易機関の加盟国の国民が、前記特定国においてした出願

平成二六（二〇一四）年の改正で、特許出願について優先権の主張そのものを失念した場合でも、正当な理由があるときは、経済産業省令で定める期間内に特許出願をしたときは、優先権の主張をすることができることとされました（特法四三条の二）。

④　微生物寄託証明書

微生物を利用した発明について特許出願をしようとするときは、その発明の属する技術分野における通常の知識を有する者がその微生物を容易に入手することができる場合を除き、特許庁長官の指定する機関である産業技術総合研究所特許生物寄託センターにその微生物の保管を委託したことを証明する書面を添付しなければなりません。

特許手続上の微生物の寄託の国際的承認に関するブダペスト条約に基づき国際寄託当局に微生物を寄託したときは同局が交付した受託証を添付しなければなりません（特施規二七条の二）。

⑤　代表者選定証

二人以上が共同して特許出願する場合であって、特許出願人の相互代表者を定めて特許庁に届け出るときは、代表者選定証を添付しなければなりません（特法一四条）。

3　特殊な特許出願

特許法上、以上に述べた通常の特許出願のほかに、次のような特殊な特許出願が認められています。

(1)　国内優先権

この制度は、パリ条約上の優先権制度と類似するものであり、形式的にはそのまま国内に引き写したものといえます。

つまり、特許を受けようとする者は、その特許を受けようとする発明について、その同じ人が一年前以内にし

た特許出願又は実用新案登録出願（以下「先の出願」といいます）の願書に最初に添付した明細書、請求の範囲又は図面（先の出願が外国語書面出願である場合には、外国語書面）に記載された発明に基づいて優先権を主張でき（特法四一条一項）、その結果として、先の出願に記載された発明と同一の発明についてはあたかも優先権の主張を伴う出願が先の出願の時にされたものとみなされるかのように、特許要件である新規性、進歩性、先後願などは、先の出願の日を基準として判断されます（特法四一条二項・三項）。また、出願公開の時期や要約書の補正をすることができる時期の起算日も、先の出願の日を基準に計算されます（特法一七条の三）。ただし特許権の存続期間の起算日は、優先権の主張を伴う特許出願の出願の日となります。

形式的な面でパリ条約上の優先権制度と異なる点は、国内における優先権制度では、先の出願も国内出願であることから、出願人が先の出願を取り下げない限り優先権の主張を伴う出願と重複して出願公開され審査されることになるので、このような無駄な手続を踏まないでも済むように、先の出願は出願の日から一年三か月を経過した時に取り下げたものとみなされること（特法四二条一項）と、先の出願も同じ日本国特許庁に出されたものであることから、優先権証明書を提出する必要がないことです。

このように、この制度は形式的にはパリ条約上の優先権制度と類似しているのですが、本来的な制度の趣旨は異にするものです。つまり、パリ条約上の優先権は、本来、自国へ出願した発明を他国に出願する場合には翻訳文の作成等のための時間的猶予を与えようというものであるのに対して、国内における優先権制度は、むしろ自国内で、基本的な発明についての出願を出発点として、当該発明を基本としつつ、その後の改良発明等を取り込んだ、より十全な発明の出願へと発展させ、乗り換えることを可能とすることに主眼があるものです。

この制度を利用する際に注意すべきことは、

① 先の出願が変更後若しくは分割後の出願である場合、又は特許庁に係属しなくなった出願である場合は、その出願に基づいて優先権を主張することはできない（特法四一条一項・三項）

② 同じ内容の発明（考案）について累積して優先権を主張しても、二回目以降の優先権の主張の効果は一切認められない（特法四一条四項・五項）

ということです。

この制度を利用して優先権を主張しようとする者は、国内における優先権を主張する旨並びに先の出願の番号及び年月日を記載した書面を、優先権の主張をしようとする出願と同時に提出しなければなりません（特法四一条四項）。

⑵ 分割出願

分割出願とは、二以上の発明を包含する特許出願の一部を、一又は二以上の新たな特許出願に分割することです（特法四四条）。その新たな特許出願は、もとの特許出願の時にしたものとみなされ、出願日が遡及します。特許要件である新規性、進歩性、先願などは、もとの特許出願の日を基準として判断されます。

分割出願はいつでもできるのではなく、願書に添付した明細書、特許請求の範囲又は図面について補正をすることができる時又は期間内に限り認められます。分割出願の時期は、右に加えて、特許査定（差戻し審決後及び審査前置に係るものを除きます）又は最初の拒絶査定の謄本の送達があった日から三月以内（当該期間が延長された場合は延長後の期間内）にすることもできるようになりました（四四条一項二号・三号、五項・六項）。平成一八（二〇〇六）年の改正で、発明を手厚く保護し、実効的な権利取得を可能にするために、分割出願の時期的制限が緩和されたものです。

⑶ 変更出願

変更出願とは、特許出願と実用新案登録出願又は意匠登録出願との相互間の変更という、いわば出願の形式の変更をいいます（特法四六条、実法一〇条一項、意法一三条一項）。

出願の内容が同じであるときは、新たな出願はもとの出願の時にされたとみなされ、その扱いは分割出願と同様です。

出願の変更があったときは、もとの出願は取り下げられたものとみなされます。

変更出願のできる時期は、実用新案登録出願から特許出願への変更についてはその出願の日から三年以内、意匠登録出願から特許出願への変更については、最初の拒絶査定謄本の送達の日から三〇日以内又はその出願の日から三年以内に限られています（特許出願から実用新案登録出願への変更は最初の拒絶査定謄本の送達の日から三〇日以内又は特許出願の日から九年六月以内、特許出願から意匠登録出願への変更は最初の拒絶査定の謄本の送達の日から三〇日以内)。

特許出願をしたが実用新案登録で足りると判断したときなどに、この変更出願をすればよいわけです。

変更の出願はすべて新出願として扱われますので、願書、明細書、特許請求の範囲、図面、その他の書類は、原則としてすべて新たに必要となります。

分割出願におけるもとの特許出願又は変更出願における実用新案登録出願若しくは意匠登録出願について、国内優先権、パリ条約に基づく優先権又は新規性喪失の例外の適用に関する書面及び書類が提出されている場合については、新たな特許出願又は変更後の特許出願についてはそれらの書面及び書類の提出が不要となりました(特法四四条四項、四六条五項)。

(4) 実用新案登録に基づく特許出願制度の導入

平成一六(二〇〇四)年の改正で、実用新案権者は、自己の実用新案登録を基礎にした特許出願が可能とされました。この場合、実用新案登録に基づく特許出願時に、当該実用新案権を放棄しなければなりません(特法四六条の二第一項柱書)。実用新案登録に基づく特許出願時の願書に添付した明細書、特許請求の範囲又は図面(以下「明細書等」といいます)に記載した事項が、当該基礎とされた実用新案登録の明細書等に記載した事項の範囲内であるものについては、特許出願は、実用新案登録出願の時にしたものとみなされます(特法四六条の二第二項)。また、当該実用新案権について、専用実施権者、質権者又は職務考案に基づく通常実施権者等があるときは、これらの者の承諾が必要となります(特法四六条の二第四項)。

次のような場合は、この出願をすることはできません。

① その実用新案登録に係る出願の日から三年を経過したとき

② その実用新案登録に係る実用新案登録出願又は実用新案登録について、その出願人又は実用新案権者から実用新案登録技術評価書の請求があったとき

③ その実用新案登録に係る実用新案登録出願又は実用新案登録について、第三者から②の技術評価書の請求があった旨の通知を受けた日から三〇日を経過したとき

④ その実用新案登録について請求された無効審判において、最初に指定された答弁期間を経過したとき

なお、実用新案登録に基づく特許出願及びその分割又

は変更の出願については、実用新案登録出願へ変更することはできません（実法一〇条一項）。

4　電子化のための補充的措置

特許庁では、ペーパーレス計画の実施に伴って、特許出願が書面の提出により行われた場合も含め、特許出願に係る所要の情報を特許庁のコンピュータに備えられたファイルに記録し、コンピュータを用いて画一的・効率的に事務処理を行うこととしています。

このためには、提出された書面に記載された事項を電子化（いわゆるデータエントリー）した上で特許庁のコンピュータに備えられたファイルに記録することが必要になります。

そこで、特許出願を書面の提出により行う者は、補充的措置として特許庁長官（実際には指定情報処理機関）に対し、特許出願に係る書面のうち願書、明細書、特許請求の範囲及び要約書に記載された事項を電子化すべきこと（磁気ディスクに記録すべきこと）を、特許出願の日から三〇日以内に求めるとともに、電子化に要する所定の手数料を納付しなければなりません。

五　方式審査

特許出願の願書・明細書などの出願書類が特許庁に提出されると方式審査が行われ、定められた方式に適合しない手続については手続の補正が命じられ、また、却下処分がなされることもあります。

方式審査とは、特許庁長官（実際にはその補助機関としての特許庁職員）が行うもので、願書・明細書などの出願書類が特許法及び工業所有権に関する手続等の特例に関する法律並びにこれらの法律に基づく命令で定める手続的及び形式的要件を具備しているかどうかの審査をいいます（特法一七条三項）。

特許するかどうかの実体審査に対して、方式審査と呼ばれています。

1　特許出願の日の認定と補完手続

平成二七（二〇一五）年の改正で、特許法条約の要請により、特許出願について出願日の認定に関する規定が設けられ、特許出願が、次のいずれにも該当しないときは、その願書を提出した日を出願日として認定しなければばなりません（特法三八条の二第一項）。

① 特許を受けようとする旨の表示が明確でないと認められるとき

② 特許出願人の氏名若しくは名称の記載がなく、又はその記載が特許出願人を特定できる程度に明確でないと認められるとき

③ 明細書（外国語書面出願にあっては、省令で定める外国語で記載した書面）が添付されていないとき（先の特許出願を参照すべき旨を主張する方法による出願をするときを除く）

右の出願日の認定要件を満たさない出願については、特許庁長官により、手続の補完が命ぜられ、補完されたときは、手続補完書を提出した日が、出願日として認定されます（特法三八条の二第六項）。指定期間内に手続補完書を提出しないときは、出願は却下処分に付されます（特法三八条の二第八項）。

2 補正命令と却下処分

方式審査において出願書類が前記手続的及び形式的要件を具備していないと認められるときは、特許庁長官は、特許出願人に対し、相当の期間を指定してその補正を命じます。

例えば、代理人により特許出願をしたにもかかわらず委任状が添付されていないとき、願書における特許出願人の住所・氏名の記載に不備があるとき、明細書が所定の様式に従って作成されていないときなどが手続の補正命令の対象となります。

特許出願時には、手数料を納付しなければなりません。この手数料が納付されていないときも、同様に手続の補正が命じられます。

手続の補正を命じられた者がその手続の補正をするときは、手続補正書を提出しなければなりません。

このような手続的・形式的な補正を方式補正と呼んでいます。適式な手続の補正がなされたときはその効果は遡及し、初めからその状態で特許出願されたこととなります。

一方、特許庁長官が指定した期間内に手続の補正がされなかったときなどは、その特許出願は却下処分に付され、初めから特許庁に係属しなかったこととなります。

したがって、特許出願時に願書などの出願書類を完備することは当然ですが、特許庁長官から手続の補正を命じられたときは、必ず指定期間内に手続補正書を提出する

必要があります。

なお、この「却下処分」の語は、平成八（一九九六）年の改正で、「無効処分」から改められたものです（特法一八条）。

3　不適法な手続の却下処分

方式審査においては、前記の手続の補正命令のほかに直接、特許出願の却下という処分がなされる場合もあります。

特許出願として提出された書類が特許出願の本質的要件を具備しておらず、しかも前記手続の補正を許すことが著しく不合理な結果となるような場合に、手続の補正を命ずることなく特許庁長官が特許出願の却下処分を行います（特法一八条の二）。

平成八（一九九六）年の改正で、不適法な手続の却下の規定が、従来の不受理処分に代わるものとして明定されて、不受理処分の根拠が明らかでないとの批判に対して解決が図られました。

却下処分がされますと、特許出願は初めから特許庁に係属しなかったことになります。

平成二七（二〇一五）年の改正で、特許出願の日の認定と補完手続規定が新設されて（特法三八条の二）、出願日認定要件を満たさないものは、不適法な手続の却下処分より除かれました（特法一八条の二第一項ただし書）。

不適法な手続に該当し、特許出願などが却下されるときは、あらかじめ出願人などに弁明書を提出する機会が与えられます（特法一八条の二第二項）。

特許出願の却下処分に不服のある者は、特許庁長官に対して行政不服審査法に基づく異議申立てをすることができます（行政不服審査法六条二号、三条二項。後述「一六　行政不服審査法に基づく異議申立て」参照）。この異議申立てがあったときは、不適法な申立ては却下され、理由がないと認められたときは棄却され、理由があると認められたときは前記各処分の全部又は一部が取り消されます。

さらに、この決定についての取消しの訴えを東京地方裁判所へ提起することができます。

方式審査は、特許出願の願書・明細書などだけではなく、出願審査請求書、特許出願人名義変更届などのいわゆる中間書類についてもなされます。

六　出願公開

1　出願公開の目的と公開のしかた

特許出願がなされ、その日から一年六か月を経過したときは、既に特許掲載公報の発行がされているものを除き、特許出願を特許公報に掲載することにより出願公開がなされます（特法六四条）。

なお、この一年六か月の期間は、パリ条約に基づく優先権の主張を伴う特許出願については第一国の出願日、国内における優先権の主張を伴う特許出願については先の出願日から起算されます。

平成一一（一九九九）年の改正で、申請による早期出願公開が導入されました（特法六四条の二）。出願公開があったときは補償金請求権が発生しますので（特法六五条一項）、特許出願人は、出願後一年六か月前に特許出願に係る発明を実施している者に対しても補償金請求権をもって対抗することが可能となりました。ただし、出願公開されたもの、優先権関係書類が提出されていないもの、又は外国語書面出願であって外国語書面の翻訳文が提出されていないものの場合は請求できません。いったん請求した場合は取り下げることはできません。

出願公開の制度は、次のような理由により導入されたものです。

従来は、特許出願がなされると内容の審査を経て出願公告（平成六年の改正で「特許掲載公報の発行」に移行。以下同じ）されるまでは特許出願は一切秘密にされていました。しかしながら、昭和三〇年代から四〇年代の前半にかけて日本経済が成長し産業が発達するにつれて特許出願の件数が飛躍的に伸び、しかも技術内容が複雑かつ高度化し、さらに審査の資料も増大するに至って、特許出願から特許されるまではもちろん、特許出願の内容を一般に公表する出願公告がされるまでにかなりの期間を要するようになりました。

このような、発明の公開までの期間の長期化、審査期間の長期化は、特許出願人に迅速かつ的確に特許を付与するという国民の期待に反するばかりでなく、ある技術について事業化を図ったところ突然に特許されて事業が妨げられたとか、特許出願されている発明を知らないで更に他人が研究を重ねるとかの弊害を生じ、特許制度本来の目的を損なうとの批判もあったため、出願審査の請求制度と併せて出願公開制度が導入されました（昭和四五年改正）。

出願公開制度は、特許出願をその出願の日から一定期間の経過後に一律に公開するというものであり、企業活動の不安定性を減じ、重複研究、重複出願などの弊害を解消することを目的としています。そして、早期に公開することは、発明情報を一般社会に提供し、一般大衆の研究開発の意欲を刺激することにもなるわけですから、特許制度の目的にも合致しているといえるでしょう。

この制度はまた、同時に導入された出願審査の請求制度とも密接に関連しています。

出願の審査請求制度は、特許出願の審査の開始時期を出願人の請求にゆだねているわけですから、出願の順序と関係なく審査が開始され出願公告されるとすると、発明の公開までの期間の長期化と同様の結果となりかねないからです。

特許出願の日から一年六月経過後に公開することとしているのは、特許出願人の利益を考慮したものです。パリ条約に基づく優先権の主張をする特許出願については、その優先権証明書の提出期間は原則として第一国出願の出願の日から一年四月以内とされており（特法四三条二項）、さらに、特許公報を発行するには優先権証明書の提出の有無を確認（公開日の確定のため）した後、公報編纂《へんさん》のために二月程度の特許庁における作業期間を要するからです（一年四月＋二月）。

諸外国でも出願公開は特許出願から一年六月経過後としていますし、ＰＣＴでも、出願公開と同趣旨である国際公開は優先日（第一国出願日又は国際出願日）から一年六月経過後になされることとされています。

分割出願又は変更出願がなされた場合は、もとの出願の出願日からこの一年六月が起算されます。

審査が進んで特許出願の日から一年六月経過前に既に特許掲載公報が発行されたものは、再度公開する必要はありませんので出願公開から除かれます。

特許出願の公開は、特許公報に次の事項を掲載して行います（ただし、④～⑥の事項については、特許公報に掲載することが、公の秩序又は善良の風俗を害するおそれがあると特許庁長官が認めるものを除きます）。

現在では特許公報類はＣＤ－ＲＯＭで作成されています。

① 特許出願人の氏名及び住所
② 特許出願の番号及び年月日

③　発明者の氏名及び住所
④　願書に添付した明細書、特許請求の範囲に記載した事項及び図面の内容
⑤　願書に添付した要約書に記載した事項
⑥　外国語書面出願である場合には、外国語書面など
⑦　出願公開の番号及び年月日
⑧　①〜⑦のほか、必要な事項

出願公開される特許出願はまだ内容審査がされていないので、特許出願の日から一年三月以内に出された明細書、特許請求の範囲、図面又は要約書の補正書も併せて公開されます。

なお、要約書の記載事項を技術情報として有効に機能させるためには、出願公開までの期間に速やかにその質を一定水準以上にする必要があります。このため、要約が適切に記載されていない場合などには、特許庁長官は自ら作成した要約を特許公報に掲載することとしています。

出願公開のための特許公報を「公開特許公報」と呼んでいます。これは、独立行政法人工業所有権情報・研修館をはじめ、各地方経済産業局、各県立図書館や発明協会の都道府県の各支部等で自由に閲覧できます。

公開特許公報は、単に特許出願の際の事前調査資料としてだけではなく、最新の技術文献として技術水準や技術動向のほかに、ライバル会社の新製品の開発状況や関連進出事業まで知り得る、企業にとっては重要なものと考えられています。

この公報は産業別に発行され、しかも技術ごとに分類が付されていますので、簡単に検索・調査することができるようになっています。

2　出願公開の効果（補償金請求権）

出願公開は、発明を一般社会に公表しますので、公衆の利益につながる反面、特許出願人にとっては他人による模倣などの危険にさらされます。

このため、特許出願人に対して出願公開に伴う仮保護の権利として補償金請求権を認めることにしています（特法六五条）。

この請求権を行使するには、模倣などの実施者に対して出願公開された特許出願に係る発明の内容を記載した書面（例えば特許請求の範囲の写し）を提示して警告する必要がありますが、悪意の実施者に対してはその必要がありません。公開公報に掲載されただけで過失を推定す

るのは第三者に酷なので警告を要件としているわけです。この請求権の行使は、その特許出願の審査がされていないので、特許権の設定登録後にのみすることができます。

補償金の額については、特許された場合の実施料に相当する金額とされています。

補償金請求権を行使した場合であっても、特許権の行使は妨げられません。したがって、特許出願に係る発明が電気洗濯機である場合、電気洗濯機メーカーに対し補償金請求権を行使した後、その電気洗濯機を購入してクリーニング店で業として使用している者に対して、さらに特許権に基づく差止めや損害賠償を請求することも可能です。

そして、当然のことながら、この請求権も時効により消滅します。

3 情報の提供

出願の公開があると、だれでも、特許庁長官に対し、刊行物又は先願に係る出願の明細書、特許請求の範囲、図面の写しを提出し、その出願公開された特許出願に係る発明が新規性・進歩性がない、あるいは後願である、第二九条の二に該当するものであるから特許することができない旨などの情報を提供することができます（特施規一三条の二）。

したがって、前記出願公開に伴う警告を受けた実施者などは、出願公開された特許出願に係る発明が、公知・公用のもので新規性がないものであるときなどは、この情報提供の制度を利用すればよいわけです。

七 出願審査の請求

1 出願審査の請求制度

特許出願の実体審査は、出願審査の請求を待って行います（特法四八条の二）。そして、出願審査の請求は、だれでも、特許出願の日から三年間できます（特法四八条の三）。なお、平成一一（一九九九）年の改正で、審査請求期間が従来の七年から三年に改正されています。これは、審査請求のある特許出願が全出願の約五〇％で、しかも請求時期が後半の六、七年目に集中するため、権利の成否が未確定なまま大量の特許出願が長期間にわたり存在するのを改善したものです。

右三年以内に請求できなかったことについて正当な理由（出願人の病気による入院や使用の期間管理システムに発見不可能な不備あったときなど）がある特許出願人は、省令で定める期間内に限り、請求をすることができます（特法四八条の三第五項）。平成二六年及び同二七年の改正によるものです。この場合、審査請求がなく特許出願が取り下げられたものとして特許公報発行後、善意で当該発明の実施又はその準備をしている者には、それらの範囲内で、特許後は通常実施権が認められます（特法四八条の三第八項）。

特許出願があったものをすべて審査して特許を付与するかどうかを決める制度を審査主義といい、無審査主義すなわち特許出願の形式的要件などのみを審査して特許要件を審査せず特許を付与する法体系に相対するものです。無審査主義の場合、権利紛争が続発し、権利が不安定になり、しかも裁判所の負担が増大することから、世界の特許法体系は、無審査主義から審査主義へ変わろうとする趨勢にありました。

ところが、審査主義がかえって仇《あだ》となって審査期間の長期化という問題をもたらしたわけです。

そして、登場したのが出願審査の請求制度です。この制度を採用しているのは、我が国のほかに、オーストラリア、ドイツ、オランダ、ハンガリー、ブラジル、中国、韓国などがあります。

出願審査の請求制度は、特許出願が必ずしもすべて同じ価値を有するものではなく、審査の要否及びその時期が同一ではないというところに着目した制度です。

例えば、特許出願の中には、自ら特許権を得る必要はないが、他人（例えばライバル会社）にとられるのは困るから特許出願しておくもの（これを「防衛出願」といいます）とか、確かに特許出願時には価値があったが、その後その価値が減少したもの（例えば、ライフサイクルの短い商品に係る発明）、特許出願後に調査したら新規性がないことが分かったものなど不要不急のものも玉石混《ぎょくせきこん》肴《こう》の形で混在しており、後願の特許を阻止できればそれで足りるものもあります。

図表1−2
特許審査請求の推移

出願年	審査請求率
平成16年	66.2%
17	65.0
18	63.7
19	63.7
20	65.8
21	67.1
22	67.8
23	67.9
24	69.4
25	71.2
26	71.8
27	71.9
28	57.4
29	36.0
30	23.0

平成27年まで確定
（資料）特許行政年次報告書（2019年版）

　このような状況を踏まえて、昭和四五（一九七〇）年の改正では出願審査の請求の制度を導入して特許出願の審査をするかしないか及びその時期について特許出願人などの側にゆだねることとし、また、先願権の拡大を図り（特法二九条の二）、一方、第三者には出願公開を行って両者の調整を図ったものです。

　出願審査の請求をするには、所定の事項を記載した出願審査請求書（**図1-3参照**）を提出し、所定の出願審査の請求の手数料を納付しなければなりません。

　この請求は、特許出願人だけではなく第三者もできますので、前記の出願公開に伴う補償金請求の警告を受けた者などは、その特許出願について出願審査の請求をして早期に決着をつけることもできます。

　出願審査の請求は、一度請求したら取り下げることができません。これを認めると審査が不安定となり、着手して進行した審査が無駄になってしまうからです。

　特許出願の日から三年以内に出願審査の請求がなかったときは、この特許出願は取り下げられたものとみなされます。もっとも、特許出願の日から一年六か月経過後に出願公開されていますので、願書に最初に添付した明細書、特許請求の範囲及び図面の全体に記載された発明については後願を排除することができます（特法二九条の二）。

図表1-3　出願審査請求書

特許印紙

（　　　円）
【書類名】　出願審査請求書
（【提出日】　令和　　年　　月　　日）
【あて先】　特許庁長官　　　殿
【出願の表示】
　【出願番号】
【請求項の数】
【請求人】
　【出願人との関係】
　【識別番号】
　【郵便番号】
　【住所又は居所】
　【氏名又は名称】　㊞　又は　識別ラベル
（【国籍】）
【代理人】
　【識別番号】
　【郵便番号】
　【住所又は居所】
　【氏名又は名称】　㊞　又は　識別ラベル
【提出物件の目録】

　分割出願、変更出願又は実用新案登録に基づく特許出願については、もとの特許出願の日から三年経過していても、それらの実際の願書などの提出の日から三〇日以内に限り出願審査の請求をすることができるとの特例を設けています（特法四八条の三第二項）。

　平成一五（二〇〇三）年の改正で、審査請求料の一部返還制度が導入されました（特法一九五条九項）。出願審査の請求をした後、拒絶理由の通知等があるまでの間に、特許出願の放棄又は取下げがあったときは、請求により納付した額の一部を返還するというもので、出願人の負担節減を図るとともに、審査請求後も不必要となった特許出願の取下げなどを促して、審査対象件数を真に必要なものに絞ろうとするものです。

2 優先審査の制度

出願公開制度及び出願審査の請求制度が導入されたことにより、優先審査の制度が設けられました。

優先審査の制度とは、特許庁長官が、出願公開後に特許出願人でない第三者が業として特許出願に係る発明を実施していると認める場合で必要があるときは、審査官にほかの特許出願に優先してその特許出願を審査させる制度です（特法四八条の六）。

特許出願人にとっては、出願公開後その特許出願に係る発明を実施している第三者に警告してもなお実施している場合（前述のように、補償金請求権の行使は、特許権の設定登録後のみ可能です）、また、警告を受けた第三者にとっても、その特許出願に係る発明が新規性がないことが明らかであるような場合に、紛争の決着を早くつけるために便利な制度といえましょう。

特に、この場合、第三者は前述した情報の提供と併せて利用すると、一層効果が上がると思われます。

優先審査に関し、特許出願人も、実施をしている者も事情説明書を提出することができます。

八 実体審査

特許出願は、方式審査によって、その手続的要件及び形式的要件がチェックされ、その後、出願審査の請求があった場合には、その特許出願を特許すべきか否かについての実体審査（内容審査）が開始されることになります。

1 審査官

方式審査は、特許庁長官により行われますが、実体審査は審査官によって行われます（特法四七条）。

実際に特許する（これを「特許査定」といいます）、特許しない（これを「拒絶査定」といいます）の判断は「特許庁審査官」が審査官名で行います。そして、この判断については、特許庁長官といえども介入できないこととされています。この意味で特許庁審査官の職務権限は特許庁長官から独立しており、行政法上の個別の行政庁ということができます。この、特許庁審査官の、行政法上の独立した「行政（官）庁」性については、裁判例でも裏付けられています（東京地昭五一・八・三〇判・昭五〇（行ウ）一〇七、判時八五四―四六）。

審査官の職務の重要性から、特許出願人が配偶者などである事件については、審査の公正を担保するため裁判官などのように除斥の規定が設けられています（特法四八条）。

審査官の資格も法定されており、給与の等級、所定の研修の終了及び審査事務の経験年数の要件を満たした者のみが審査官となる資格を有します（特施令一二条）。

2　拒絶理由の通知と意見書

審査官は、特許出願に係る発明が特許を受けることができる発明であるかどうかなど、特許出願が特許法四九条に規定する拒絶査定をなすべき理由（拒絶理由）に該当するかについて審査します。

この審査は審査官の職権で行われます。

審査官は、拒絶理由に該当するとの心証を得たときは、直ちに特許しない旨の拒絶査定をするのではなく、まず特許出願人に対して拒絶理由を通知し、相当の期間（在内者の出願は六〇日、在外者の出願は三か月＋請求により三か月延長）を指定して意見書を提出する機会を与えなければなりません（特法五〇条）。

これは、特許出願人に対し、あらかじめ審査官の意見を開陳することによって審査の慎重かつ公正を期するためのものです。

特許出願人は、指定された期間内に、審査官の先の心証を覆すべく反論することになります。例えば、新規性がないとして公知技術が引例として示された場合は（特許公報が引例される場合が多い）、その公知技術と当該特許出願に係る発明は構成も作用効果も相違するから同一の発明ではないと、理論的かつ具体的に、意見書の中で審査官の認定・判断に対して意見を述べます。

審査官は、拒絶査定をしようとするときは必ず拒絶理由通知をしなければなりません。特許出願人に意見書の提出の機会を与えないでした拒絶査定は違法となります（東京高昭四八・一二・二〇判・昭四八（行ケ）一二八、取消集一七など）。

特許出願人は、拒絶理由を解消するために明細書、特許請求の範囲又は図面の補正書を提出することもできますが、最初の拒絶理由通知時と以後の場合とでは補正し得る内容が異なります（平成五年改正によります）。詳細は、次項「3」を参照してください。

3　明細書、特許請求の範囲又は図面の補正とその審査

特許法上、明細書、特許請求の範囲又は図面の補正（明細書、特許請求の範囲又は図面の訂正、補充又は削除）という制度が認められています。

明細書、特許請求の範囲又は図面が、特許出願においても特許後においても重要な書類であることは既に理解されていることと思います。それらが特許出願当初から完全であることは当然に望ましいわけですが、我が国の場合、先願主義を採用していることもあって、特許出願を急ぐ関係上、どうしても記載漏れや不明瞭な点がある場合が少なくありません。

一方、明細書、特許請求の範囲又は図面は、技術文献としても権利書としても重要な書類ですから、少なくとも特許されるまでには明確かつ完全にしておく必要があります。

このようなことから、補正の制度が認められているものです。

しかしながら、無制限に補正を認めたのでは明細書、特許請求の範囲又は図面がいつまでも確定せず、審査にも支障をきたしますし、事務処理上も繁雑になります。補正されたときは特許出願の日に遡及して効力を生じますので、第三者に与える影響も考慮しなければなりません。

このため、特許法上、補正のできる時期及び内容について後述(1)～(3)のように制限されています。

これについては、平成五（一九九三）年の改正によって、いわゆる「補正の適正化」が図られ、明細書、特許請求の範囲又は図面の補正については、その時期、内容とも大幅に改正（制限）されました（平成六年一月一日施行）。さらに平成六（一九九四）年の改正によって補正の時期が緩和され、また出願公告制度が廃止されました。

ここでは、必要に応じて従来の制度との関係にも言及しながら、以下補正のできる時期と範囲についてやや詳しく説明します。

(1)　特許出願後拒絶理由通知を受ける前

平成六（一九九四）年の改正で、補正時期の制限が緩和され、拒絶理由通知を受ける前の時期に明細書、特許

請求の範囲又は図面の補正が認められるようになりました（特法一七条の二本文）。そして、この時期の補正は、出願当初の明細書、特許請求の範囲又は図面に記載した事項の範囲内とされ（特法一七条の二第三項）、新規事項の追加禁止が補正許容の基準です。平成五（一九九三）年の改正で、従来の要旨の変更を不可とする基準から新規事項の追加禁止に変更されたものです。

この時期の補正は、右基準の範囲内で明細書、特許請求の範囲又は図面を自由に補正することができます。

新規事項を追加してなされた補正は、拒絶理由（特法四九条一号）及び無効理由（同一二三条一項一号）とされ、従来の補正が却下されるにとどまるのとは異なって、特許されないこととされていますので注意しなければなりません。

⑵　拒絶理由通知後の特許請求の範囲の補正

従来は、拒絶理由通知に対する補正の回数には特に制限がありませんでしたので、出願公告決定謄本送達前は何度でも自由に補正することができました。

このため、審査をやり直すことになったり、出願当初から補正を要しない明細書を添付している出願とそうでない出願との間の公平が担保されないなどの問題が指摘されていました。

これらの問題を解消するために、平成五（一九九三）年の改正で、拒絶理由通知後であって特許査定謄本送達前の特許請求の範囲の補正には、次のような考え方が新たに導入されることとなったものです。

① 最初の拒絶理由通知（通常は第一回目の拒絶理由通知）に対する補正は、明細書、特許請求の範囲及び図面に新規事項を追加しない範囲内ならば、特許請求の範囲について自由に補正ができます（特法一七条の二第一項一号、三項）。

この場合で、先行技術文献開示要件違反の通知を受けたときも同様です（特法一七条の二第一項二号）。

② 最後の拒絶理由通知（通常は第二回目の拒絶理由通知）に対する補正は、明細書、特許請求の範囲及び図面に新規事項を追加しないものであるほか、特許請求の範囲の補正は、拒絶理由の対象とされた発明と補正後の発明とが三七条に規定する単一性の要件を満たすものであるとともに、次のⅰないしⅳを目的とするものに限られます（特法一七条の二第二項・三項・四項・五項）。

ⅰ　請求項の削除

(ii)　特許請求の範囲の減縮。ただし、請求項に記載した発明を特定するために必要な事項を限定するものであって、補正の前後においてその発明の産業上の利用分野及び解決しようとする課題が同一のものであること

(iii)　誤記の訂正

(iv)　明りょうでない記載の釈明。ただし、拒絶理由に示す事項についての釈明に限る

③　さらに右②(ii)の補正がされた請求項に係る発明は独立して特許を受けることができるものでなければなりません（特法一七条の二第六項、一二六条五項参照）。

④　最後の拒絶理由通知に対する補正が、右①、②及び③の要件を満たさないものであると特許査定謄本送達前に認められた場合は、その補正は却下されます。

補正却下の決定の是非については、出願について拒絶査定がなされた場合に、その拒絶査定に対する審判において争い得ることとされました（特法五三条）。

これまでは、補正却下に対する審判を独立して請求できることとされていましたが、右のように拒絶査定に対する審判でのみ争い得るように改正されたものです。このため旧特許法一二二条は削除されています。

⑤　最後の拒絶理由に対する不適法な補正が拒絶査定後又は特許後に発見された場合には補正を却下せず、そのまま許容されます（特法五三条、一五九条一項、一六三条一項）。もっとも、新規事項の追加については、拒絶理由及び無効理由とされています（特法四九条一号、一二三条一項一号）。

⑥　分割出願に係る新たな出願について、分割前のもとの出願に対してされた拒絶理由と同一であって五〇条の二の規定によりその旨が通知された場合は、最後の拒絶理由の通知とされました（特法一七条の二第五項）。平成一八（二〇〇六）年の改正で、審査の引き延ばしや審査官の交代を期待するような最初の拒絶理由の通知後の分割出願を制限したものです。

(3)　拒絶査定不服審判請求時の補正

拒絶査定不服審判請求時になし得る補正の範囲は、前記(2)で見た最後の拒絶理由通知に対する補正と同様です

（特法一七条の二第一項四号、三項・四項）。

これは、審判請求時に特許請求の範囲の大幅な変更がされると、審判における審理対象が変更されることとなって審理の迅速性が確保されないこと、拒絶査定を維持すべきかどうかを審理することを本来の目的とする拒絶査定に対する審判制度の趣旨に沿わないことであるとされています。

この時期の補正については、平成二〇年の改正で、審判請求と同時とされました（特法一七条の二第一項四号）。

拒絶査定不服審判請求時になされた補正が不適法なものであるとき、すなわち、新規事項を追加するものであるとき、請求項の削除、請求項の限定的減縮、誤記の訂正又は不明瞭な記載の釈明を目的とするものでないとき、独立して特許を受けることができないときなどは、新たにその旨の拒絶理由を通知することなくその補正は却下されます。そしてその補正の却下の決定の是非については、審決取消請求訴訟において争うことになります（特法一五九条一項）。

また、右の不適法な補正が特許後に発見された場合には、補正を却下せずそのまま許容されます。もっとも、新規事項の追加については、無効理由とされています（特法一二三条一項一号）。

なお、前置審査においては、特許査定をする場合を除いて、審判請求時及びその後にされた補正は却下しないこととされています（特法一六四条二項）。

九　最終処分

1　特許査定

特許査定とは、審査官が審査をした結果、拒絶の理由が発見されず、特許すべきとする審査官の最終処分です。

審査官は、拒絶理由を発見しないとき又は拒絶理由を発見したがその通知に対する特許出願人の反論若しくは補正により拒絶理由が解消したと認めるときは、特許査定をしなければなりません（特法五一条）。

特許査定は文書をもって行い、その謄本が特許出願人に送達されます（特法五二条）。あとは、その謄本の送達の日から三〇日以内に所定の特許料を納付して特許権の設定の登録を受けることとなります。

2　拒絶査定

拒絶査定とは、拒絶の理由に該当するから特許すべきでないとする審査官の最終処分です。

審査官が審査をした結果、拒絶の理由を発見したときは、特許出願人に対し拒絶理由の通知をして意見書の提出の機会を与えることは先に述べました。意見書が提出されたもののそれに記載された特許出願人の反論によっては、また、補正書が提出されたもののその明細書、特許請求の範囲又は図面の補正によっては、なお先に示した拒絶の理由を解消していないと認めるときに、あるいは意見書が提出されていない場合であって、なお先の拒絶の理由を撤回する必要はないと認めるときには、審査官は拒絶査定をしなければなりません（特法四九条）。

この査定は文書で行われ、拒絶理由が付されます。そして、その謄本が特許出願人に送達されます（特法五二条）。

特許出願人は、この査定に不服があるときは、その謄本送達の日から三月（在外者の特許出願には更に一月付加されます）以内に、拒絶査定不服の審判を請求することができます（特法一二一条一項）。この期間内に審判の請求をしないときは拒絶査定は確定し、以後救済手段はなくなります。

拒絶査定謄本の送達については、特許法一九〇条において民事訴訟法における送達に関する規定を準用しています。現在、特許庁において行われている送達の方法が、「郵便による送達（旧民事訴訟法一六二条一項。相手方に到達したときに効力を生じる）」か、それとも「郵便に付する送達（旧民事訴訟法一七二条。発送の時に効力を生じる）」かで争われましたが、裁判所は前者、すなわち相手方に到達した時に効力を生じるとしています（東京高昭五三・五・二判・昭五〇（行ケ）八二ほか）。

一〇　特許付与後の特許異議申立制度

平成二六（二〇一四）年の改正で、特許権の設定登録後にその特許に対して、特許権者以外の第三者の異議申立てを認め、申立てに理由があると認められるときは特許を取り消すという特許異議申立ての制度が採用されました。改正前は、特許後特許の有効性を争うのは特許無効審判制度のみでした。

改正前の特許無効審判制度は、何人もいつでも請求可能なこと及び審理が当事者対立構造で口頭審理が中心であるため、権利の不安定な期間が長い上に、特許権者の負担が大きいということで、特許付与直後の申立てで、簡易で迅速に審理可能な特許異議申立制度が別途設けられました（特法一一三条）。

1　付与後特許異議申立て

特許権の設定登録があったときは、特許請求の範囲等、必要な事項が掲載された特許公報が発行されます。そうすると、何人もその発行の日から六月以内に特許庁長官に対して、特許が次に該当することを理由として、特許異議申立てをすることができます（特法一一三条）。二以上の請求項に係る特許については、請求項ごとに申立てをすることができます。

① その特許が新規事項を追加する不適法な補正がなされた特許出願（外国語書面出願を除く）に対してなされたこと

② その特許が外国人の権利の享有（特法二五条）、特許要件等（特法二九条、二九条の二）、不特許事由（特法三二条）、先願（特法三九条）の規定に違反してなされたこと

③ その特許が条約に違反してなされたこと

④ その特許が明細書の詳細な説明又は特許請求の範囲の記載要件（特法三六条四項一号又は六項（四号を除く））を満たしていない特許出願に対してなされたこと

⑤ 外国語書面出願の願書に添付した明細書又は図面（いわゆる翻訳文）に記載した事項が外国語書面（いわゆる原文）に記載した事項の範囲内にないこと

なお、冒認出願（特法四九条六号）及び共同出願（特法三八条）違反は、当事者間の問題であることから、無効審判によることとし、付与後の特許異議申立ての理由とはされていません。

2　付与後特許異議申立ての審理と決定

特許異議申立ては、審判官の合議体で審理されます（特法一一六条）。審理は、書面審理に限られます（特法一一八条）。

利害関係人は特許権者側への補助参加もできますし（特法一一九条）、申立てがあった請求項については、申し立てない異議申立理由についても審判官の職権で審理

することができます（特法一二〇条の二）。同一の特許に対して、二以上の申立てがあったときは併合審理が原則です（特法一二〇条の三）。

特許異議申立ての審理において、特許の取消しの決定をしようとするときは、審判長は特許権者及び参加人に対してその理由を通知し意見書を提出する機会が与えられます（特法一二〇条の五第一項）。この場合、特許権者は、特許請求の範囲の減縮などを目的とした明細書又は図面の訂正の請求をすることができます（特法一二〇条の五第二項）。そして、訂正の請求があったときは、審判長は、取消理由通知及び訂正請求書等を異議申立人へ送付して、異議申立人に意見書の提出機会が与えられます（特法一二〇条の五第五項）。

異議申立てに係る請求項の訂正については、新規事項の追加は不可ですし、訂正後の請求項に係る発明が特許出願の際独立して特許要件を満たさなければなりません（特法一二〇条の五第九項）が、その要件の審理は取消理由の審理の中で行われます。

特許異議申立ての決定において、理由ありと認められた場合には、特許を取り消すべき旨の決定がなされ、特許権者は不服があるときは東京高裁（知財高裁）にその取消しを求めて出訴することができます（特法一七八条）。取消しの決定が確定したときはその特許権は初めから存在しなかったものとみなされます（特法一一四条三項）。

理由なしと認められた場合には、特許を維持する旨の決定がなされ、申立人は不服を申し立てることはできません（特法一一四条五項）。

二　特許権

1　特許権の発生

特許権は、審査官の特許査定又は審判官の審決に基づき、特許出願人などにより所定の特許料の納付があった場合に、特許庁長官の職権により、特許登録原簿に特許権の設定の登録がされて初めて発生します（特法六六条）。

(1)　特許料の納付

特許出願人又はその利害関係人（平成二七年の改正で、これら以外の者の納付も可能とされました）は、特許査定又は特許すべき旨の審決の謄本の送達の日から三〇日以内に、第一年から第三年までの各年分の特許料を納付しなければなりません（特法一〇七条、一〇八条）。特許料の納付があったときは特許権の設定の登録がなされ、前記納付期間内に納付がないときは特許出願の却下の処分がされることになります（特法一八条一項）。

したがって、特許権の設定の登録のための特許料の納付を忘れた場合には、特許権の獲得を目前にしてすべてが水泡に帰しますので注意を要します。

前記期間内に納付することができないときは、三〇日以内に限り、請求によりその期間の延長することができます。納付する者が、天災地変等の自己の責めによらない理由で納付できないときは、その理由がなくなった日から一四日（在外者は二月）以内で、期間経過後（延長があった場合はその期間経過後）六月以内であれば納付をすることができます（特法一〇八条四項）。これは平成二六年の改正によるものです。

特許料は、国に属する特許権については納付する必要はありません（特法一〇七条二項）。国と国以外の者の共有に係るときは、後者の者は、その持分の割合に従って特許料の額を納付します（後者の者について減額などの措置が認められた場合も同様です。特法一〇七条三項）。

第一年から第一〇年までの特許料については、特許権の設定を受ける者又は特許権者の資力を考慮して特許料を納付することが困難と認められる場合は、減額、納付の猶予又は免除の措置を受けることができます（特法一〇九条。平成二三年改正）。

平成一一（一九九九）年の改正で、右の減額などの措置の対象者に、資力に乏しい企業（職務発明について勤務規則などにより従業者などから特許を受ける権利を承継した企業など）へ、平成三〇年の改正で中小企業等へ拡大されました。出願中の審査請求料についても同様です。

(2) 特許権の設定の登録

特許庁長官は、所定の特許料の納付があったとき又はその免除・猶予があったときは、特許登録原簿に次の事項を記録し、特許権の設定の登録をします（特法六六条二項）。

① 特許番号
② 特許出願の年月日、特許出願の番号、査定又は審決年月日、発明の名称、請求項の数
③ 特許権者の氏名（名称）及び住所（居所）

ここで、特許権が発生することになります（特法六六条一項）。

この設定の登録は、特許庁長官の行う行政処分です。したがって、特許庁長官が特許権の設定の登録をすべき義務を有することを裁判で確認することは、裁判所が特許庁長官に対し特定の行政処分を命ずることになり、三権分立の建前から許されないとされています（東京地昭四〇・九・二八判・昭三八(行)一〇三、行裁一六―九―一五三〇）。

(3) 特許証

特許権の設定の登録がされますと特許証が発行されます（特法二八条一項）。

特許証は権利書や登録済証ではありませんが、特許番号、特許権者のほかに必ず発明者を記載することとなっていますので（パリ条約四条の三）、発明者をたたえるための名誉的なものということができます。

(4) 特許権維持のための特許料（年金）

特許権は設定登録により発生し、その存続期間は、特許出願の日から二〇年をもって終了します（特法六七条一項）。

医薬品等特定分野に係る特許については、五年を限度として存続期間を延長することができます（特法六七条二項）。

特許権を維持するためには、出願の日から二〇年の範囲内で、特許権の設定の登録の日から存続期間が満了するまでの各年（存続期間が延長されたときは、延長に係る各年）の特許料を納付しなければなりません（特法一〇八条二項）。もっとも、特許権の設定の登録の際に第一年から第三年までの分の特許料は既に納付していますので、特許権の維持のための特許料は原則として第四年分以後のものです。

特許料はその額が各年分ごとに逓増《ていぞう》するとともに、各年分ごとに納付する年金制をとっていますので「年金」と呼ばれています（平成一〇年の改正で、特許権者の負担等を考慮して、第一〇年分から第二五年分までの特許料は一律の額とされました）。年金は各年の前年以前に納付しなければなりません。また、まとめて一時に納付することもできます。その納付期限の経過後六か月以内は、倍額の割増しの特許料の納付を条件として追納することができます。

もし、追納期間内に特許料を納付しないときは、納付期限の経過の時にさかのぼって特許権は消滅します。また、存続期間が延長された場合、延長に係る各年分の特許料が追納期間内に納付されないときは、納付期限の経過の時（納付期限の特例に係る場合（特法一〇八条二項ただし書）には当該延長登録がないとした時における存続期間の満了日の属する年の経過の時）にさかのぼって消滅します（特法一一二条五項）。

また、追納期間内に割増しを含む特許料を納付できなかった場合であっても、それが正当な理由によるものであるときは、省令で定める期間内に限り、正規の特許料に割増し特許料を加えて納付すれば特許権の回復が認められます（特法一一二条の二。平成二三年改正）。追納期間経過後回復の登録前の第三者の当該発明の実施行為に関しては、この措置により回復した特許権の効力が制限されます（特法一一二条の三）。

しばしば特許料の納付を懈怠《けたい》（＝おこたること）して、特許庁が通知しないのはけしからんなどと主張する裁判例がありますが、特許権者側が勝訴したためしはありません。

(5) 特許原簿

特許庁には特許原簿を備え、それに次の事項を登録します（特法二七条）。

① 特許権の設定、存続期間の延長、移転、信託による変更、消滅、回復又は処分の制限

② 専用実施権の設定、移転、保存、変更、消滅又は処分の制限

③ 特許権、専用実施権を目的とする質権の設定、移転、変更、消滅又は処分の制限

特許原簿には、特許登録原簿、特許関係拒絶審決再審請求原簿及び特許信託原簿があり、前記の各事項は特許登録原簿に登録します。

特許権の存在、内容及びその変動は、当事者のみならず第三者にも影響を及ぼす場合があります。

また、特許権の客体である特許発明は観念的なもので物理的な把握はできませんので、引渡しや占有に適しません。そこで、特許法も不動産登記のように登録制度を採用し、特許権の存在、内容及びその変動などを特許登録原簿に登録することにより変動の効力や対抗力を付与するとともに、第三者へ広く公示して取引の安全を図っています。

ですから、特許原簿は、何人も、閲覧や登録事項を記載した書面を請求することができます（特法一八六条）。

特許法の登録の場合は、特許権が設定の登録により発生すること及び特許権・専用実施権に関する変動の効力も登録により発生するという点で、対抗要件にすぎない

不動産登記と異なりますので注意を要します（特法九八条一項）。

特許登録原簿は、現在、磁気テープ、磁気ディスクで調製されていますので、登録事項は電子計算機を通じて入力され出力されています。

登録システムは漢字システムを採用し、またオンライン、リアルタイム方式ですので、特許庁及び各地方経済産業局に設置した端末機を通じ、いつでも出力して特許登録原簿に記録した登録事項を照会することができます。

特許関係拒絶審決再審請求原簿には、特許出願について拒絶すべき旨の審決が確定した後その再審請求があった場合に、その請求に係る特許出願番号や請求人の住所・氏名などを登録します。

特許信託原簿には、特許権・専用実施権などの特許に関する権利について、信託法（平成一八年法律第一〇八号）により信託契約がなされ、その登録申請があった場合に、委託者・受託者などのほか信託事項を登録します。信託法の改正により、特許権者の自己信託も可能となりました。また、平成一六（二〇〇四）年に信託業法（平成一六年法律第一五四号）が改正されて、信託会社が知的財産権の信託を引き受けることができることとなっています。

特許を受けた発明の明細書、特許請求の範囲及び図面は特許登録原簿の一部とみなされています（特登令九条二項）。また、特許無効の審判などの確定審決に基づきその要旨を登録したときは、その審決原本は特許登録原簿又は拒絶審決再審請求原簿の一部とみなされます。

(6) 特許掲載公報の発行

特許権の設定の登録があったときは、次の事項が掲載された特許公報（特許掲載公報）が発行されます（特法六六条三項）。

① 特許権者の住所・居所及び氏名・名称
② 特許出願の番号及びその出願の日
③ 発明者の住所・居所及び氏名
④ 願書に添付した明細書及び特許請求の範囲に記載した事項並びに図面の内容
⑤ 願書に添付した要約書に記載した事項（既に出願公開がされているときは除きます）
⑥ 特許番号及び設定の登録の日
⑦ その他必要な事項

なお、⑤については、要約が適切に記載されていない場合などの扱いは、出願公開と同様で、特許庁長官が自ら作成したものを掲載します（特法六六条四項）。

2　特許権の効力

特許権は設定の登録によって発生します。特許権の内容のあらましは次のとおりです。

(1)　独占権

特許法では、特許権の効力について「特許権者は、業として特許発明の実施をする権利を専有する。」と定めています（特法六八条）。これがいわゆる独占権といわれるもので、第三者の侵害を排除し特許権者のみが特許発明を実施することができます。

「業として……実施」とされていますので、例えば、組立てラジオが特許発明である場合、それを家庭用として趣味で組み立てても特許権の侵害とはなりません。他方、洗濯機が特許発明である場合、それをクリーニング業者が無断で使用しているときなどは特許権の侵害となります。

また、特許発明の実施については次のように定義しています（特法二条三項）。

① 物（プログラム等を含みます。以下同じ）の発明にあっては、その物の生産、使用、譲渡等（譲渡及び貸渡しをいい、その物がプログラム等である場合には、電気通信回線を通じた提供を含みます。以下同じ）、輸出若しくは輸入又は譲渡等の申出（譲渡等のための展示を含みます。以下同じ）をする行為

② 方法の発明にあっては、その方法を使用する行為

③ 物を生産する方法の発明にあっては、①に掲げた行為のほか、その方法により生産した物の使用、譲渡等、輸出若しくは輸入又は譲渡等の申出をする行為

「譲渡若しくは貸渡しの申出」はＴＲＩＰＳ協定上の「販売の申出」を受けて平成六（一九九四）年の改正で追加されたものですが、販売は譲渡に含まれ、申出は貸渡しの場合にもあること及び申出には展示も含まれることから前記のように改正されたものです。そして、販売の申出には、物の有無にかかわらずカタログ又は電話による勧誘、パンフレットの配布などが該当するとされています。

平成一八（二〇〇六）年の改正で、発明の実施の定義に、「輸出」が追加されました。生産や譲渡の段階で捕捉できない侵害品を水際段階で差し止めよ

うとするものです。

平成一四（二〇〇二）年の改正で、発明の実施行為に、物の発明としてコンピュータ・プログラムの譲渡等を含むことが明確化されました（特法二条三項）。発明の実施行為としては、物の発明と方法の発明とに分けて実施行為を定義していますが、無体物たるコンピュータ・プログラムがネットワーク利用の進展により、CD-ROM等の記憶媒体を介さず直接販売・流通することが可能となり、そのような取引が増大しました。このため、コンピュータ・プログラムを物の発明として扱うことを明確にしたものです。

「プログラム」については、電子計算機に対する指令であって、一の結果を得ることができるように組み合わされたものと定義され（プログラムに準ずるものを含みます。特法二条四項）、また、発明の譲渡には、プログラムについては電子通信回線を通じた提供を含むとされ（特法二条三項一号）、ダウンロードを前提としてブロードバンド化に対応しました。

ここで注意を要するのは、物を生産する方法の発明の場合は、単にその方法を使用する行為のみではなくてその方法により生産した物の譲渡などの行為も実施に当たるとされていることです。例えば、ゴルフボールの製造方法が特許されている場合は、そのゴルフボール自体にも特許権が及ぶこととなり、物の生産を伴わない方法の発明に係る特許より保護が厚くなっています（特法二条三項三号）。

特許権者Aが特許発明に係る物を製造してBに譲渡し、さらにBがCに譲渡してCが業としてその物を使用している場合であっても、BとCの行為は特許権の侵害とはなりません。その理由としては、Aが製造してBに譲渡した段階で特許権が消尽（用尽）したとする説が有力のようです（大阪地昭四四・六・九判・昭四三(ワ)三四六〇、無体一—一六〇）。

最高裁は、右特許権の消尽論を追認しましたが、特許製品と同一性を欠く新たに製造されたものについては、特許権の効力が及ぶ旨を判示しました。「特許権の消尽により特許権の行使が制限される対象となるのは、飽くまで特許権者等が我が国において譲渡した特許製品そのものに限られるものであるから、特許権者等が我が国において譲渡した特許製品につき加工や部材の交換がされ、それにより当該特許製品と同一性を欠く特許製品が新たに製造されたものと認められるときは、特許権者は、その特許製品について、特許権を行使することが許されるというべきである。」（最高裁一九・一一・八判・平一八(受)八二六、民集六一―八―二九八九）。

なお、特許権に専用実施権を設定したときは、その設定した範囲で特許権の効力が制限されます。

特許製品に係る真正品の並行輸入が我が国特許権の侵害に当たるか否かで、裁判所の判断が分かれていましたが、最高裁の判断が示されました。

東京地裁は、特許権の国際的消尽は現行法が前提としていたとは認められないから特許権の侵害に当たると解するのが素直な解釈であるとしました（東京地平六・七・二二判・平四(ワ)一六五六五、判時一五〇一―七〇）のに対して、控訴審では、特許権者には国際消尽を認めても発明を公開した代償を確保する機会が保障されており、特許権は消尽したとして、侵害には当たらないとしました（東京高平七・三・二三判・平六(ネ)三二七二、判時一五

アメリカ特許権に基づく我が国での侵害訴訟

アメリカ特許権に基づき我が国での侵害行為の差止めなどを求めた事案で、最高裁は、準拠法としては当該特許が登録された国の法律であるが、アメリカ特許法を適用して同国特許権の侵害を積極的に誘導する我が国内での行為の差止めなどを命ずることは、法例三三条の「公ノ秩序」に反するとし、また、右侵害行為を我が国で行ったことを理由とする損害賠償請求については、法例一一条一項の「原因タル事実ノ発生シタル地」はアメリカであり、同二項の「外国ニ於テ発生シタル事実カ日本ノ法律ニ依レハ不法ナラサルトキ」に当たると判示して、請求を認めませんでした（最高平一四・九・二六判・平一二(受)五八〇、民集五六―七―一五五一）。

これに対して、東京地裁は、原被告共に我が国法人とする不正競争防止法二条一項一四号競争者営業誹謗《ひぼう》行為に係る訴訟の中で、アメリカ特許権に基づくアメリカでの差止請求権の不存在の確認を求めた事案では、国際管轄及び確認の利益をも認めた上で、準拠法はアメリカ特許法とし、同法に基づきアメリカ特許権の侵害の成否を判断して、侵害しないと判断し、右差止請求権の不存在確認請求は理由があるとして原告の請求を認容しました（東京地平一五・一〇・一六判・平一四(ワ)一九四三、速報三四三―一一九三二）。

二四―三)。最高裁は、特許製品を国外において譲渡した場合に、その後に当該製品が我が国に輸入されることが当然に予想されることに照らせば、特許権者が留保を付さないまま特許製品を国外において譲渡した場合には、譲受人及びその後の転得者に対して、我が国において譲渡人の有する特許権の制限を受けないで当該製品を支配する権利を黙示的に授与したものと解すべきである旨等判示して、控訴審の判決を維持しました(最高平九・七・一判・平七(オ)一九八八、判時一六一二―三)。

(2) 特許発明の技術的範囲と判定制度

特許発明の技術的範囲は、願書に添付した特許請求の範囲の記載に基づいて定められます(特法七〇条)。

技術的範囲とは、特許発明の技術的効力範囲ということができますので、ある行為が特許権の侵害であるか否かは、この技術的範囲に属するか否かが決定的な意味をもつことになります。

技術的範囲は特許請求の範囲の記載に基づいて定めるとされていますので、まず特許請求の範囲に記載された発明に基づいて判断されることとなりますが、この発明は明細書の発明の詳細な説明で裏付けられていなければなりません。

したがって、すべてが特許請求の範囲のみに基づいて判断されるのではなくて、場合によっては詳細な説明の記載も考慮されることになるでしょう。この点に関し、平成六(一九九四)年の改正で「明細書の記載及び図面を考慮して、特許請求の範囲に記載された用語の意義を解釈する」旨規定され明確になりました。

もっとも、発明の詳細な説明には記載されているけれども特許請求の範囲に記載されていない発明は、特許発明とはいえませんので、その特許発明の技術的範囲には含まれません。

右のように特許請求の範囲(クレーム)の解釈の方法として、特許請求の範囲の記載を基本としながらも、ある程度弾力的な解釈を認めようとする考え方があり、これが均等論と呼ばれるものです。均等論はアメリカで発達したもので、我が国でも下級裁判所では認めた例がありましたが、平成一〇(一九九八)年になって、最高裁は、特許請求の範囲記載の構成中に侵害対象製品等と異なる部分があっても、①特許発明の本質部分でないこと、②置換しても特許発明の目的を達成することができ、同一の作用効果を奏するものであって、③右置換に、当該発明の属する技術分野の通常の知識を有する者が対象製品の製造時に容易に想到できたもので、侵害対象製品等が、④出願時の公知技術と同一又は出願時に容易推考のものでなく、かつ、⑤特許請求範囲から意識的に除外されたものなどではないこと、の基準を示して、均等論を認める判決を下しました（最高平一〇・二・二四判・平六(オ)一〇八三、判時一六三〇―三五）。

ある技術内容が特許発明の技術的範囲に属するか否かについては、特許庁に対し判定を求めることができます（特法七一条一項）。

平成一一（一九九九）年の改正で、特許権に関する紛争の迅速・的確な解決に寄与するために、手続、証拠調べなどについて、審判の規定を準用して判定制度の充実化が図られました。また、裁判所から、特許庁に対して特許発明の技術的範囲について鑑定の嘱託があったときは、三人の審判官が鑑定する旨が明定されました（特法七一条の二）。

判定の請求があったときは、特許庁長官は三名の審判官を指定してその判定をさせなければなりません（特法七一条二項）。

判定の手続は、特許の審判の手続に準じた手続により行われ、技術的範囲に属する又は属しないとの判定がなされます。

判定は行政庁としての特許庁の公式見解であり、一種の鑑定的性質を有するにとどまり、当事者を法的に拘束するものではありません。しかしながら、特許庁という行政庁が、しかも専門的な知識を有する審判官が、審判手続に準じた手続を経た上で判断した見解ですから、当事者のみならず第三者や裁判所においても尊重され、参考にされているようです。平成三〇（二〇一八）年改正で、判定において当事者から営業秘密記載の申し出があった書類については、特許庁長官が必要と認めたときは、従来の審判関係書類と同様に、証明等の請求が制限されます（特法一八六条一項）。

3　特許権の効力の制限

特許権者は特許発明について独占権を有しますが、発明の奨励、既得権の保護や公益上の見地などから、特許法上、次のような制限が加えられ、特許権の効力が及ばないとされています（特法六九条）。

①　試験又は研究のためにする特許発明の実施

②　単に日本国内を通過するにすぎない船舶若しくは航空機又はこれらに使用する機械、器具、装置その

ほかの物

③　特許出願の時から日本国内にある物

④　医師又は歯科医師の処方せんによる混合医薬を調剤する行為及びその調剤した物

特許発明に係る医薬品と有効成分等を同じくする医薬品について、特許権存続期間満了後の製造・販売を目的として、存続期間内にする薬事法に係る承認を得るための試験は、①の試験に当たるとする最高裁判決が出されました（最高平一一・四・一六判・平一〇(受)一五三、速報二八八—八六三二）。

このほかに、他人の特許発明などと利用関係にあるとき、法定実施権が認められているとき、裁定により通常実施権が設定されたときは特許権の効力が制限されます。

まだ発動された事例はありませんが、特許権が不当な取引の制限などに利用された場合などは、独占禁止法により取り消される場合もあります（独禁法一〇〇条）。

4　特許権の消滅

特許権は設定の登録により発生しますが、次の場合に消滅し、消滅した特許に係る発明はその後だれでも自由に実施することができることとなります。

(1)　存続期間の満了

特許権の存続期間は特許出願の日から二〇年です（特法六七条）ので、この期間が経過した時は消滅します。また、存続期間が延長された場合には、延長後の存続期間が経過したときに消滅します。

(2)　特許料の不納

特許権がその設定の登録後存続期間内有効に存続するには、各年ごとの特許料（年金）の納付が必要ですが、納付期限まで及び追納期間内に所定の特許料の納付がないときは、納付期限の経過時にさかのぼって消滅します（特法一一二条四項）。また、存続期間が延長された場合において、納付期限まで及び追納期間内に所定の特許料の納付がないときも同様です（納付期限の特例に係る場合（特法一〇八条二項ただし書）には、当該延長登録がないとしたときにおける存続期間の満了日の属する年の経過時にさかのぼって消滅します。特法一一二条五項）。

(3)　特許無効審決の確定

特許無効審判において特許無効の審決がなされ、それが確定したときは特許権は初めからなかったものとみなされます（特法一二五条。ただし同一二三条一項七号に該当する場合は除かれています）。

⑷　特許権の放棄

特許権者は自らの自由意思で特許権を放棄することができ、この放棄によっても特許権は消滅します。ただし、特許権に対して専用実施権、質権、職務発明による通常実施権、専用実施権についての通常実施権、許諾による通常実施権が設定されているときは、これらの実施権者などの承諾が必要です（特法九七条一項）。

特許権の放棄は、登録が効力発生要件とされていますので、単なる意思表示では効力が生ずることはなく、特許庁に備える特許登録原簿に登録しなければなりません。

⑸　相続人の不存在

民法上は、相続人がいない場合は相続財産は国庫に帰属することになっていますが、特許権は、国庫に帰属するよりは特許発明を一般に開放するほうが特許法の目的にも合致することとなりますので、相続人がいない場合は特許権は消滅することとしています（特法七六条）。

⑹　独禁法一〇〇条による取消し

独占禁止法第一〇〇条は、特許権（専用実施権・通常実施権）が不当な取引の制限などに利用された場合に、その特許などを取り消すことを定めています。

＊

なお、存続期間の満了、特許料の不納又は特許無効審決の確定による特許権の消滅は、特許登録原簿の特許権の抹消の登録の有無にかかわらず前記各特許法上の規定により消滅し、その登録は単に確認的なものであるとされています。

5　特許権の存続期間の延長

特許権の存続期間は特許出願の日から二〇年をもって終了しますが（特法六七条）、一定の要件を満たす特許権についてはその存続期間を延長することができます。

特許権の設定の登録が、特許出願の日から五年又は審査請求の日から三年のいずれか遅い日以後になされたときは、延長出願により存続期間を延長することができるとされました（特法六七条二項・ＴＰＰ担保法による改正）。

医薬品・農薬などの一部の分野では、法律の規定による許可等を得るに当たり、所要の実験・審査等に相当の長期間を要するため、その間はたとえ特許権が存続していても権利の専有による利益を享受できないという問題が生じており、これを解決するために、存続期間の延長登録制度が昭和六二（一九八七）年の改正により創設されました。

平成一一（一九九九）年の改正で、延長を求める期間を「二年以上五年以下」から、二年未満の延長をも対象とするため「五年以下」としました。さらに、存続期間の延長の要件としていた「特許発明の実施が二年以上できなかったこと」を削除し、「満了前六月の前日までは政令で定める処分を受けることができないと見込まれる旨を記載した書面」を「満了前六月の前日までの提出」を条件として、延長登録出願の期限を「存続期間満了前六月まで」を「満了まで」と改正して、存続期間の延長制度の対象となる特許権の拡大が図られました（特法六七条の二、六七条の二の二）。

(1) 延長の対象となる特許権

政令で定める処分を受けることが必要であるために特許発明の実施をすることができない期間があったときは、延長登録の出願により、その特許権の存続期間を五年を限度として延長することができます（特法六七条二項）。政令で定める処分として、農薬取締法に規定する農薬の登録と薬事法に規定する医薬品（人間用の医薬品と動物用医薬品）の承認が指定されています（特施令一条の三）。

(2) 延長登録の出願

特許権の存続期間の延長登録の出願をする場合は、特許番号、延長を求める期間、政令で定める処分の内容などを記載した願書と延長の理由を記載した資料とを特許庁長官に提出しなければなりません（特法六七条の二）。これらの提出は、政令で定める処分を受けた日から三月以内にする必要があります。延長登録の出願があったときは、願書に記載された事項が特許公報に掲載され、その特許権の存続期間が延長される可能性のあることが第三者に知らされます。

(3) 延長登録の出願の審査

延長登録の出願は、方式審査の後、審査官による実体審査が行われます。審査請求の必要はありません。

延長登録の出願は、次の①〜⑤のいずれかに該当するときは、拒絶査定されます（特法六七条の三）。

① 特許発明の実施に政令で定める処分を受けることが必要であったとは認められないとき

② 特許権者又はその特許権についての専用実施権者若しくは通常実施権者が政令で定める処分を受けて

いないとき

③　延長を求める期間が特許発明の実施をすることができなかった期間を超えているとき

④　出願人が特許権者でないとき

⑤　特許権が共有に係る場合、共有者の一部の者のみで延長登録の出願をしたとき

最高裁は、右①に関し、延長登録出願について、当該薬事法上の処分の対象となった医薬品と有効成分・効能等を同じくする医薬品について先行して同法上製造販売の承認がされている場合であっても、先行の医薬品が後の延長登録出願に係る特許発明の技術的範囲に属しないときは、先に処分がされていることを根拠として後の延長登録出願を拒絶することはできないと判示し、特許庁の拒絶審決を取り消した知財高裁の判決を支持しました（平二三・四・二八・平二一（行ヒ）三二六、判時二一一五—三二）。

審査官は、拒絶査定をしようとするときは通常の特許出願の審査と同様に、出願人に拒絶理由の通知をします。一方、拒絶理由を発見しないときは延長登録査定をします。延長登録査定があったときは、特許番号、延長の期間、政令で定める処分の内容などが特許公報に掲載されます。

(4)　延長後の特許権の効力

存続期間が延長された場合の特許権の効力は、その延長の理由となった政令で定める処分の対象となった物（又は、物と用途）についての当該特許発明の実施以外の行為には及びません（特法六八条の二）。通常の特許権と比べると効力が制限されていますが、政令で定める処分を受けることが必要であるために特許発明の実施をすることができない場合に特許権の存続期間の延長を認めるのがこの制度の趣旨ですから、処分を受けることによって実施ができるようになった範囲に延長後の特許権の効力が制限されたわけです。

一二　特許権をめぐる権利

1　特許権の移転

特許権は財産権ですから物権や債権と同様に自由に移転することができます。譲渡（贈与・売買・交換など）などの特定承継により、また相続・合併などの一般承継によっても移転します。

ただ、特定承継の場合は、当事者間において売買契約が成立しただけでは移転の効力を生じません。その登録によって初めて移転の効力を生じます（特法九八条一項一号）。

我が国の民法は、不動産物権などについては当事者の意思表示だけで物権の変動の効力が生じるとし、登記を対抗要件としています（民法一七七条）。しかし、特許法は、前述のように、特許権及び専用実施権の変動については登録を効力発生要件としています（特法九八条一項）。

したがって、特許権を譲渡したときは、必ず特許庁長官に対し、譲渡証などを添付した特許権移転登録申請書を提出して、その登録を受けなければなりません。

この登録手続は不動産登記手続と類似のもので、特許登録令（昭和三五年政令第三九号）に詳しく定められています。

未登録の譲受人は特許権者ではありませんので、例えば、二重譲渡で先に登録を受けたような場合の第三者に対抗できないばかりでなく、特許権の侵害者に対しても侵害行為を差し止めたり損害の賠償を請求することができません。

譲渡契約がないにもかかわらず、例えば、偽造譲渡証によって登録を受けても特許権の移転の効力は生じません。特許法上の登録の場合も、譲渡契約などの有無にかかわらず登録どおりの権利の変動が生ずるといういわゆる登録の公信力は、不動産の登記と同様にありません。

共有に係る特許権の持分を移転するときは、他の共有者の同意を得なければなりません（特法七三条一項）。

二以上の請求項に係る特許権は請求項ごとに特許権があるとされていますが（特法一八五条）、その請求項ごとに分割して移転することはできません。

2　特許権の移転の特例

平成二三（二〇一一）年の改正で、特許権の移転の特例として、他人の発明を盗んでした特許出願、いわゆる冒認出願をして特許された場合、真に特許を受ける権利を有する者に、当該特許権について移転を請求する権利が認められました（特法七四条）。共同出願違反に係る特許権についても、同様です。

改正前は、冒認出願に対しては拒絶査定又は特許後は無効審判のみで対処可能でしたが、真の権利者を保護するには不十分であるため、直接移転の請求を認めたものです。この移転については、冒認に係る当該特許権が共有に係る場合でも、他の特許権者の同意は不要とされました。そして、移転登録がなされたときは、当該特許権は、初めから真の権利者に帰属していたものとみなされます。

また、右移転の登録の際、善意で現に当該特許発明の実施又はその準備をしている専用実施権者又は通常実施権者はそれらの範囲内で、通常実施権を有することになります（特法七九条の二）。

3　専用実施権

特許権者は、他人に特許発明を利用する権利＝実施権を設定することができます（特法七七条一項）。設定した範囲において独占的である利用権を専用実施権といいます。

専用実施権者は、設定行為で定めた範囲内において、業としてその特許発明の実施をする権利を専有します（特法七七条二項）。

専用実施権の設定の範囲は当事者の契約によって定まりますが、内容、地域、期間とに分けられて、各々制限されるのが通例です。

例えば、

○内容　製造

○地域　東京都及び北海道

○期間　特許権存続期間中

この設定契約で定めた範囲内では、専用実施権者が独占権を有しますので特許権者といえども実施することができません。

第三者が実施すれば、特許権と同様に専用実施権の侵害としてその行為を差し止め、損害の賠償を請求することができます（特法一〇〇条等）。

専用実施権に関する変動も登録が効力発生要件ですので、特許権の移転と同様に、専用実施権の設定も登録をしなければその効力を生じません（特法九八条一項二号）。

専用実施権者は、特許権者の承諾を得た場合は、その専用実施権について他人に通常実施権や質権を設定することができます（特法七七条四項）。

4　通常実施権

特許権の利用権としては、先の専用実施権のほかに通常実施権が認められています（特法七八条一項）。

通常実施権は、専用実施権と異なって独占的な権利ではなく、単に設定行為で定めた範囲内で特許発明を利用する権利であって、特許権者から侵害として排除されないにすぎません。ですから、特許権者は、通常実施権を許諾してもその特許発明を実施することができますし、また、他人に重複して通常実施権を設定することができます。

通常実施権は、債権的な権利とされ排他性がありませんので、通常実施権が侵害されても直接それを排除することができないとされています。

通常実施権の設定の範囲は、当事者の契約により先に例示した専用実施権の場合と同様に定められるのが通例です。

この通常実施権は、特許権の移転や専用実施権の設定と異なり、当事者の意思表示のみで効力が発生し、特許法上当然対抗力を有します。平成二三（二〇一一）年の改正で、通常実施権については法律上対抗力が付与されて登録制度は廃止されました。したがって、通常実施権者は、当然にその発生後に取得した特許権者や専用実施権者にその存在を主張できます（特法九九条）。

近時の通常実施権の許諾は一製品につき多数の特許権について許諾が行われる反面、その登録手続等が煩瑣《はんさ》なため登録を受けない例が少なくなく、他方、特許権を譲り受ける際には通常実施権の存在について事前調査が行われていることなどから、通常実施権を適切に保護するため、登録を経由しなくとも、単にその存在を立証するだけで、第三者へ対抗することができる、当然対抗制度が採用されたものです。

通常実施権についても、特許権者の承諾（専用実施権についての通常実施権は専用実施権者の承諾）を得て質権を設定することができます（特法九四条二項）。

以上の当事者の契約により発生する許諾による通常実施権のほかに、特許法の規定により発生する法定通常実施権、経済産業大臣又は特許庁長官の裁定による通常実施権があります。

5 質権

特許権、専用実施権及び通常実施権（裁定による通常実施権を除きます）は、債権の担保物権として質権の目的とすることができます（特法九五条）。

一般に行われている民法上の質権と異なり、質権を設定した場合であっても質権者に特許権・専用実施権などを提供する必要はなく、また、特許権者・専用実施権者などはそのまま特許発明を実施することができます。

これは、質権設定者である特許権者などにそのまま実施させたほうが収益を上げることにもなりますので、担保債権を確実に回収することができ、質権者の利益となるからです。

質権者は、特約がない限りその特許発明を実施することができません。

質権には物上代位が認められており、質権者は、目的とする特許権、専用実施権又は通常実施権の譲渡対価又は実施料や損害賠償の請求権に対しても質権の効力が及び、優先的に弁済を受ける権利を有しますが、債務者の一般財産に組み入れ前に差し押さえなければなりません（特法九六条）。

特許法上の質権は、名称は質権ですが民法上の抵当権に近い担保物権ということができます。

特許権及び専用実施権を目的とする質権は、登録が効力発生要件です。また、通常実施権を目的とする質権は、登録が第三者対抗要件です。

6　裁定制度

経済産業大臣又は特許庁長官は、次のような場合は、請求により通常実施権の設定をすることができます。

①　不実施の場合の通常実施権の設定の裁定

特許発明が、継続して三年以上日本国内で不実施であるときは、その特許発明を実施しようとする者は、特許庁長官の裁定を請求することができます（特法八三条）。

②　自己の特許発明の実施をするための通常実施権の裁定

特許発明が他人の先願に係る特許権、実用新案権、意匠権又は商標権などを利用するものであるときは、業としてその特許発明の実施をすることができません（特法七二条）。

それで、その特許発明の特許権者又は専用実施権者は、自己の特許発明を実施するため特許庁長官の裁定を請求することができます（特法九二条三項）。

この場合は逆に、それらの他人は、いわゆるクロスライセンスを求めて特許庁長官の裁定を請求することができます（特法九二条四項）。

③　公共の利益のための通常実施権の設定の裁定

特許発明の実施が公共の利益のため特に必要であるときは、その特許発明を実施しようとする者は、経済産業大臣の裁定を請求することができます（特法九三条二項）。

裁定を請求するには、まず特許発明を実施しようとする者とその特許権者などの当事者間で協議をしなければなりません。協議が成立しないとき又は協議をすることができないときのみ裁定を請求することができます。

経済産業大臣又は特許庁長官は、裁定の請求があったときは、その請求書の副本を被請求人等（特許権者、専用実施権者、通常実施権者等）に送達して答弁書提出の機会を与えた上で、産業構造審議会の意見を聴取して裁定をします（特法八四条、八五条）。

通常実施権の設定をすべき旨の裁定は、その理由を付して設定すべき範囲と対価の額並びにその支払の方法及び時期を定めなければなりません（特法八六条）。

裁定により定められた対価の額について不服があるときは、行政不服審査法に基づく異議申立てをすることができず、直接裁判所に訴えを提起しなければなりません（特法九一条の二）。

ＴＲＩＰＳ協定を受けた平成六（一九九四）年の改正で、裁定に係る通常実施権の移転、質権の設定については次のように改正されました。

①の通常実施権は、実施の事業とともにする場合にのみ移転することができます（特法九四条三項）。

②の通常実施権（クロスライセンスに係るものを除きます）は、当該特許権が実施の事業とともに移転したときはそれに従って移転し、その特許権が実施の事業と分離して移転したとき又は消滅したときは消滅します（特法九三条四項）。クロスライセンスに係る通常実施権は、当該特許権などに従って移転し、その特許権などが消滅したときは消滅します（特法九四条五項）。

③の通常実施権は、実施の事業とともにする場合にのみ移転できます（特法九四条三項）。

また、裁定に係る通常実施権のいずれも、質権を設定することはできません（特法九四条二項）。裁定に係るいずれの通常実施権も当該特許発明の適当な実施がされないときは取り消されますが、このほかに、裁定理由の消滅なども取消理由に追加されました（特法九〇条）。

7　法定通常実施権

特許法は、許諾による通常実施権、裁定による通常実施権のほかに、いわゆる法定通常実施権を認め、次のような場合、通常実施権が発生するとしています。

① 職務発明による通常実施権

使用者は、従業者又はその承継をした者が現在又は過去の職務に属する発明について特許を受けたときは、その特許権について通常実施権を有します（特法三五条一項）。

これは、従業者による職務発明については、使用者は当然のことながら直接又は間接に貢献しているので、両者の権利・利益関係の調整を図ったものです。

職務発明以外の従業者の発明について予約承継を定めた契約、勤務規則は無効とされており（特法三五条二項）、職務発明を使用者に承継させるときは、従業者は相当の対価の支払を受けることができます（特法三五条三項）。

② 先使用による通常実施権

特許出願に係る発明の内容を知らないで、自らその発明をし、特許出願の際に現に実施の事業又はその準備をしている者などは、その特許権について通常実施権を有します（特法七九条）。

これは、特許発明とは全く別個に先に発明して実施又は実施の準備をしている者の事業設備を保護しようとするものです。

③ 無効審判請求登録前の実施による通常実施権

いわゆるダブルパテント（二重特許又は特許と実用新案登録）があった場合などであって、後願者などの特許又は実用新案登録が無効とされたときは、事業設備を保護する見地から、善意でその無効とされた特許に係る発明又は実用新案登録に係る考案の実施の事業又はその準備をしている原特許権者などは、正当な特許権又はそれについての専用実施権について通常実施権を有します（特法八〇条）。

④ 意匠権の存続期間満了後の通常実施権

特許権と同日出願又は先願に係る意匠権とが抵触する場合には、その意匠権の存続期間が満了したときはその特許権に抵触することとなり、その意匠を実施することができなくなりますが、それはいかにも不合理なので、その後も意匠権者、専用実施権者、通常実施権者は、その特許権又は専用実施権について通常実施権を有し、引き続きその意匠を実施することができます（特法八一条、八二条）。

特許権者等は、前記③の場合及び④の意匠権についての専用実施権者に対しては、対価の支払を請求する権利を有します（特法八〇条二項、八二条二項）。

⑤　再審により回復した特許権の通常実施権

特許が特許無効の審判で無効とされたときは、特許権は遡及して消滅しますので、その後はだれでもその特許発明を実施することができることになりますが、その無効とした確定審決について再審が請求され、その結果、先の審決が覆って特許権が回復することがあります。

この場合、無効とされていた間に善意でその特許発明の実施の事業又はその準備をしている者は、その設備を保護するためにその回復した特許権について通常実施権を有します。また、いったん特許出願について拒絶すべき旨の審決が確定した後、その再審により特許権の設定の登録があった場合、その間に善意で実施の事業又はその準備をしている者も同様に、その特許権について通常実施権を有します（特法一七六条）。存続期間の延長登録無効又は同出願の拒絶に係る確定審決の再審に関しても、右の扱いと同様です。

⑥　特許権の移転の特例による通常実施権

平成二三（二〇一一）年改正で、冒認出願等に係る特許権については、移転の特例が認められたことに伴い、移転の登録の際、善意で現に当該特許発明の実施又はその準備をしている専用実施権者又は通常実施権者はそれらの範囲内で、通常実施権を有することになりました（対価の支払については、前記③④と同様です。特法七九条の二）。

以上の法定通常実施権者は、その後に取得した特許権者や専用実施権者には当然に対抗することができます。

一三　特許権の侵害

特許権は、排他的独占権ですから、特許発明を正当な権原（専用実施権とか通常実施権とか）なくして実施したときは、特許権の侵害として特許権者は民事上・刑事上の救済を受けることができます。

専用実施権者も、専用実施権の設定の範囲において特許発明を専有する権利・排他的独占権を有しますので、同様に専用実施権の侵害として救済を受けることができます。他方、通常実施権は、単に特許発明を実施することができる権利にすぎず、排他的独占性はないことから、特許権又は専用実施権の侵害としてとらえられるべきであるとされています。

なお、以下、特許権の侵害といった場合は、専用実施権の侵害も含むものとします。

1 特許権の侵害

何が特許権の侵害かは難しい問題ですが、特許発明を正当な権原なくして実施した場合のほかに、特許法は次の場合のいわゆる間接侵害も特許権の侵害とみなして、特許権の保護を図っています（特法一〇一条）。

① 物の発明に関する特許の場合、業としてその物の生産にのみ用いる物の生産、譲渡等若しくは輸入又は譲渡等の申出をする行為

② ①の場合で、業としてその物の生産にのみ用いる物（日本国内で広く一般に流通しているものを除きます）であってその発明による課題の解決に不可欠なものにつき、その発明が特許発明であること及びその物がその発明の実施に用いられていることを知りながら、その生産等をする行為

③ ①の場合で、その物を業としての譲渡等又は輸出のために所持する行為

④ 方法の発明に関する特許の場合、業としてその方法の使用にのみ用いる物の生産、譲渡等若しくは輸入又は譲渡等の申出をする行為

⑤ ④の場合で、業としてその方法にのみ用いる物（日本国内で広く一般に流通しているものを除きます）であってその発明による課題の解決に不可欠なものにつき、その発明が特許発明であること及びその物がその発明の実施に用いられていることを知りながら、その生産等をする行為

⑥ ④の場合で、その方法により生産した物を業としての譲渡等又は輸出のために所持する行為

平成一四（二〇〇二）年の改正で、間接侵害について、特許発明であること及び侵害に用いられることを知りながら部品を供給する行為、いわゆる悪意の侵害にまで間接侵害の範囲が拡大されました（②、⑤は特法一〇一条一項二号・五号）。

従来は、間接侵害について、「生産にのみ用いる物」と専用部品を対象として規定していたため、侵害として認められる例が多くはありませんでした。この改正は、

適切な特許権の保護のために新たな間接侵害の類型を追加したもので、「生産にのみ用いる物」に代えて、「発明による課題の解決に不可欠なもの」と規定し、間接侵害の範囲が不当に拡張することを制限しており、専用部品ではないが特許発明の重要な部品、道具、原料等がこれに当たります。既に国内において広く一般に流通している規格品や普及品である部品等は除かれます。

物を生産する方法について特許されている場合は、その物が特許出願前に日本国内において公知の物でないときは、その物と同一の物はその特許されている方法により生産したものと推定し（特法一〇四条）、特許権の侵害の認定を容易にして特許権の保護を厚くしています。

＊

平成一一（一九九九）年の改正で、時間と費用を要したわりには損害賠償額が少ないという我が国産業財産権に係る侵害訴訟を改善するため、次のような改正が行われました。

(1) 侵害行為の立証の容易化

〔積極否認の特則の採用〕 侵害訴訟にあっては、まず侵害と目される具体的態様として、物件又は方法（イ号物件など）を特許権者側が立証しなければなりませんが、これを容易にするため、侵害者側が、特許権者側が主張する具体的態様を否認するときは、単に否認するだけでは足りず、原則として、自己の行為の具体的態様を明らかにしなければならないこととされました（特法一〇四条の二）。

(2) 文書提出命令等の拡充

従来は損害額計算のためにのみ文書提出命令が可能でしたが、侵害行為の立証に必要な書類も文書提出命令の対象とされました。侵害者側は正当な理由があるときは提出を拒むことができますが、裁判所はその判断をするために提出させることができることとなりました（特法一〇五条）。

平成三〇（二〇一八）年の改正で、書類提出命令手続を更に拡充し、裁判所は、侵害行為を立証する等のために必要な書類に該当するかどうかの判断をするために必要と認めるときは、インカメラ手続により書類の所持者にその提示をさせることができると、また裁判所は、インカメラ手続において、提示された書類を開示して専門的な知見に基づく説明を聴くことが必要と認めるときは、当事者の同意を得て、専門委員に対し、当該書類を開示することができるとされました（特法一〇五条二項、一〇五条四項)。これに伴う秘密保持命令に違反した者に対する罰則規定があります(特法二〇〇条の二)。

(3) 計算鑑定人の制度の創設

裁判所は、損害額の計算のために必要な事項については専門家に鑑定を命じることができることとし、鑑定に必要な事項については、当事者に説明義務を課しました(特法一〇五条の二)。

(4) 裁判官の認定による実質的な規模の損害賠償の実現

平成一〇(一九九八)年の改正で逸失利益の立証の容易化が図られました(後述)が、さらに、損害額の立証の困難なケースを救済するため、裁判所は、「損害額を立証するために必要な事実を立証することが当該事実の性質上極めて困難であるときは、口頭弁論の全趣旨及び証拠調べの結果に基づき、相当な損害額と認定することができる」(特法一〇五条の三)として、裁判官の判断で相当程度蓋然《がいぜん》性のある事実をも考慮して、実質的な損害額を認定することができるようになりました。民事訴訟法第二四八条と同趣旨の規定です。

2 民事上の救済

(1) 差止請求権

特許権者は、特許権を侵害する者又は侵害するおそれがある者に対し、その行為を差し止めることを請求することができます(特法一〇〇条)。

この請求をする場合、侵害の行為を組成した物(物を生産する方法の特許発明にあっては侵害の行為により生じた物を含みます)の廃棄、侵害の行為に供した設備の除去などをも請求することができます。この請求が認められますと、例えば、特許発明がゴルフボールを製造する方法であるときは、その製造機械だけではなくて、そのゴルフボールをも廃棄しなければなりません。

特許権について専用実施権が設定された場合、専用実施権者のほか、特許権者が差止請求権を有するかについては争いがありましたが、最高裁判所は、特許権者についても独自に差止請求権を認める新解釈を示しました(最高平一七・六・一七判・一六(受)九九七)。

(2) 損害賠償請求権

民法には、「故意又は過失によって他人の権利又は法律上保護される利益を侵害した者は、これによって生じた損害を賠償する責任を負う。」(七〇九条)と規定されています。特許権の侵害についても、この規定に基づいて侵害者に対して損害の賠償を請求することができます。

故意又は過失が要件の一つとされていますが、特許権者側が立証することが困難であり、また、特許権が特許公報及び特許原簿で広く公示されていますので、侵害者はすべて一応過失があったと推定されており、いわゆる立証責任の転換が図られ、侵害者が自己に過失がなかったことを立証しない限り過失があったことになります（特法一〇三条）。

特許権の侵害の場合の損害額の算定が困難であることから、特許法上、平成一〇（一九九八）年の改正前は、損害額を次のように算定する旨の推定などが行われていました（特法一〇二条）。

① 侵害者がその侵害行為により利益を受けているときは、その利益の額を損害の額と推定する。

② 侵害に係る特許発明の実施に対し通常受けるべき金銭の額を損害の額として請求することができる。

もっとも、特許権者が侵害により受けた損害の額を立証できるときは、以上の額を超えて賠償を請求することができます。

このように特許法では、民法七〇九条の特則を設けて、立証責任を一部侵害者側に転換していましたが、①の侵害者の利益の額を損害の額と推定する規定中、利益の額が多くの裁判例では純利益と解され、しかもその立証に必要な資料がほとんどの場合侵害者側にあるため、結局は、②の通常受けるべき実施料相当額が認められる例が少なくない状況でした。このため、時間と費用をかけた裁判の結果が、侵害に対する損害額が正当な契約による実施料と同額程度であれば、侵害したほうが得となり、侵害は「やり得」ではないかとの批判もありました。

令和元（二〇一九）年の改正で、特許権の侵害行為により生じた損害の賠償額の算定方式が見直されました。

侵害者が譲渡した物の数量に基づく損害額の算定については、特許権者又は専用実施権者（以下「特許権者等」という）が侵害者の譲渡した数量を立証した場合には、これに特許権者等の単位当たりの利益額を乗じて得た額を基本とし（特法一〇二条一項一号）、この額に加えて、特許権者等の実施の能力を超え製造又は販売することができない事情に相当する数量があるときは、これらの数量に応じた特許発明の実施に対し受けるべきライセンス料相当額を損害の額に加えることができるとされました

（特法一〇条一項二号）。

この場合、裁判所は、ライセンス料相当額の認定に当たっては、当該特許発明の実施の対価について、特許権等の侵害を前提として侵害者との間で合意をしたならば、特許権者等が得る対価を考慮することができるとされました（特法一〇条四項）。

査証制度が創設されました。特許権の侵害に係る訴訟における当事者の証拠収集手続を強化するため、当事者の申立てにより裁判所が指定する査証人が、立証されるべき侵害に係る事実の有無の判断に必要な証拠の収集を行うための査証を行い、裁判所に報告書を提出する制度が創設されました（特法一〇五条の二～一〇五条の二の一〇）。

特許権侵害の立証の困難にかんがみ、裁判所は、当事者の申立てにより中立公正な専門家の査証人を指定し、侵害が疑われる者の施設へ立ち入り調査し、裁判所へ報告するというものです。査証人については、当事者からの忌避が認められます。

裁判官による実質的な損害賠償額の認定については、先に紹介したとおりです（九七ページ上段）。

(3) 不当利得返還請求権

特許権侵害についても、民法上の不当利得返還請求権を行使することができるとされています。

法律上の原因なく他人の特許権による利益を受け、そのために他人に損失（特許権者の逸失利益を含みます）を及ぼした者は、利益の存する限度においてこれを返還する義務を負い、悪意の受益者はその利益に利息を付し、さらに損害があったときはその賠償の責任が生じます（民法七〇三条、七〇四条）。

この請求権は、損害賠償請求権と異なり故意又は過失を要件としておりませんので、特許権者にとって有利とされており、また、損害賠償請求権が時効により消滅したときなども同様です。

損害賠償請求権と不当利得返還請求権のいずれを行使するかは、その損害を受けた者の選択によります。

損害賠償請求権又は不当利得返還請求権では、特許権者が損害を受けた額だけしか請求できないので、侵害者がそれ以上の利益を上げているときは、民法上の事務管理（民法六九七条）に準じて準事務管理の成立を認め、両者の衡平を図ろうとする見解もあります。

(4) 信用回復措置請求権

特許権者は、故意又は過失により特許権者の業務上の信用を害した者に対して、その業務上の信用を回復するのに必要な措置を請求することができ、裁判所はその旨命ずることができます（特法一〇六条）。侵害品が粗悪品などであった場合などは特許権者の信用が著しく傷つけられますから、例えば、新聞への謝罪広告を請求し、それを裁判所が侵害者に対し命じることが認められています。

以上が特許権侵害に対する民事上の救済手段です。

(5) 侵害訴訟における特許無効の抗弁等

先に最高裁判所の判例変更により、侵害訴訟において、当該特許について無効理由の存在が明らかであるときは権利濫用の抗弁が可能となり、抗弁が認められたときは当該特許権に基づく権利行使は権利の濫用として、訴訟が棄却されます（最高平一二・四・一一判・平一〇(オ)三六四、判時一七一〇―六八）。

平成一六（二〇〇四）年の改正で、これが権利行使の制限として法定化されて、「特許権又は専用実施権の侵害に係る訴訟において、当該特許が特許無効審判により又は当該特許権の存続期間の延長登録が延長登録無効審判により無効にされるべきものと認められるときは、特許権者等は、相手方に対してその権利を行使することができない。」（特法一〇四条の三）と明定されましたが、いわゆる「明らか」要件はありません。右抗弁が、審理を不当に遅延させることを目的として提出されたと認められるときは、却下されます。

平成二三（二〇一一）年の改正で、特許権等の侵害訴訟又は補償金請求権訴訟の終局判決が確定した後、当該特許を無効にすべき審決等が確定したときでも、当事者であった者は、当該終局判決に対する再審の訴訟においては、審決が確定したことを主張ができないこととされました（特法一〇四条の四）。

(6) 侵害に対する対応

次に、通常行われている特許権の侵害に対する対応の流れなどを簡単に説明しましょう。

まず、特許権者が侵害者に対して、侵害者の製造又は販売に係る製品などが特許権を侵害することとなるから直ちにその製品の製造又は販売を中止されたい旨の警告を内容証明郵便でします。

ここで、侵害者がその製品の製造又は販売を中止して話合いに応じ、特許権者も妥協すれば、民法上の和解をすることもあります。

しかし、話合いなどで解決できない場合は、東京地方裁判所又は大阪地方裁判所に対し民事訴訟法による訴えを提起します（民訴法六条）。

特許権の侵害は、前記のように専門的でかつ高度な技術的問題で、さらに特許発明が目に見えない観念的なものであることなどから、本案判決がなされるまで裁判が長期化することがあります。この間に、侵害が進み、損害が大きくなることが予想される場合には、特許権者は裁判所に対して仮処分の申請をして、本案判決まで暫定的に侵害行為を停止させます。

また、侵害品や証拠物件などの隠滅を防ぐため、あらかじめ証拠保全を申し立てて証拠を保全しておくこともできます。

以上のような特許権者の行動に対して、侵害者側は、まずその特許権が存続しているものであるかを特許登録原簿により確認します。ある高名な百貨店が前記内容証明の警告書に動転し、品物を引き揚げるなどの措置をとった後に特許登録原簿謄本を取り寄せたところ、その特許権は特許料（年金）不納により消滅していたなどという話があります。

次に、実施している技術内容がその特許発明の技術的範囲に属するかどうか、特許庁に対し判定を求めるのも一案です。

特許権侵害の裁判において、もしその特許発明の特許出願前に自らの発明に基づいて実施していたときなどは、先使用による通常実施権を有する旨の抗弁をすることができます。

その特許発明が、特許出願前に公知・公用であるときなどは、その特許無効審判を請求することができます。特許の無効については、特許庁の審判でのみ判断され、裁判所に確認等を求めることはできないとされていました。

しかしながら、最高裁は、特許に無効理由が存在することが明らかで、無効審判が請求された場合には無効とされることが確実に予見されるときは、侵害訴訟を審理する裁判所は、右無効理由の存在が明らかであるか否かを判断して、その結果、無効理由の存在が明らかであるときは、当該特許権に基づく差止請求等は、特段の事由がない限り、権利の濫用に当たり許されない旨判示して、従来の判例を変更しました（最高平一二・四・一一判・平一〇（オ）三四六、判時一七一〇―六八）。右のような判決が下されても、当該特許が無効となるわけではなく、侵害訴訟での抗弁として機能するものです。侵害訴訟において特許無効の抗弁が法定されたことは前述しました（特法一〇四条の三）。

特許無効審判が請求された場合などは、裁判所は、特許権の侵害訴訟において必要があるときは、審決が確定するまでその訴訟手続を中止することができます（特法一六八条二項）。

なお、特許権又は専用実施権に関する侵害訴訟の提起があったときは、裁判所から特許庁に通知され、特許庁からは当該特許権についての審判の有無などが通知されることとなりました（特法一六八条三項・四項）。

一四　審判制度

これまで述べてきたように、発明の保護を求めて特許出願され出願審査の請求がなされたときは、特許法上の資格を有する審査官によって特許する又は特許しないとの特許査定又は拒絶査定がなされますが、その判断に過誤がないとは必ずしもいいきれません。

特許制度の目的は、発明の適正な保護を図り産業の発達に寄与することにあるので、もし誤って特許されるべきものが拒絶査定となったり、特許されるべきでないものが特許査定されるならば、特許制度の目的に反します。

そこで、特許法は、明治二一（一八八八）年以来審判という制度を設けて、特許法上の資格を有する審判官が三人又は五人の合議体を構成し、査定系の審判にあっては特許出願人側の主張が正しいか、特許無効審判などの当事者系の審判にあっては請求人・被請求人のいずれの主張が正しいかなどを判断することとしています。

それまで一応審査官による判断がなされていますので、審判はどのような方式でもあるいは理由でも認められるというわけではなく、行政経済性からも厳格な請求の方式と審理の手続が要求され、裁判手続に似ているところから準司法的な制度ともいわれています。

審判は特許庁という行政庁が行いますが、この処分である審決に不服がある場合は、裁判における一審が省略されて、知的財産高等裁判所へ提訴することができます。

もちろん、三権分立の建前から、知的財産高等裁判所は特許すべき旨の判決をすることができませんので、審決の当否、すなわち審決を取り消すべきか否かについて判決することとなっています。

審判には特許法上、これまでは以下に述べる種類がありましたが、平成五（一九九三）年改正では、補正却下に対する審判制度が廃止されるなど、いくつかの大幅な改正（いわゆる審判制度の簡素化）がされています。

1　拒絶査定不服審判

拒絶査定を受けた特許出願人は、それに不服があるときは、原則として、その査定の謄本の送達の日から三月以内に審判を請求することができます（特法一二一条）。

拒絶査定不服審判は、審査官が特許出願を拒絶の理由に該当するとして拒絶査定したことに対してなされますので、審判請求人たる特許出願人は、審査官の示した拒絶の理由に該当しないことを主張することになります。

しかしながら、この審判では、その拒絶の理由の妥当性だけではなくて、審判官は自ら特許すべきか否かの判断を職権をもって審理することができます（特法一五三条）。

したがって、この審判で先の審査官の判断（拒絶査定）自体は誤っていたとされても、必ず特許されるとは限りません。例えば、審判官（合議体）が見いだした他の拒絶の理由により、結果的に拒絶査定が維持されることもあり得るからです。

2　特許無効の審判

平成二六（二〇一四）年の改正で、特許異議申立制度が特許無効審判制度と分離・別立てとされました。これに伴い特許無効審判制度も一部改正されました。

改正前の特許無効審判制度は、何人もいつでも請求可能なこと及び審理が当事者対立構造で口頭審理が中心であるため、権利の不安定な期間が長い上に、特許権者の負担が大きいということで、特許異議申立て制度が別途設けられました。

無効理由に変わりはありませんが、請求人は、利害関係人のみに限られました。ただし、権利帰属に係る無効理由（次の⑴②共同出願違反のとき、⑥）については、特許を受ける権利を有する者のみです（特法一二三条二項）。

⑴　無効理由

特許された場合において、次の①〜⑧のいずれかに該当するときは、その特許を無効とすることについて審判を請求することができます（特法一二三条）。

この審判は、特許請求の範囲に記載された請求項が二以上のものであるときは、請求項ごとに請求することができます。

① その特許が新規事項を追加する不適法な補正をした特許出願（外国語書面出願を除きます）に対してされたとき（平成五年の改正による追加。特法一二三条一項一号）

② その特許が外国人の権利享有要件（特法二五条）、特許要件（特法二九条、二九条の二）、不特許事由（特法三二条）、共同出願（特法三八条。七四条に基づく特許権の移転登録があったときを除く。平成二三年改正）又は先願（特法三九条）の規定に違反してされたとき（特法一二三条一項二号）

③ その特許が条約に違反してされたとき（特法一二三条一項三号）

④ その特許が明細書の発明の詳細な説明（特法三六条四項一号）又は特許請求の範囲の記載要件（特法三六条六項（四号を除きます））を満たしていない特許出願に対してされたとき（特法一二三条一項四号）

⑤ 外国語書面出願に係る特許の願書に添付した明細書、特許請求の範囲又は図面（いわゆる翻訳文）に記載した事項が外国語書面（いわゆる原文）に記載した事項の範囲内にないとき（平成六年の改正による追加。特法一二三条一項五号）

⑥ その特許が発明者でない者であってその発明について特許を受ける権利を有しない者の特許出願（冒認出願）についてされたとき（特法一二三条一項六号。七四条に基づく特許権の移転登録があったときを除く。平成二三年改正）

⑦ 特許がされた後に、その特許権者が条約の破棄などにより特許権を享有することができない者になったとき、又はその特許が条約に違反することとなったとき（特法一二三条一項七号）

⑧ その特許の願書に添付した明細書、特許請求の範囲又は図面について、特許無効の審判又は訂正審判においてした訂正が不適法なものであるとき（平成五年の改正による追加。特法一二三条一項八号）

この審判の請求は、特許権の消滅後もできます（特法一二三条三項）。

特許無効の審決が確定したときは、特許権は初めから存在しなかったものとみなされます。ただし、前記⑦が無効理由である場合は、その理由に該当するに至ったときから存在しなかったものとみなされます（特法一二五条)。

(2) 無効審判請求理由の記載要件等

平成一五(二〇〇三)年の改正で、無効審判請求の請求理由については、「特許を無効にする根拠となる事実」を具体的に特定して記載し、その事実と証拠との関係を記載することとされました(特法一三一条二項)。不明瞭な理由の記載を排して審理の遅延を防ぐためです。先の改正で、要旨を変更する請求理由の補正は不可とされていましたが、次の場合には、審判長の裁量によっては要旨を変更する補正が認められることになりました(特法一三一条の二第二項)。

○審理が不当に遅延するおそれがないことが明らかであって、被請求人の答弁期間内に願書に添付した明細書等について訂正の請求がなされたため、無効理由を補正する理由が生じたとき又は請求時の審判請求書に記載しなかったことにつき合理的な理由があり、かつ、被請求人が同意したとき

審判長は、右の請求理由の補正を認めるときは許可の決定をし、決定には不服を申し立てることはできません(特法一三一条の二第四項)。このとき、原則として、被請求人に対しては答弁の機会が付与されます(特法一三四条二項)。

3 延長登録無効審判

延長登録が次の①~⑤のいずれかに該当するときは、その延長登録を無効にすることについて審判を請求することができます(特法一二五条の二)。

① その延長登録が、その特許発明の実施に政令で定める処分を受けることが必要であったとは認められない場合の出願に対してされたとき

② その延長登録が、その特許権者又はその特許権についての専用実施権者若しくは通常実施権者が政令で定める処分を受けていない場合の出願に対してされたとき

③ その延長登録により延長された期間が、その特許発明の実施をすることができなかった期間を超えているとき

④ その延長登録が、特許権者でない者の出願に対してされたとき

⑤ その延長登録が、共有に係る特許権の場合の要件(特法六七条の二第四項)を満たしていない出願に対してされたとき

延長登録を無効にすべき旨の審決が確定したときは、その延長登録による延長は初めからされなかったものとみなされます。なお、③を理由とする無効の審決が確定したときは、特許発明の実施をすることができなかった期間を超える期間についてのみその延長がされなかったものとみなされます。

4 訂正審判と訂正の請求

(1) 訂正審判

特許権者は、次の事項を目的として、願書に添付した明細書、特許請求の範囲又は図面の訂正のため、訂正審判の請求ができます（特法一二六条一項。平成二三年改正）。

① 特許請求範囲の減縮
② 誤記又は誤訳の訂正
③ 明瞭でない記載の釈明
④ 他の請求項の記載を引用する請求項の記載を当該他の請求項の記載を引用しないものとすること

右①又は②に関し、訂正後の発明は独立して特許要件を満たすものでなければなりません（特法一二六条五項）。

訂正審判は、特許の一部に無効事由に該当するような瑕疵があったときに、特許権者自らがそれを是正するためになされるものです。

このため、従来は主として無効審判の請求に対抗して請求されましたが、無効審判と並行して請求されると、訂正審判の審理を先行することになり、無効審判の審理に遅延が生じます。平成五（一九九三）年及び同一五（二〇〇三）年の改正で、無効審判の請求に対する答弁期間内に、被請求人は、特許請求の範囲の減縮等を目的として、願書に添付した明細書、請求の範囲又は図面の訂正の請求をすることができることとして無効審判の中で審理を一本化し（特法一三四条の二）、無効審判の請求があった時からその審決が確定するまでの間は、訂正審判の請求をすることができないこととされました（特法一二六条二項）。

(2) 無効審判における訂正の請求

平成一五（二〇〇三）年の改正で、次の①に加えて、②の場合も、被請求人は願書に添付した明細書、特許請求の範囲又は図面の訂正の請求をすることができることとされました（特法一三四条の二）。

① 無効審判の請求に対する答弁期間内

② 無効審判の請求理由の補正の許可決定がなされた場合で、付与された答弁期間内

(3) 審決取消判決等後の訂正の請求

無効審判の審決後その取消訴訟係属中に訂正審判の請求があった場合には、最高裁判決（最高一一・三判・九判・平七(行ツ)二〇四、民集五三―三―三〇三）によってその後は自動的に審決が取り消されるに至りました。審判再係属という審判と裁判の「キャッチボール現象」や審決取消訴訟審理の無駄、事件の最終決着まで長期間を要するなどの問題を解消するために、平成一五（二〇〇三）年及び平成二三（二〇一一）年の改正で、無効審判の審決に対する審決取消訴訟提起後は、特許無効の不成立審決についてその取消判決が確定した場合で、審理を再開するときに判決確定の日から一週間以内に被請求人から申し立てがあったときに、審判長が指定した期間内にする訂正の請求のみとなりました（特法一三四条の三第一項）。

(4) 審決の予告があった場合の訂正の請求

平成二三（二〇一一）年の改正で、無効審判の審決に対する審決取消訴訟提起後の訂正の請求の禁止との引き替えに、審判長は、無効審判の審決をする前に訂正の請求のための期間を指定して審決の予告をすることとし、訂正の請求の機会が新設されました（特法一六四条の二）。

(5) 審決確定範囲の明確化

平成二三（二〇一一）年の改正で、右訂正審判又は訂正の請求が、二以上の請求項に係る場合は請求項ごとに、また当該請求項の中に一定の関係を有する一群の請求項があるときは、当該一群の請求ごとに請求しなければならない（特法一二六条三項、一三四条の二第二項）と、そして、審決の確定も、一群の請求項ごとに確定すると明確にされました（特法一六七条の二）。

5 訂正無効審判（廃止）

平成五（一九九三）年の改正によって不適法な訂正は特許の無効理由とされ、訂正の可否については無効審判で争うこととされたのに伴って、訂正無効審判制度は廃止されました（旧特法一二九条、一三〇条の削除）。

6 審判請求の手続

審判を請求するには、審判請求書を提出しなければなりません（特法一三一条）。これに併せて手数料を納付し

なければなりません。

　審判請求書が方式に違反しているときは、審判長は、その補正を命じますが、指定した期間内に補正がされないときは、その請求書を却下します（特法一三三条）。

　審判を請求することができる一般的な資格、これを当事者能力といいます。

　拒絶査定に対する審判のいわゆる査定系の審判と訂正審判は、特許出願人又は特許権者が請求することになるので当事者能力は問題になりません。

　しかしながら、特許無効の審判（いわゆる当事者系の審判）は第三者が請求することになるので、この場合は、自然人及び法人のほか、法人でない社団又は財団であって代表者又は管理人の定めがあるいわゆる権利能力なき社団なども当事者能力を有し、審判を請求することができます（特法六条一項三号、二項）。

　審判請求人が審決を受けるのに必要な資格を当事者適格といいます。

　査定系の審判では特許出願人、訂正審判では特許権者が当事者適格を有します。無効審判では一部の理由については利害関係を有する者のみが当事者適格を有します（3(2)参照）。

　特許出願が共有に係るものであるときは、すべての特許出願人が共同で審判を請求しなければなりません（特法一三二条三項）。同様に、特許権が共有に係るものであるときは、全員を被請求人として審判を請求しなければなりません（特法一三二条二項）。これを必要的共同審判といい、これに違反した場合であってもその補正をすることができず、その審判の請求は不適法なものとして審決をもって却下されます。

　当事者能力、当事者適格を有しない者がした審判請求は不適法なものとして審決をもって却下されます（特法一三五条）。

7　審査前置

　審査前置とは、拒絶査定に対する審判の請求があった場合で、その請求と同時にその請求に係る特許出願の願書に添付した明細書、特許請求の範囲又は図面について補正があったときは、審判に先立ち審査官がその審判請求を審査する制度です（特法一六二条）。

　この制度は、審判の処理の促進をねらったものです。審判請求件数が増加する一方なのに対し、審査の遅延と同様の原因（技術内容の複雑化、高度化及び資料の増加など）に加えて、審判の請求の手続が厳格に定められ進行されることなどから、審判の請求から審決がされるまで長期化するに至りました。

その中で、拒絶査定に対する審判の請求件数が一番多く、しかも、審判請求と一緒に明細書、特許請求の範囲又は図面の補正がされていれば拒絶査定をした理由が解消されている場合も多いわけです。このような場合、拒絶査定をした審査官が見ればすぐ特許できるかどうか判断できるようなときもあります。

一方、審判官が審理するには最初からその特許出願の内容を理解する必要があり、それが審判の長期化をもたらす原因ともなっていました。そこで、審査前置制度を採用して、前記のような場合は拒絶査定をした元の審査官に審査させて審判の促進を図ったものです。

審査官は、拒絶査定に対する審判の請求と同時にされた補正により先の拒絶査定の理由が解消したと認めたときは、その拒絶査定を取り消して特許査定をしなければなりません（特法一六三条三項、一六四条一項）。

しかしながら、特許査定をすることができないときは、審判官により審理されることとなります。

8　審判請求の取下げ

審判の請求は、審決が確定するまでは取り下げることができます。したがって、審決がなされた後であっても（審決取消請求訴訟の段階に入ったあとでも）、審決が確定するまでは、審判請求を取り下げることができます（特法一五五条）。

当事者系審判の場合であって、特許法一三四条一項の答弁書の提出があった後の審判請求の取下げは、相手方の承諾が必要です（特法一五五条二項）。

9　審判における審理

審判は、三人又は五人からなる審判官の合議体で行われます（特法一三六条）。

(1)　審判官の指定

審判事件の合議体を構成する審判官は、特許庁長官が指定します（特法一三七条一項）。そして、その審判官の中から一人を審判長として指定し、審判長はその審判事件に関する事務を総理します（特法一三八条）。

審判官は、独立して職務を行い、その資格は法定されています（特施令一三条）。

審判官は、審判の公正を担保するため、審判事件と一定の関係があるときは除斥されその審判に関与することができません（特法一三九条）。除斥原因があるにもかかわらず審判に関与しているときは、当事者又は参加人は除斥の申立てをすることができます（特法一四〇条）。これに違反してなされた審決は、再審事由となります。

審判官が除斥原因以外で審判の公正を妨げる事情があるときは、当事者又は参加人は、その審判官を忌避することができます（特法一四一条）。

(2) 審理

審判の審理は、査定系審判及び訂正審判については原則として書面で（特法一四五条二項）、当事者系審判については口頭で行われます（特法一四五条一項）。

審判は、民事訴訟法による裁判と異なって職権主義が採用されており、職権により手続を進行することができるだけではなくて、当事者が申し立てない理由についても審理することができます（特法一五二条、一五三条）。

したがって、例えば、特許無効の審判において、請求人がその特許は新規性がないから無効であると申し立てた場合であっても、審判官は進歩性がないとして特許無効の審決をすることができます。

この場合、当事者等に対して意見を述べる機会を付与しなければなりません。

当事者の双方又は一方が同一である二以上の審判を併合して審理することができ、また、それを分離して審理することができます（特法一五四条）。

審判においても証拠調べや証拠保全ができます。当事者又は参加人が申し立てた場合のみならず、職権でもできるとされていますので、ここにも審判の職権主義が現れています（特法一五〇条）。

証拠調べや証拠保全は、特許庁が東京に存在するため、地方で行うときにはその地の地方裁判所又は簡易裁判所に嘱託することができます（特法一五〇条六項）。

平成一一（一九九九）年の改正で、審判手続の公証機関として審判書記官制度が新設されました（特法一四四条の二）。口頭審理の増加に備えたものです。

(3) 参加

当事者系の審判には参加制度が認められています。

これは、係属中の審判に一定の利害関係人を参加させることによって審判の公正を担保するとともに、同一事案について同じ手続を繰り返すのを省き、判断がまちまちになるのを防ぐためのものです。

上次の二つの参加が認められています。

① 共同訴訟的当事者参加

同一の特許権について当事者系の審判を請求することができる者は、審理の終結に至るまでは、請求人としてその審判に参加することができます（特法一四八条一項）。

この参加人は、一切の審判手続をすることができ、被参加人（請求人）が審判の請求を取り下げた後でも、審判手続を続行することができます（特法一四八条二項）。

② 補助参加

審判の結果について利害関係を有する者は、審理の終結に至るまでは、当事者の一方を補助するために審判に参加することができます（特法一四八条三項）。

例えば、その特許権についての専用実施権者、通常実施権者、質権者などです。

補助参加の場合は、共同訴訟的当事者参加と異なり、審判の請求の取下げ後は続行できませんが、一切の審判手続をすることができます（特法一四八条四項）。

(4) 審　決

審判長は、事件が審決をするのに機が熟したとき、又は、無効審判においては審決の予告をしたが訂正の請求等をしないときは、審理の終結を当事者及び参加人に通知しなければなりません（特法一五六条。平成二三年改正）。審決は、原則として、この通知を発した日から二〇日以内にしなければなりません。

審決は、審判事件を解決するための合議体としての審判官が行う最終的で公権的な判断を示すもので、裁判の終局判決に相当するものです。

審決は、合議体の過半数により決められます。そして、審決は文書をもって行われ、当事者及び参加人などに送達されます（特法一五七条）。

審決は、例えば、拒絶査定に対する審判においては、その請求を認容するものであるときはその旨、請求を棄却するものであるときは請求が成り立たない旨の審決となります。

審決に対しては、その送達の日から三〇日以内に知的財産高等裁判所へその取消しを求める訴えを提起できますが、提訴されずにその期間が経過したときは審決は確定し、次のような効力を生じます。

① 拒絶査定に対する審判についての確定審決が特許すべき旨の審決であるときは、その謄本の送達の日から三〇日以内に所定の特許料を納付すれば、特許権の設定の登録がなされ特許権が発生します。

また、請求が成り立たない旨の審決であるときは、その特許出願についての拒絶査定が確定します。

② 特許無効の審判又は訂正審判についての認容の審決が確定したときは、遡及して効力を生じます。

③ 拒絶査定に対する審判において、審査に差し戻す旨の確定審決は、審査官を拘束します。

④ 特許無効審判又は延長登録無効審判の審決が確定したときは、当事者及び参加人については、一事不再理の効力が生じ、同一の証拠に基づいて再度審判を請求することができません（特法一六七条。平成二三年改正）。

10 再　審

確定取消決定及び確定審決に対しては、その当事者又は参加人は、再審を請求することができます（特法一七一条）。

再審は、確定審決に対する不服申立ての制度であって、審判手続に除斥原因のある審判官が合議体に加わって審決をしたときなど確定審決に重大な瑕疵《かし》などがある場合に、再審理をして特許手続の公正を担保するために設けられているものです。

再審は、審判の当事者又は参加人が請求することができますが、このほかに、審判の請求人及び被請求人が共謀して第三者の権利又は利益を害する目的をもって審決させたときは、その第三者も再審を請求することができます。

再審の請求の期間は、審決の確定の後、原則として再審の理由を知った日から三〇日以内にしなければなりませんが、審決の確定した日から三年を経過した後はすることができません（特法一七三条四項）。

再審手続は審判手続に準じて行われます。実際は、再審の理由が厳格に制限されていることから、再審の請求は少なく、それが認容された例はほとんどありません。

11 審決取消請求訴訟

審決及び請求書の却下の決定などに対しては、その謄本の送達の日から三〇日以内に、知的財産高等裁判所へ審決などの取消しを求めて訴えを提起することができます（特法一七八条）。

共有に係る特許権や商標権の特許等無効・取消審決の取消訴訟においては、従来、固有必要的共同訴訟に当たるから、共有者の一人が単独でした訴訟は不適法な訴訟として却下されてきました。最高裁は、共有者の一人が単独でした訴訟は保存行為（民法二五二条ただし書）に当たり、他の共有者の権利を害することもなく、単独訴訟を認めた場合に、取消訴訟で棄却されても、また、認容されても、権利の合一確定の要請には反しないとしました（最高平一四・二・二二判・平一三(行ヒ)一四二、民集五六—二—三四八、最高平一四・三・二五判・平一三(行ヒ)一五四・速報三二四—一〇六七〇）。なお、拒絶査定不服審判に係る審決取消訴訟は、従来どおり固有必要的共同訴訟です。

審決取消訴訟は、知的財産高等裁判所の専属管轄となっており、第一審が省略されています。これは、特許の審判が準司法的な厳格な手続に基づいて専門的な知識を有する審判官が判断することから、事件の解決を早め、また、前記のようにしてなされる審決は尊重されるに値することから認められているものです。特許の審判の審決と同様に一審が省略されるものには、公正取引委員会の審決、高等海難審判庁の裁決などがあります。

平成一五（二〇〇三）年の改正で、当事者系審判の審決取消訴訟において、法律解釈などについて、裁判所は特許庁長官に対して意見を求め、また特許庁長官は、裁判所の許可を得て意見を述べることができることとされました（特法一八〇条の二）。

裁判所は、訴えの提起があった場合において、その請求を理由があると認めるときは、その審決又は決定を取り消さなければなりません（特法一八一条）。

行政事件訴訟と同様に、三権分立の建前から、審判手続や審決又は決定の違法性の有無のみしか判断することができず、特許すべきなどの判決をすることはできません。したがって、裁判による審決又は決定の取消しの判決が確定したときは、審判官は更に審理を行い審決又は決定を行わなければなりません。

審判官は判決に拘束されますが、判決により取り消された審決又は決定の理由と異なる新たに発見した理由によるときは、判決と異なる審決又は決定をすることができます。例えば、新規性がないとして審査官の拒絶査定を支持した審決が判決により取り消された場合であっても、進歩性がないとして請求が成り立たない旨の審決をすることができます。

二週間以内に、最高裁判所に対して、憲法違反を理由として上告、判例違反等を理由として上告受理の申立てをすることができます。

上告判決に対しては不服申立ての道がありませんから、最高裁判所の判決は言渡しと同時に確定します。

なお、審決取消訴訟では、審決に記載された具体的な理由についてのみ違法性が判断され得るのであって、ほかの理由を判断することや新たな事実を主張することができないとした最高裁判所の判決によって従来の判例が変更されました（最高大昭五一・三・一〇判・昭四二(行ツ)二八、民集三〇—二—七九）。

一五　罰則

特許法にはいくつかの罰則が設けられています。この中には、懲役・罰金などの刑法上の罰則と、秩序罰である過料とがあります。

1　侵害の罪

特許権又は専用実施権が侵害されたときは、特許権者などは差止請求、損害賠償などの民事上の救済を受けることができることは先に述べましたが、さらに、侵害者には刑事罰が科せられます。

平成一八（二〇〇六）年の改正で、直接侵害に対しては、一〇年以下の懲役若しくは一〇〇〇万円以下の罰金又はこれらの併科、間接侵害（特法一〇一条）に対しては、五年以下の懲役若しくは五〇〇万円以下の罰金又はこれらの併科に処せられることになりました（特法一九六条、一九六条の二）。

特許法上の侵害罪にも当然のことながら刑法総則の適用がありますので、故意による侵害のみが罰せられ、過失による侵害は罰せられません。

平成一〇（一九九八）年の改正で、改正前の親告罪から、特許権者又は専用実施権者からの告訴がなくとも公訴を提起できる非親告罪とされ、また、両罰規定中の法人に対する罰金の額が引き上げられて、特許権の侵害に対する罰則の強化が図られました。

2　秘密保持命令違反の罪

侵害訴訟の証拠調べにおいて、当事者が保有する営業秘密について、当事者等、代理人又は補佐人に対して、秘密保持が命じられた場合（特法一〇五条の四）、この命令に違反した者は、五年以下の懲役若しくは五〇〇万円以下の罰金又はこれらの併科に処せられます。この罪は親告罪です（特法二〇〇条の二）。国外犯も罰せられます（二〇〇七年改正）。

3　詐欺行為の罪

審査官又は審判官を陥れるなどの詐欺の行為により特許又は審決を受けた者は、三年以下の懲役又は三〇〇万円以下の罰金に処せられます（特法一九七条）。

平成一一（一九九九）年の改正で、本罪及び虚偽表示の罪の法人に対する罰金の額が引き上げられました（特法二〇一条一項二号）。

4　虚偽表示の罪

特許権者などは、物の特許発明に係る物などの特許製品には「特許」の文字及び特許番号からなる特許表示を付します（特法一八七条、特施規六八条）。この特許表示と紛らわしい行為、例えば、特許製品でないにもかかわらず、特許表示又はこれと紛らわしい表示をすることは禁じられています（特法一八八条）。この禁止行為に違反した者は、三年以下の懲役又は三〇〇万円以下の罰金に処せられます（特法一九八条）。

＊

なお、以上の罰則は、法人などが違反行為をしたときには、行為者を罰するほかに法人に罰金刑が科され、いわゆる両罰規定となっています（特法二〇一条）。

5　偽証等の罪

審判などにおいて宣誓した証人、鑑定人又は通訳人が特許庁又はその嘱託を受けた裁判所に対し虚偽の陳述、鑑定又は通訳をしたときは、三か月以上一〇年以下の懲役に処せられます（特法一九九条）。

しかし、虚偽の陳述をした前記証人などが事件の査定又は審決の確定前に自白したときは、その刑を減軽又は免除されることがあります。

6　秘密を漏らした罪

特許庁の職員又はその職にあった者がその職務に関して知得した特許出願中の発明に関する秘密を漏らし又は盗用したときは、一年以下の懲役又は五〇万円以下の罰金に処せられます（特法二〇〇条）。

特許庁の職員には当然に国家公務員法上の秘密保持義務があり、その違反に対しては罰則がありますが（国家公務員法一〇九条一二号）、特許法上は秘密漏洩《ろうえい》のほかに「盗用」が加えられています。また、罰則が重くなっています。

7　過　料

過料とは、法律秩序の維持のため法令に違反した者に対して制裁として科せられるもので、その手続は非訴訟事件手続によります。

特許法上、次の場合に一〇万円以下の過料に処せられます（特法二〇二条〜二〇四条）。

①　審判などにおいて宣誓した当事者又はその法定代理人が特許庁又はその嘱託を受けた裁判所に対し虚偽の陳述をしたとき

②　審判などにおいて特許庁又はその嘱託を受けた裁判所から呼出しを受けた者が正当な理由がないのに出頭せず、又は宣誓、陳述、証言、鑑定若しくは通訳を拒んだとき

③　証拠調べ又は証拠保全に関し、審判などにおいて特許庁又はその嘱託を受けた裁判所から書類その他の物件の提出又は提示を命じられた者が正当な理由がないのにその命令に従わなかったとき

一六　行政不服審査法に基づく異議申立て

行政不服審査法（昭和三七年法律第一六〇号）は、行政庁の違法又は不当な処分そのほか公権力の行使に当たる行為に関して、広く行政庁に対する不服申立ての途を開くことによって、簡易迅速な手続による国民の権利・利益の救済を図るとともに、行政の適正な運営を確保することを目的として定められたものです。

1　異議申立てができる処分

特許法上の処分についても、行政不服審査法に基づき

不服を申し立てることができ、特許庁長官に対する場合は、同法中の異議申立てによることになります（行政不服審査法六条一号・二号）。

しかし、特許法上、次の処分については、行政不服審査法に基づく異議申立てができないと定められています（特法一九五条の四）。

① 特許査定又は拒絶査定
② 審決
③ 審判又は再審の請求書の却下の決定
④ 特許法の規定により不服を申し立てることができないこととされている処分
(i) 補正却下の決定（特法五三条三項）
(ii) 無効審判請求書の補正の決定（特法一三一条の二第四項）
(iii) 除斥又は忌避の申立てについての決定（特法一四三条三項）
(iv) 参加申請についての決定（特法一四九条五項）
(v) 通常実施権の裁定による対価の定め（特法九一条の二）

以上は、審判又は訴訟による不服申立ての制度が別途設けられているもの（①、②、③、④の(i)及び(v)）と特許法上手続の迅速性の確保などから争うことを禁止しているもの（④の(ii)、(iii)及び(iv)）とに分かれます。

これらの処分を除いて特許法上の行政処分のすべてについて行政不服審査法に基づく異議申立てをすることができます。その代表的なものとしては、出願の却下処分を挙げることができます。

審判官が行う特許発明の技術範囲についての判定は、行政処分でないことから異議申立てをすることができません。

2 異議申立手続

行政不服審査法に基づく異議申立てができないこととされている処分以外の特許法上の処分が、違法又は不当であるときは、その処分の取消し又は変更を求めて、特許庁長官に対し、行政不服審査法に基づく異議申立てをすることができます。

この異議申立ては、異議申立書を提出して行わなければなりません。この申立ては、権利能力なき社団などもその代表者の名ですることができます。そして、処分があったことを知った日の翌日から起算して六〇日以内にしなければなりません。

異議申立てが不適法であっても補正をすることができるものであるときは、特許庁長官は、相当の期間を指定してその補正を命じなければなりません。

処分についての利害関係人は、特許庁長官の許可を得てその異議申立てに参加することができます。

異議申立ての審理は書面により行われますが、申立人又は参加人の申立てがあったときは、特許庁長官は口頭で意見を述べる機会を与えなければなりません。

異議申立手続では証拠書類などを提出できます。

異議申立ては、処分の効力、処分の執行又は手続の続行を妨げません。したがって、特許出願について手続補正書が却下処分とされ、それに対し異議申立てがあった場合であっても、その異議決定を待つことなく、審査官はその特許出願について拒絶査定をすることができます。

3　異議決定

異議決定は、書面で行い、かつ、理由を付して、特許庁長官がこれに記名押印をしなければなりません。

決定には次の三種類があります。

①　異議申立てが、申立ての期間経過後にされたものであるとき、そのほか前記の補正命令に応じないときなどの不適法なものであるときは、決定でその異議申立てを却下します。

②　異議申立てに理由がないときは、決定でその異議申立てを棄却します。

③　処分（事実行為を除きます）についての異議申立てに理由があるときは、決定でその全部若しくは一部を取り消し又はこれを変更します。

決定の謄本は、申立人に対し送達されます。

申立人などの決定の取消しを求めるについて法律上の利益を有する者は、その決定のあったことを知った日から三か月以内に、東京地方裁判所へ決定の取消しの訴えを提起することができます。

一七　特許協力条約に基づく国際出願に係る特例

特許協力条約に基づく国際出願に係る特例は、我が国の特許協力条約（ＰＣＴ）への加盟に伴って、ＰＣＴに基づく国際出願を我が国の特許法につなぐために設けられているものです。

この特例に関する法体系は、一九七〇年六月一九日にワシントンで作成された特許協力条約（昭和五三年条約第一三号）、特許協力条約に基づく国際出願等に関する法律（昭和五三年法律第三〇号）のほか、関連政省令からなっています。

特許協力条約に基づく国際出願等をしようとする場合には、少なくとも右の法体系の詳細について理解する必要があります。

ここではその詳細についての説明は省略しますが、まず右の法体系を法規集をひもときながら読んでみてください。国内法の体系とはかなり異なる考え方が採用されていますから、その異なった考え方と国内法の考え方との違いを明らかにする必要

図表1-4　国際出願及び国際予備審査請求件数表（受理官庁）

種別／年別	国際出願	指定国数	一国際出願に対する平均指数国数	国際予備審査請求
昭56	431	2,193	5.1	20
⋮	⋮	⋮	⋮	⋮
63	1,346	12,205	9.1	160
平元	1,341	13,120	9.7	161
⋮	⋮	⋮	⋮	⋮
10	6,022	204,113	33.9	2,754
11	7,429	265,337	35.7	3,541
12	9,447	453,878	48.0	4,597
13	11,688	712,824	61.0	6,143
14	13,879	1,060,859	76.4	7,038
15	17,097	1,615,793	94.5	6,785
16	19,850	—	—	4,246
17	24,290	—	—	2,526
18	26,442	—	—	2,576
19	26,935	—	—	2,558
20	28,027	—	—	2,123
21	29,291	—	—	2,152
22	31,524	—	—	2,120
23	37,974	—	—	2,286
24	42,787	—	—	2,661
25	43,075	—	—	2,293
26	41,292	—	—	2,249
27	43,097	—	—	2,118
28	44,495	—	—	2,002
29	47,425	—	—	2,027
30	48,630	—	—	2,176

（注）日本に提出された国際出願（PCT 出願）・国際予備審査請求書の受付年別件数表
（資料）特許行政年次報告書（2019年版）

図表1-5　特許協力条約（国際出願法）ルート

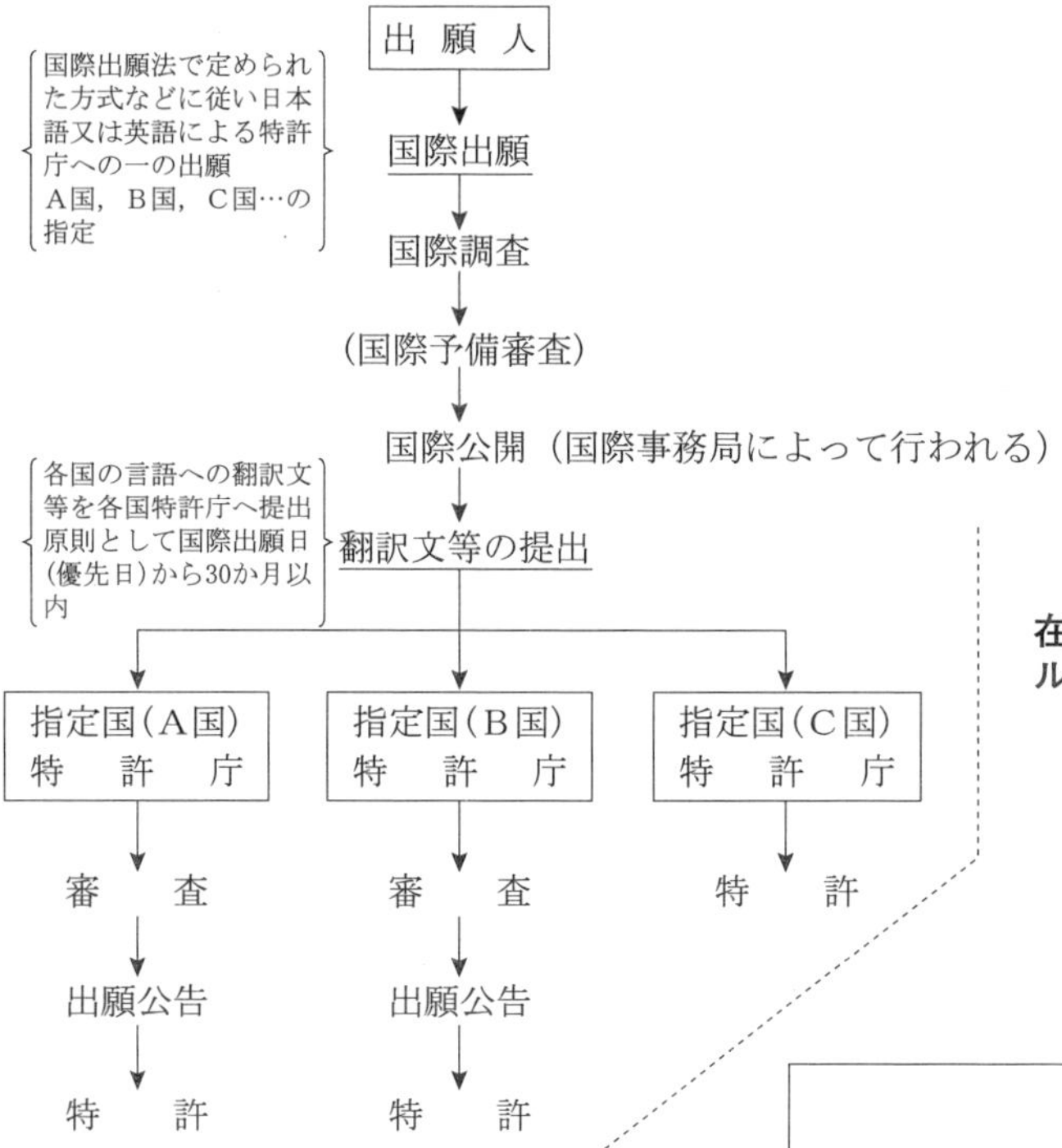

図表1-6
在来（パリ条約）ルート

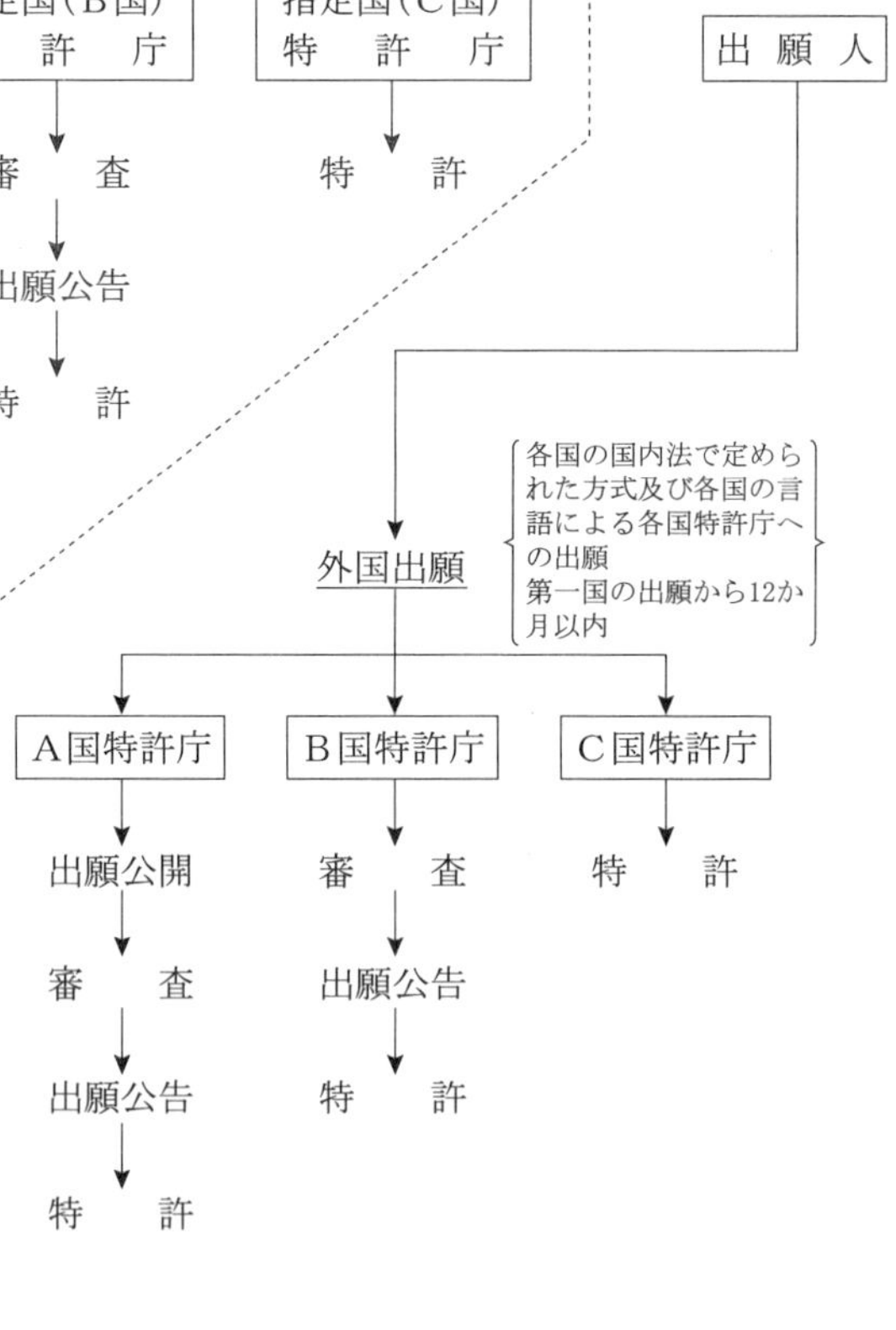

があるでしょう。

次いで手続の詳細について調査するのが実際的だと思われます。

いずれにしてもかなり複雑な仕組みからなっていますので、右の国際出願をしようとするときなどには専門家に相談する必要があります。

なお、ＰＣＴルートとパリ条約ルートとの違いを図示しておきましたので参照してください（**図表1-5・図表1-6**）。パリ条約のあらましは第7章で説明します。

第2章

実用新案法のあらまし

これまでの実用新案登録制度は、俗に「小発明」の保護制度といわれていたように、おおむね特許制度と同様の制度として明治三八（一九〇五）年以来九〇年近くにわたって運用されてきました。

平成五（一九九三）年の実用新案法の改正（平成五年法律第二六号）によって、無審査登録制度が採用されてこれまでの制度は抜本的に改正され、制度の仕組みは全く新しくなったといい得るほど一変しました。

ここでは、実用新案登録制度のあらましを見ていくことにします。

一　実用新案制度の目的と意義

実用新案法（昭和三四年法律第一二三号）は、その目的を「物品の形状、構造又は組合せに係る考案の保護及び利用を図ることにより、その考案を奨励し、もって産業の発達に寄与する」（実法一条）と規定し、また、「考案」については、「自然法則を利用した技術的思想の創作」（実法二条一項）と定義しています。特許法の目的や発明の定義と違わないことに気付きます。このため、考案は小発明（発明とは高度なもの（大発明）か否かの違い）ともいわれ、実用新案法は、小発明の保護制度として利用されています。

なぜ特許法のほかに、実用新案法が必要なのかについては、次のように考えられます。

考案の保護について、仮に特許制度や意匠制度に移行すると両制度の保護水準が低下し、また、保護水準を維持すると考案の保護が不十分となり、このため、在来の創作活動の意欲が減退してしまうことになりかねません。そこで、特許制度のほかに、小発明を保護する独自の制度が必要ということになります。

また、実用新案制度は、明治三八（一九〇五）年の制度創設以来利用度が高く、我が国産業界に定着しています。これは我が国の産業構造が二重構造で、資金力の乏しい中小企業が多く、そこでは多額の研究開発費の投資ができず、大発明よりは小発明が多くなされるという現状にあるからです。これら中小企業が技術競争に勝ち、その振興を図るためにも、特許法のほかに実用新案法が必要とされるということです。

二　「考案」の定義と取扱い

1　考　案

実用新案法の保護対象「考案」とは、物品の形状、構造又は組合せに係るもので（実法一条）、自然法則を利用した技術的思想の創作である（実法二条一項）点においては、特許法上の発明と同じですが、発明のように高度なものである必要はありません。また、考案は物品にかかわるものですから、方法の考案は対象外です。

保護の対象を「考案」とした結果、旧実用新案法（大正一〇年法律第九七号）下の「型」説から考案説を採用したことは明らかです。考案として、物品の形状、構造又は組合せに係るものに限定したのは、立法政策の問題として、これまでの永年の実用新案制度運用により実用新案の観念が一般に形成されているので、その事実を尊重し、みだりに実用新案の保護対象・考案の範囲の拡大を避けた点に求められます。

なお、考案の定義については、高度や低度の限定がないため、両者の考案が含まれますが、高度なもの、すなわち発明は、存続期間の長さ等から、おのずと特許法による保護が適当ということになります。

2　特許庁の取扱基準

特許庁では、物品の形状、構造又は組合せと見るかどうかの判断について、できるだけ混乱を避けるため、各産業部門別に取扱基準を設けています。

(1)　物　品

動産が物品に含まれることは、一般に認められています。

しかし、道路や運動競技場のような不動産、セメントのような一定の型がない原材料、万年筆のキャップのような独立して取引の対象とならない物品の一部、計算尺の目盛りのような平面上の内容に意味があるものなどについては、物品といえるかどうか問題があります。

(2)　物品の形状

物品の形状とは、外部から観察できる物品の外形をいいます。

例えば、断面が円形の鉛筆をころがらないようにするため、その断面を六角形にしたような場合には、物品の形状に係る考案といえます。

(3)　物品の構造

物品の構造とは、物品が空間的・立体的に組み立てられている構成のことをいいます。したがって、化学構造のようなものは含みません。平面的なものであっても、織物とか、検索を容易にするため紙の一部を切除した検索カードは空間的・立体的に存在しているので含まれます。紙面に表示された仕分け表などは、物品の構造といえるかどうか問題がありますが、審査実務では物品の構造として取り扱っています。

古い裁判例ですが、「実用新案法上の構造を構成する要素は物品の部分又は部材でありそれ等が形態的に関連していなければならず、書籍等の記事の余白に挿入したカットが広告の目的及び効果を兼備しているような場合には、実用新案法にいうところの構造を構成しない。」(東京高昭二六・七・三一判・昭二五(行ナ)八、行裁二八―一二七三)とされた事例があります。

(4) 物品の組合せ

物品の組合せとは、単独の物品を組み合わせて使用価値を生じさせたものをいいます。ボルトとナット、かるた、トランプがその例です。

三　実用新案登録の要件

歴　史

特許法・意匠法より新しい

明治三八年法　実用新案法は、特許法・意匠法が施行された後に、これらの実績を踏まえて、ドイツの制度を手本につくられたものです。明治三八年法律第二一号をもって公布され、同年七月一日に施行されたことに始まります。

制度の主な点は、①工業上の物品に関し、その形状、構造又は組合せに係る実用ある新規の考案を保護対象としたこと、②権利の存続期間を三年とし、さらに三年の延長を許可することとしたこと、③拒絶査定に対する再審査請求は認められたが、再審査に対する不服申立ては認められなかったこと、④登録実用新案がその出願前の出願に係る特許発明・登録意匠と利用関係にある場合には権利者の許諾を必要としたことなどがあります。

明治四二年法　明治四二年法律第二六号をもって公布され、同年一一月一日に施行されました。

この改正法は、特許法・意匠法・商標法が施行後の時勢の変化に伴い改正されたことに歩調を合わせたものです。

大正五年の改正により、権利の存続期間は、さらに四平成五（一九九三）年の改正によって、実体審査が廃止され、出願があったときには原則として登録されるという制度が採用されたことに伴って、これまで登録要件として説明されていた事項は、基本的に「登録無効の理由」とされました。

登録後無効とされた場合には、その実用新案権を行使して相手方に損害を与えたようなときには、原則としてその損害を賠償しなければならないなど、権利者側が留意すべき事項がむしろ増加したと見ることもできます。

ここでは、「保護の要件」として登録後無効とされる場合について見ていくこととしますが、基本的にはこれまでの「登録の要件」と変わりません（実法三七条）。

物品の形状、構造又は組合せに係る考案であれば、すべて登録され保護されるというものではありません。

保護を受けることができる考案は、さらに、①産業上の利用可能性、②新規性、③進歩性、があるものでなければなりません。産業上の利用可能性と新規性の内容は特許法と同じです。平成一一（一九九九）年の改正で特許法と同様に、新規性の要件について、「外国公知・公用の考案」及び「電気通信回線を通じて公衆に利用可能となった考案」が追加されました（実法三条一項）。

年の延長が認められ、最長一〇年間保護されることになりました。

大正一〇年法（旧法）　大正一〇年法律第九七号をもって公布され、翌年一月一一日に施行されました。

この改正は、①発明と実用新案とを区別するため、後者の保護対象を物品の形状、構造又は組合せに係る実用ある新規の型としたこと、②出願公告・異議申立制度を設けたこと、③拒絶理由通知・意見申出制を設けたこと、④権利の存続期間を一律に登録日から一〇年としたことなどを含む大幅なものでした。

その後、昭和四年、一二年、一三年に部分改正が行われています。

昭和三四年法（現行法）　昭和三四年法律第一二三号をもって公布され、翌年四月一日に施行されました。

この改正は、大正一〇年法に次ぐ大幅な改正で、①新規性の判断基準として外国で頒布された刊行物記載を含めたこと、②進歩性の規定を設けたこと、③実用新案権の効力は業として実施する以外の行為には及ばないとしたこと、④権利の存続期間は仮保護の権利が認められたので出願公告日から一〇年となり、出願日から一五年以内という制限を設けたことなどを含むものです。

進歩性の程度は特許法と異なります。進歩性とは、その考案の属する技術分野における通常の知識を有する者が新規性のない考案に基づいて別の考案をする難易度をいいます。特許法の場合は、「容易に」別の発明をすることができたときに進歩性がないとされています。実用新案法では、「きわめて容易に」別の考案をすることができたときに進歩性がないといわれます（実法三条二項）。したがって、実用新案は特許より進歩性の程度が低くても保護されます。

考案の進歩性の判断基準について裁判例では、「①実用新案登録において要求される考案の進歩性の程度は、特許における進歩性と比べると幅の狭いものであることは明らかであるから、考案について進歩性がないと判断するためには、特許出願の場合に比し、引用にかかる公知例は、その技術分野において出願にかかる考案と親近性あるものに限られ、また、その技術内容も、その具体的構成が出願にかかる考案とあまりかけ離れたものであってはならないこと、②出願にかかる考案の構成要件のすべてについて、それぞれに相当する公知例を引例としなければならないわけではなく、その構成要件のうちある部分について引例とすべき公知例がなくても、その

その後も特許法と同様に、昭和四五年に出願公開制度、審査請求制度が加えられ、同五〇年に多項制の採用、同五三年に特許協力条約に基づく国際出願に係る部分改正が行われ、同六〇年に特許協力条約の変更及び国内における優先権制度の導入に伴う改正、同六二年に多項制の改善等による改正、また、平成二年に要約書の採用による改正が行われています。さらに、特許法と同様に、平成二年にはペーパーレス計画の実施に伴い、実用新案法の特例を定めるものとして工業所有権に関する手続等の特例に関する法律が制定されています。

平成五年には、無審査登録を基本とする大幅な改正がなされました。しかし、特許権の存続期間が出願から二〇年であるのに比べ、実用新案権は出願から六年と極端に短く、これが出願件数の減少した理由の一つではないかと考えられたため、平成一六年には、①実用新案登録に基づく特許出願の新設（特法四六条の二）、②実用新案権の存続期間の延長及び③登録後の明細書等の訂正要件の緩和の改正により、制度の改善が図られました。

平成一八年には、実施の定義に「輸出」が加えられ、「輸出目的所持」を侵害とみなす行為とし、刑事罰を強化する改正がなされました。

部分について、他の公知例から当事者がきわめて容易に推考しうると判断される場合は、出願にかかる考案の進歩性を否定することができるものと解されること」（東京高昭五一・七・一五判・昭四六(行ケ)七三、取消集一五三）としています。

平成五（一九九三）年の改正によって実体審査は廃止されましたが、基礎的要件については審査されます（実法六条の二）。基礎的要件としては、請求項に係る考案が「物品の形状、構造又は組合せ」に係るものでないとき（保護適格違反）、公序良俗又は公衆衛生を害するおそれのある考案、請求項の記載様式違反、出願の単一性違反が挙げられます。

四　登録出願

1　実用新案における出願の単一性（改善多項制）

特許法では、ある一定の技術的関連性（出願の単一性）を有する限り、複数の発明を複数の請求項に分けて特許請求の範囲に記載することができることは既に述べました。実用新案法でも、同じ考え方に従って、複数の考案を複数の項に分けて実用新案登録請求の範囲に記載することができます。実用新案における出願の単一性は、実用新案登録請求の範囲の中のある請求項に記載される考案（これを「特定考案」といいます）に対して他の請求項に記載される考案が次の①又は②の関係にあるときに認められます（実法六条）。

① その特定考案と産業上の利用分野及び解決しようとする課題が同一である考案

② その特定考案と産業上の利用分野及び構成に欠くことができない事項の主要部が同一である考案

右記①、②の関係は特許法の場合と全く同じですが、特許法では、これらに加え、いろいろな発明の組合せも出願の単一性があるものとして認められているのに対し、実用新案で認められるのはこれら二つの場合だけです。

このような特許法との違いの理由としては、まず、実用新案法が、物品の形状、構造又はその組合せに係る考案のみを保護の対象としているので、それら以外のものについての出願の単一性を認める必要がないことが挙げられます。次に、実用新案法はそもそも比較的簡単な技術を保護することを趣旨とするものですから、技術が高度化・複雑化する現在においても、特許法と同様の範囲まで出願の単一性を認める必要がないということもその理由となっています。

なお、実用新案登録請求の範囲の記載は特許請求の範囲の記載に準じて行われます。したがって、ある請求項に記載された考案と他の請求項に記載された考案とが同一となってもかまいません。このような扱いと右記出願の単一性が、実用新案における改善多項制の主要点です。これらによって、実用新案登録請求の範囲の記載は、大幅に容易化したといえるでしょう。

2 登録出願は、必ず図面が必要

特許出願の場合は、方法の発明等において図面が必要でないときもあるので、必要に応じて図面を願書に添付すれば足ります。

実用新案法は、物品の形状、構造又は組合せに係る考案を保護の対象としているので、考案の内容を表現するため、願書には必ず図面を添付しなければなりません（実法五条二項）。図面の添付が考案の内容を特定するのに必要な出願の場合、その図面の添付を欠く出願は出願の本質的要件を欠き、補正が許されないものとして却下処分がなされますので注意が必要です。

3 登録前の明細書、登録請求の範囲又は図面の補正等

明細書等についての登録前の補正は、登録出願の日から経済産業省令で定める期間内に限られ（実法二条の二）、新規事項を追加する補正を含む実用新案登録は登録無効の理由とされています（実法三七条一項一号）。

特許出願と実用新案登録出願の間では、相互に基礎として国内優先権の主張ができますが、先の出願について、特許出願又は実用新案登録出願の際、実用新案権の設定登録がされた場合には、それを基礎とすることはできません（実法八条一項五号、特法四一条一項五号）。

五 実用新案技術評価書制度

実用新案登録が無審査に移行したことに伴い、実用新案技術評価書制度が採用されました（実法一二条）。無審査権利発生に備えた制度で、権利の有効性に関する客観的な資料を提供するものであり、審査に代わるものとい

えます。

実用新案技術評価書（以下「技術評価書」と略します）は、請求により審査官が作成し、新規性（実法三条一項三号に係るもの）及び進歩性、拡大された先願の範囲、先願の各登録要件について判断した鑑定的な資料です。技術評価書は、登録出願後、何人も、いつでも請求することができます。ただし、実用新案登録に基づく特許出願後は請求できません（実法一二条三項）。

前述したとおり、実用新案権又は専用実施権の行使の際には、その提示がその要件となります（実法二九条の二）。

実用新案権者や専用実施権者は技術評価書を見て権利行使をするか否かを判断し、他方、侵害者等第三者は、同様に、無効審判請求等により対応することになります。

平成一六（二〇〇四）年の改正で、技術評価書の請求が実用新案登録に基づく特許出願の許否に、その謄本の送達が明細書等の訂正の許容時期にそれぞれかかわることとなったため、第三者から請求があった場合には出願人又は実用新案権者に対してその旨通知されます（実法一三条二項）。また技術評価書が作成された場合には、その謄本は、請求者が第三者であるときは出願人又は実用新案権者に対しても送達されることになりました（実法一三条三項）。

六　無審査による登録・権利発生

前述のとおり、平成五（一九九三）年の改正により、実用新案法は、無審査主義を採用しています。

1　無審査登録

実用新案登録出願については、出願後実体審査はなく、方式審査、及び次の基礎的要件の審査を経て、実用新案権の設定登録がなされ権利が発生します（実法一四条）。

実用新案登録出願があったときは、放棄、取下げ又は却下された場合を除き、実用新案権の設定の登録がなされ、実用新案公報が発行されます。実体審査を省略して早期登録を可能にしたもので、ライフサイクルの短い商品等への対応です。出願の公開制度や出願審査請求制度もありません。

登録料のうち、第一年分から第三年分については、登録出願時に一時に納付しなければなりません（実法三二条）。

2　基礎的要件の審査

次の事由に該当する実用新案登録出願については、特許庁長官により、願書に添付した明細書、登録請求の範囲又は図面の補正が命ぜられます（実法六条の二）。

①実用新案登録出願に係る考案が物品の形状、構造又は組合せに係るものでないとき、②公序良俗に違反するものであるとき、③登録請求範囲の記載がその様式に違反するとき又は出願の単一性の要件に違反するとき。

右補正命令に対しては、明細書、登録請求の範囲又は図面の補正ができますが、新規事項の追加はできません（実法二条の二第二項）。そのような補正があったときは登録後の無効理由となります（実法三七条一項一号）。

また、指定期間内に補正がされないときは、実用新案登録出願は却下されます（実法二条の三）。特許庁長官の却下処分に対して、不服があるときは、行政不服審査法に基づく異議申立てができます（実法四八条の二・特法一八四条の二）。

3　実用新案権と権利行使

実用新案権の存続期間は出願の日から一〇年です（実法一五条）。従来は出願の日から六年とされ、特許権と比べるとかなり短く、このため実用新案登録に魅力がなく出願件数が減少している一要因と考えられることから、平成一六（二〇〇四）年の改正で、出願の日から一〇年とされたものです。

実用新案権は、業として登録実用新案の実施を専有する排他的独占権です（実法一六条）。しかし、権利行使後、登録無効審決が確定したときは、権利行使等により与えた損害については、原則として、実用新案権者等に賠償責任が生じます（実法二九条の三）。このため、侵害者等に対しては、技術評価書を提示して警告した後でなければ、権利行使はできません（実法二九条の二）。

なお、実用新案権又は専用実施権の侵害に対しては、差止請求権、損害賠償請求権又は信用回復措置請求権等により、特許法と同様な民事的救済が可能です（実法二七条、二八条、二九条等）が、これに対して、実用新案権の効力が及ばない範囲や先使用による通常実施権等による抗弁が認められることも、特許法と同様です（実法二六条、特法六九条一項・二項、特法七九条等）。しかし、方法に係る考案が登録対象でないため、特許法に規定する二以上の医薬を混合することにより製造されるべき医薬の発明等に係る権利の制限規定や生産方法の推定規定はありません。

七　実用新案登録無効審判制度

無審査登録制度の採用により、実用新案法においては、無効審判制度がより重要となりました。無審査で実用新案権が発生するため、登録要件は実質無効理由としてのみ機能するからです。

実用新案登録された場合において、次の①～⑦のいずれかに該当するときは、その登録を無効にすることについて、審判を請求することができます（実法三七条一項）。

① その登録が新規事項を追加する不適法な補正をした登録出願に対してされたとき

② その登録が外国人の権利享有、登録要件（新規性＝実法三条一項、進歩性＝同三条二項、拡大された先願の範囲＝同三条の二）、不登録事由（四条）、先願又は共同出願の規定に違反してされたとき

③ その登録が条約に違反してされたとき

④ その登録が明細書の考案の詳細な説明又は登録請求の範囲の記載要件を満たしていない登録出願に対してされたとき

⑤ その登録が考案者でない者であってその考案について登録を受ける権利を承継しない者（いわゆる冒認者）の登録出願に対してされたとき

⑥ 登録された後に、その実用新案権者が条約破棄などにより実用新案権を享有することができない者になったとき、又はその登録が条約に違反することとなったとき

⑦ 明細書、登録請求の範囲又は図面の訂正が一四条の二第二項から第四項までの規定（後述）に違反してされたとき

この審判請求は請求項ごとに、また、実用新案権の消滅後にもすることができることは特許法と同様です。

これに対して、実用新案権者は、明細書、登録請求の範囲又は図面の訂正をすることができます（実法一四条の二）。訂正審判の制度はありません。

登録後の訂正は、平成一六（二〇〇四）年及び平成二

三（二〇一一）年の改正で緩和されて、「請求項の削減」から「登録請求範囲の減縮、誤記の訂正、明瞭でない記載の釈明を目的とするもの又は他の請求項の記載を引用する請求項の記載を当該他の請求項の記載を引用しないものとすること」とされました。右訂正は、次の①、②の場合を除き、一回に限りできます（実法一四条の二）。登録無効審判の請求や情報提供に備えるため、訂正の許容範囲を拡大して、実用新案権者に便宜を図ったものです。

① 最初の技術評価書の謄本の送達があった日から二月を経過したとき

② 登録無効審判について、最初に指定された答弁書提出期間を経過したとき

右訂正は、実用新案権の消滅後を含めていつでもできます。ただし、登録無効審判においては、審理終結の通知があった後はできません。

そして、登録無効の審決が確定したときは、原則として、権利行使等により与えた損害については、実用新案権者等に賠償責任が生じます（実法二九条の三）。ただし、侵害者等に対して、権利行使等の際に技術評価書を提示したときは、例外となります（実法二九条の三第一項ただし書）。

八　罰則

実用新案法も特許法と同様の罰則規定を設けています。

しかし、特許法の罰則規定と比べて実用新案の侵害の罪、詐欺の行為の罪、虚偽表示の罪は軽くなっています。例えば、特許権を侵害した者は一〇年以下の懲役又は一〇〇〇万円以下の罰金に処せられますが、実用新案権を侵害した者は五年以下の懲役又は五〇〇万円以下の罰金に処せられます（実法五六条以下。平成一八年改正）。

Patent

第３章

意匠法のあらまし

一　意匠法の目的

意匠法は、意匠の保護及び利用を図って意匠の創作を奨励し、産業の発達に役立たせることを目的とした法律です（意法一条）。

意匠法の保護対象が、頭脳労働の結果としての創作であるという点では特許法や実用新案法と同じです。しかし、特許法と実用新案法が自然法則を利用した技術思想の創作の保護を目的としているのに対し（特法一条、二条一項、実法一条、二条一項）、意匠法は、美感を起こさせる物品の外形の創作の保護を目的とするもので（意法二条一項参照）、特許法や実用新案法とは保護の対象が異なります。

意匠法は、意匠を保護するため、意匠の創作をした者に対して意匠権の設定の登録をすることとしています。意匠権は、登録意匠及びこれに類似する意匠を独占排他的に実施することができる権利です（意法二三条、三七条）。意匠の創作者は、このような保護があるので、他人からの不当な模倣を防ぐことができ、安心してその意匠を実施することができます。

意匠法は、創作された意匠の保護及び利用を図ることによって、更に新しく意匠の創作がなされるよう奨め、産業の発達に役立たせることをねらいとした法律であるといえます。

二　意匠法上の「意匠」

意匠とは、物品（物品の部分を含みます）の形状、模様若しくは色彩又はこれらの結合であって、視覚を通じて美感を起こさせるものをいいます（意法二条一項）。

(1)　物品性

物品とは、有体物のうち、市場で流通する動産をいうと一般に理解されています。土地や家屋等の不動産はここでいう物品に含まれません。将来土地の定着物となるようなものでも動産として取引される量産可能な門とか組立バンガロー等は物品とされています。動産であっても液体、粉状物、粒状物のように形状が特定し得ないものや形状が肉眼で確認し得ないものはここでいう物品に含まれません。物品には、その一部をなす部品や部分が含まれます。また、平成一八（二〇〇六）年の改正で、物品の本来的な機能を発揮できる状態にする際に必要となる操作画像（画面デザイン）が物品の一部分として保護されることとなり、保護の拡充が図られました（意法二条二項）。

(2) 形態性

形状とは、物品の形をいいます。この形は物品それ自体を特定したものでなければなりません。例えば、ハンカチを結んでできた花の形状とか、いくつかの固形砂糖を配列してできた花の形状などは、ハンカチ又は固形砂糖自体の形状とはいえません。

模様とは、形状の表面に表される線図、色分け又はぼかしをいいます。

色彩とは、色又は色どりのことをいいます。

これらの結合とは、形状、模様、色彩の三要素の任意の組合せをいいます。

(3) 視覚性・美感性

視覚を通じて美感を起こさせるものとは、目の感覚によって快く知覚され得るものをいいます。私たちの感覚には、視覚、味覚、聴覚、臭覚、触覚の五感がありますが、意匠はこのうち、視覚でとらえられるものでなければなりません。この視覚は肉眼による知覚と理解されており、拡大鏡や顕微鏡を使った知覚までは想定していません。ただし、肉眼で認識できないものであっても、取引の際、拡大観察することが通常である場合には、肉眼によって認識できるものと同様に扱うこととした裁判例が出されました（知財高平一八・三・三一判・平一七(行ケ)一〇六七九、判時一九二九―八四）。

美感を起こさせるものという要件は、必ずしも高尚優美でなければならないというものではなく、およそ意匠という限り、視覚を通じて快さを人に起こさせれば足りると解すべきでしょう。

実務上は、機能、作用効果を主目的としたものや、意匠としてまとまりがなく煩雑な感じを与えるだけのものは視覚を通じて美感を起こさせないものとされています。

(4) 意匠法の保護対象の拡充等

令和元（二〇一九）年意匠の定義を改正して、建築物及び画像を保護の対象とし、建築物の外観・内装のデザインや物品に記録・表示されていない画像等も意匠登録可能とされ、それら意匠の実施の定義も規定されました。画像意匠については、電気通信回線を通じた提供や記録媒体又は内蔵機器の譲渡等をする行為です（意法二条一項）。

歴史

意匠条例（明治二一年勅令第八五号。同二二年二月一日施行）

① 工業上の物品に応用すべき形状、模様又は色彩に係る新規の意匠を按出《あんしゅつ》した者はその意匠の登録を受けられる

② 審査主義を採用

③ 意匠専用年限は三年、五年、七年、一〇年の四種

④ 他人の委託又は雇主の費用をもって按出した意匠についての権利は、契約に別段の定めのないときは、委託者又は雇主に属する

明治三二年法（明治三二年法律第三七号。同年七月一日施行）

① 形状、模様、色彩のほか、結合についても登録を受けられる

② 専用年限は一律に一〇年

③ 優先権主張を認めた

明治四二年法（明治四二年法律第二四号。同年一一月一日施行）

① 意匠を応用する物品により意匠権を分割して移転することを認めた

② 秘密意匠制度を採用

大正一〇年法（大正一〇年法律第九八号。同一一年一月一一日施行）

① 保護の対象を明確にし、意匠が物品を離れて存在するものではないことを明らかにした

↖

⑤ 類似意匠制度を廃止し、関連意匠制度を創設

⑥ 電子手続を拡大

平成一一年法改正（平成一一年法律第四一号。同一二年一月一日施行）

① 新規性喪失事由を拡大（インターネット情報を追加）

② 新規性喪失の例外適用の範囲を拡大

平成一八年法改正（平成一八年法律第五五号。同一九年四月一日施行）

① 意匠権の存続期間を延長

② 情報家電等の操作画面デザインを保護対象として拡大

③ 意匠の類否判断は需要者の視覚による美感に基づいて行うことを明確化

④ 部分意匠及び関連意匠の出願期限を延長

⑤ 秘密意匠の請求は登録料納付時にも可能

⑥ 新規性喪失の例外適用の証明書の提出期限を延長

⑦ 実施に「輸出」を加え、「輸出目的所持」を侵害とみなす行為とした

⑧ 刑事罰を強化

平成二〇年法改正（平成二〇年法律第一六号。同二一年四月一日施行）

① 出願段階における仮専用実施権及び仮通常実施権の制度を創設

② 意匠権と商標権との関係を規定
③ 強制実施許諾の規定を設けた
その後、昭和八年に登録意匠が意匠公報に掲載されて発行されるように改正。

昭和三四年法（昭和三四年法律第一二五号。同三五年四月一日施行）

① 創作性のない意匠は保護しない旨の規定を設けた
② 新規性喪失事由を広げた
③ 組物の意匠登録制度を採用
④ 権利の存続期間を一五年にした
その後、昭和五三年に特許協力条約に基づく国際出願に係る出願の特例が追加され、平成二年には、ペーパーレス計画の実施に伴い、意匠法の特例（ただし、対象は一部）を定めるものとして工業所有権に関する手続等の特例に関する法律が制定。

平成一〇年法改正（平成一〇年法律第五一号。同一一年一月一日施行）

① 部分意匠の制度を導入した
② 登録要件としての創作容易性の水準を引き上げた
③ 物品の機能を確保するために不可欠な形状のみからなる意匠は保護しない旨の規定を設けた
④ 組物の意匠の登録要件を緩和

② 拒絶査定不服審判及び補正却下決定不服審判の請求期間を三月以内とした

平成二三年法改正（平成二三年法律第六三号。同二四年四月一日施行）

① 通常実施権及び仮通常実施権については当然対抗制度を導入
② 冒認出願等に基づく意匠権については移転請求制度を導入
③ 意匠登録料を引き下げ

平成二六年法改正（平成二六年法律第三六号。同二七年四月一日施行）

① 新規性喪失の例外適用の証明書の提出期間の見直し
② 意匠の国際登録に関するジュネーブ改正協定加入に伴い、当該協定を適切に実施するための規定が設けられた（平成二七年五月一日施行）

令和元年改正（令和元年法律第三号。同二年四月一日施行）

① 意匠法の保護対象の拡充等
② 関連意匠制度の見直し
③ 意匠権の存続期間二〇年から意匠登録出願の日から二五年へ

このため、登録要件に、電気通信回線を通じて公衆に利用可能となった画像から容易に意匠の創作をすることができたときは、その意匠については、意匠登録を受けることができないものと追加されました（意法三条二項）。

（特許庁資料より）

三　意匠登録の要件

1　工業上利用できること

意匠法の目的が、意匠の保護・利用を図ることにより産業の発展に役立たせることにあるため、登録要件として工業上利用できる意匠であることが要求されています。

特許法や実用新案法では、「産業上利用することができる」発明や考案であることが必要ですが、ここでは、「工業上利用できる」意匠であることが要求されています。産業と工業とでは範囲が異なり、産業の語には農業、商業、鉱業などが含まれますが、工業の語にはこれらは含まれません。

工業上利用できるとは、工業的な生産方法により同一の外形を有する物品を反復して大量に生産できることをいいます。動物・植物・石など天然物そのものは、工業上利用できる意匠ではありません。バラの新品種、錦鯉の改良種、蝶《ちょう》や貝の標本などはいずれも工業上利用できる意匠とはいえません。天然物であっても材料として使われ、同一物が反復して生産されるのであれば、工業上利用できるといえます。天然物本来の形状・模様などを残さず加工される場合、例えば、絹製ネクタイや木製机などは工業上利用できることに問題はありません。ある程度天然物の形状や模様を残した場合、例えば、貝殻を材料とした人形であっても、同一物と認められる程度に反復して生産されるのであれば工業上利用できるといえます。

さらに、工業上利用できるといえるには、実現可能なものでなければなりません。技術的に達成が不可能な意匠は工業上利用できる意匠とはいえません。審査実務上、願書の記載事項と図面に意匠が正確に認識できるよう開示されていない場合も工業上利用できる意匠に当たらないとされています。

2　新規性があること

(1)　意匠の新規性

意匠登録出願前に日本国内又は外国において公然知られた意匠（意法三条一項一号）、意匠登録出願前に日本国内又は外国において、頒布された刊行物に記載された意匠又は電気通信回線を通じて公衆に利用可能となった意匠（同二号）、前二号に掲げる意匠に類似する意匠（同三号）には、新規性がありません。

特許法や実用新案法と異なり、「公然実施されたもの」が規定されていません。これは、意匠は外観で判断されますから公然実施すればすべて公知になるといえるからです。外国で公知となったものまで含められているのは、意匠は多くの場合刊行物に記載されるよりも早く物品が市場に出回るというのが実情なので、外国で頒布された刊行物に記載された事実のみならず、外国で公知となった事実をも考慮しようとしたためです。なお、平成一一（一九九九）年法改正により、インターネット等で開示された意匠が新規性喪失事由に加えられました。

ここで、「公然知られた」とは、単に知られるような状態になっただけでは足りず、現に公然と知られていたことが必要です。

しかし、具体的事例では、公然知られた意匠に当たるか否かの判断は難しく、意匠原簿が閲覧可能となり、また、出願書類などが閲覧できる場合であって、意匠公報が未刊行のときについては、裁判例では対立しています（積極＝東京高昭五一・一・二〇判・昭四七（行ケ）一二四・無体八―一―一、消極＝東京高昭五四・四・二三判・昭五二（行ケ）七一・無体一一―一―二八一）。

右第三号では、意匠の新規性の判断は外形的な物品の形状・模様などを比較して行うものであるから、全く同一の意匠に限らず類似のものまで新規性がないこととしています。意匠権の効力（意法二三条）が、同一の意匠に限らず類似の意匠にまで及ぶものとされていることと均衡がとられています。

(2)　意匠の類似

意匠が類似するとは、①物品が同一で形態（形状、模様又は色彩等。以下同じ）が類似する場合、②物品が類似し形態が同一の場合、③物品と形態が共に類似する場合をいいます。したがって、形態が同一であっても物品が非類似のときや、物品が同一であっても形態が非類似のときには意匠は類似しません。意匠の類否判断は、多くの審決や判決にも表れていますが、昭和四九年三月一九日の「可撓伸縮ホース」最高裁判決（昭四五(行ツ)四五、民集二八―二―三〇八）は、一般需要者の立場から見た美感の類否である旨判示しているところから、平成一八（二〇〇六）年の改正で意匠法二四条二項を新設し、登録意匠とそれ以外の意匠が類似しているか否かの判断は、当該意匠が需要者に起こさせる美感の共通性の有無に基づいて判断するものであると規定しました。この考え方は、意匠法三条一項三号をはじめ、他の条項に規定されている意匠の類否についても及ぶものと考えられます。

(3) 新規性喪失の例外

意匠登録を受ける権利を有する者の「意に反し」、又はその者の「行為に起因」して新規性を失ったとしても、喪失するに至った日から一年以内（平成三〇年改正）に出願すれば新規性喪失の例外規定の適用を受けることができます（意法四条一項・二項）。行為に起因する場合は、適用を受けたい旨を記載した書面を出願と同時に提出するか、書面の提出を省略する場合は願書にその旨及び必要な事項を記載し、出願の日から三〇日以内に証明書を提出しなければなりません（同四条三項）。証明書を提出する者がその責めに帰することができない理由によりこの期間内に証明書を提出することができないときは、理由がなくなった日から一四日（在外者は二か月）以内でその期間経過後六か月以内に提出することができます（同四条四項）。意に反する場合は、その旨の書面及び証明書は不要です。

平成二三（二〇一一）年の改正で、特許法において も、「行為に起因」して新規性を失った発明に対して例外規定の適用が可能となり、その対象が拡大されましたが、一方で内外国特許庁への出願行為に起因して特許公報に掲載されて新規性を喪失した発明は対象とならないことを条文上明確にしました。同様に、意匠法においても、出願行為に起因して内外国特許公報等に掲載され新規性を喪失した意匠は適用対象とならないことを明確にしています（意法四条二項）。

3　創作が容易でないこと

意匠登録出願前にその意匠の属する分野における通常の知識を有する者が日本国内又は外国において公然知られた形状、模様若しくは色彩又はこれらの結合に基づいて容易に意匠の創作をすることができたときは、その意匠については、意匠登録を受けることができません（意法三条二項）。

この規定は、容易に創作できる意匠は、登録を受けることができない旨の登録要件を定めたものですが、平成一〇（一九九八）年の法改正により改められました。改正は、創作容易性の判断の基礎となる資料に関するもので、改正前は、「日本国内において広く知られた」形状等となっていたものを「日本国内又は外国において公然知られた」形状等としたものです。このように、創作容易性の判断の基礎となる資料の範囲を拡大したことにより、創作容易性の水準を引き上げることを意図したものです。

容易に創作できる意匠に独占権を与えることは、意匠の創作を奨励することにも産業の発達に役立つことにもならないからです。ここにいう容易に創作された意匠には、公知意匠から創作容易な意匠、公知のモチーフから創作容易な意匠、商慣習上の転用により創作容易な意匠が該当します。裁判例には有名な自由の女神の像を飾置物に転用するような場合がこれに当たるとした例があります（東京高昭四二・七・二五判・昭三七（行ナ）一八七、取消集一五一）。

なお、意匠法三条一項三号と同三条二項との関係について、前掲「可撓伸縮ホース」最高裁判決は、「三条一項三号は、意匠権の効力が、登録意匠に類似する意匠、すなわち登録意匠にかかる物品と同一又は類似の物品につき、一般需要者に対して登録意匠と類似の美感を生ぜしめる意匠にも及ぶものとされている（法二三条）ところから、右のような物品の意匠について一般需要者の立場から見た美感の類否を問題とするのに対し、三条二項は、物品の同一又は類似という制限をはずし、社会的に広く知られたモチーフを基準として、当業者の立場から見た意匠の着想の新しさないし独創性を問題とするものであって、両者は考え方の基礎を異にする規定である」としています。

4　意匠公報に掲載された先願に係る意匠の一部と同一又は類似の意匠でないこと

意匠出願に係る意匠が、その出願の日前の他の意匠出願であって、その意匠出願後に意匠公報に掲載された意匠の一部と同一又は類似であるときは、たとえ新規性があっても意匠登録を受けることができません。ただし、後願の出願人が先願の出願人と同一人であって、先願意匠に係る意匠公報発行の日前までに出願した場合は除かれます（意法三条の二。平成一八年改正）。

ここにいう他の先願に係る意匠の一部と同一又は類似の意匠とは、物品の一部をなす部分意匠や組物の一部をなす物品に係る意匠が該当します。このような意匠は、先願に係る他の意匠の実質的な一部をなす意匠であり、保護されるべき創作としての価値を生じていないことから、登録を受けることができないこととされています。

5　公序良俗に反しないこと

事柄の性質上、当然に公の秩序又は善良の風俗を害するおそれがある意匠は登録されません（意法五条一号）。

6　出所の混同を生じないこと

他人の業務に係る物品と混同を生ずるおそれがある意匠は登録されません（意法五条二号）。

意匠は、物品の外形が美感を起こさせるものであるため人の注意をひきやすく、継続して使用すれば物品の出所表示機能をもつようになります。このため他人の業務に係る物品と混同を生ずるおそれがある意匠は登録されません。

この適用があるものとしては、例えば、他人の著名な商標、サービス・マーク等を物品に表した意匠が考えられます。

7　物品の機能を確保するために不可欠な形状のみからなる意匠でないこと

意匠に係る物品の機能を確保するために不可欠な形状のみからなる意匠は、登録を受けることができません（意法五条三号）。

特許法、実用新案法が「技術的思想の創作」を保護の対象とするのに対して、意匠法は「物品の形状等の美的創作」を保護の対象とすることから、技術的機能に必然的に導かれた形状に実質的に美的な創作が付加されていない創作が意匠法により保護されることになると、意匠法が予定しない技術的思想に独占権を付与することになる可能性があるからです。

8 先願の意匠であること

同一又は類似の意匠について、意匠登録出願が競合するときは、最先の出願のみが登録され、後願は登録されません。同日に意匠登録出願が競合するときは、これらの出願人の協議によって定めた一の出願人のみが出願の登録を受け、協議が整わないときはいずれの出願についても登録されません（意法九条）。

競合する出願のうち一方の意匠登録出願が放棄され、取り下げられ、却下されたとき又は拒絶査定若しくは審決が確定したときや、意匠の創作をした者でない者が意匠登録を受ける権利を承継しないで出願した意匠登録出願、いわゆる「冒認出願」といわれるものについては、先願主義の適用がありません。ただし、同日出願の競合で協議が整わずに拒絶された場合は、先願の地位が残ります。

なお、パリ条約に基づく優先権主張を伴う意匠登録出願は、先願主義の適用に際し、その優先権主張が適式であれば第一国出願の日に意匠登録出願があったと同様に扱われます。また、出願の分割や出願の変更による意匠登録出願の出願日は、もとの出願の出願日まで遡及します。補正却下後の新たな出願は、却下された補正書の提出の日に出願日が遡及します。

特許出願と実用新案登録出願との間では先願主義を採用していますが、意匠登録出願と特許出願、実用新案登録出願との間では先願主義を採用していません。したがって、一個の物品の創作について、技術的な創作の側面からは特許権又は実用新案権を取得することができると同時に、意匠の創作の面からは意匠権を取得することができます。

四 意匠登録を受ける権利

意匠権は登録によって発生しますが、この権利が発生する以前の法律関係を規律するために、特許を受ける権利と同様に、意匠登録を受ける権利（以下「登録を受ける権利」といいます）が認められています（意法一五条二項で準用する特法三三条）。

登録を受ける権利の内容や性質についてはさまざまな考え方がありますが、いずれの説をとっても、登録を受ける権利が、譲渡可能な財産権であるという点では一致しています。通常、登録を受ける権利は、国家に意匠権の付与を請求し得る公法上の権利であるとともに、財産権としての私法上の権利であると説明されています。

意匠を創作した者に登録を受ける権利が発生します。現在の法律の建前では、法人創作の考え方を採用していませんので、意匠を創作した者は自然人に限られています。従業員、法人の役員、公務員が意匠の創作をした場合は、職務創作といわれ職務発明と同じ扱いがされます(意法一五条三項で準用する特法三五条)。

意匠を創作した者のほか、登録を受ける権利を承継した者は意匠登録出願をすることができます。

登録を受ける権利は、意匠登録が行われると消滅します。拒絶査定の確定でも消滅します。

五　部分意匠、組物の意匠、関連意匠、秘密意匠の制度

意匠法は、意匠の特性に応じた保護をするため、部分意匠の制度、組物の意匠の制度、関連意匠の制度、秘密意匠の制度を定めています。

1　部分意匠の制度

平成一〇(一九九八)年の法改正により新しく導入された制度です。この改正前の意匠法では、意匠権は物品の全体からなる意匠に対して認められていました。しかし、一つの意匠に、独創的で特徴のある部分が複数箇所創作されている場合、それらの一部分が模倣されても意匠全体での模倣が回避されてしまえば、その意匠権の効力は及ばないことになります。そこで、意匠法で定義されている物品には、物品の一部を含むこととして(意法

〔部分意匠〕
電気炊飯器

意匠を受けようとする部分は
実線で表される。

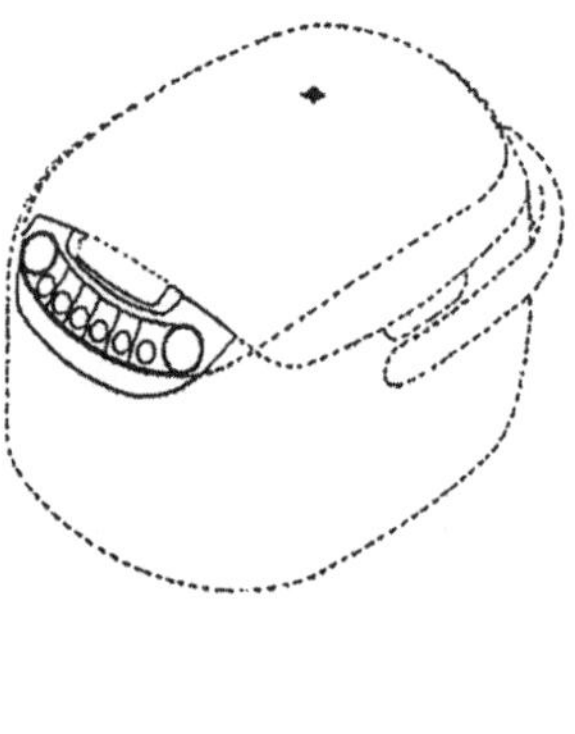

二条)、物品の部分に係る形状等について独創性が高く特徴ある創作をした場合は、その部分のみを部分意匠として意匠権の成立を認めて保護を図ることにしたものです。

部分意匠についても、全体意匠と同様に新規性(意法三条一項各号)、創作非容易性(意法三条二項)等の積極的登録要件、公序良俗違背等の消極的登録要件が適用されます。また、先願主義の規定(意法九条)は、部分意匠同士については適用がありますが、先願が部分意匠で後願が全体意匠の場合、先願が全体意匠で後願が部分意匠の場合は適用されません。

このうち、先願が全体意匠で後願が部分意匠の場合については、このような部分意匠は、創作としての価値を実質的に生じていないために、先願の全体意匠が意匠公報に掲載されたことを条件として、意匠登録を受けることができません(意法三条の二。平成一〇年改正)。したがって、部分意匠の意匠登録を受けるためには、全体意匠の出願と同日までに出願する必要がありました。平成一八(二〇〇六)年の改正で、先願意匠の一部と同一又は類似の後願意匠であっても、先願意匠の出願の日の翌日からその公報発行の日前までに同一出願人が出願した場合は登録を受けられることとなり、部分意匠の出願に係る時期的制限が緩和されました。

部分意匠に係る意匠権は、その部分意匠と同一又は類似の意匠を含む全体意匠に及ぶと解されます。そのような全体意匠を実施すると部分意匠をも同時に実施することになるからです。また、部分意匠に係る意匠権と、その部分意匠を含む全体意匠の意匠権が別個に成立することも考えられます。部分意匠が先願で全体意匠が後願の場合ですが、この場合には、後願の全体意匠は先願の部分意匠を利用することになりますので、その実施を制限されると解されます(意法二六条)。部分意匠の類否については、その物品全体の形態の中での意匠登録を受けようとする部分の「位置」「大きさ」「範囲」が考慮されて判断されます。

2 組物の意匠の制度

意匠は物品ごとに成立し、意匠の創作も物品ごとになされるのが一般的ですが、なかには、二以上の物品のセットについて統一的に意匠の創作がなされるものがあります。例えば、一組の飲食用ナイフ、フォーク及びスプーンセットのように、いくつかの物品が美感の観点から統一性があり、一組として取引の対象となるものがあります。また、近年では、複数の物品群について、それらを自由に組み合わせて、全体として統一感をもたせるように個々の物品のデザインを行う、いわゆるシステムデザインが発達してきました。

意匠法は、図の一組の同セットのような二以上の物品の組合せからなる意匠を組物の意匠として保護してきましたが、その対象物品は極めて限られたものでした。平成一〇（一九九八）年の改正法では、この組物の要件を緩和し、システムデザイン等の有効な保護を図ろうとしています。

意匠法において、組物とは、同時に使用される二以上の物品であって経済産業省令で定めるものと規定されており（五六品目が定められています）、この組物を構成する物品に係る意匠は、全体として統一があるときは、一意匠として出願し、登録を受けることができます（意法八条）。したがって、全体として統一がない場合は、その出願の登録は拒絶されます。

〔組物の意匠〕

一組の飲食用ナイフ，フォーク及びスプーンセット

組物の意匠に対する新規性（意法三条一項）、創作非容易性（同三条二項）、先願主義（同九条）等の登録要件の判断は、組物全体についてのみなされ、個々の構成物品については判断されません。これは、組物の意匠が全体についての創作として成立しているからです。

また、組物の意匠権は全体についてのみ成立しますので、図のセットに組物の意匠権がある場合、このうち例えばスプーンの意匠のみを他人に製造されたとしても、権利侵害として差止請求することができません。したがって、組物を構成する個々の物品について意匠権を取得しようとする場合は、個々の物品ごとに意匠出願をする必要があります。

3　関連意匠の制度

意匠権の効力の及ぶ範囲は、登録意匠及びこれに類似する意匠です（意法二三条）。この意匠権の類似範囲は必ずしも明確ではないところから、類似範囲を明確化し、

併せて意匠権の保護を強化するために、平成一〇（一九九八）年改正前の意匠法では、自己の登録意匠にのみ類似する意匠について、重ねて意匠登録を認める類似意匠の制度を設けていました。しかし、この類似意匠の制度については、類似意匠が独自の効力範囲を有するか否かについて学説上の争いがあり、実際の意匠権侵害訴訟でも、類似意匠に独自の意匠権としての効力範囲を認めない扱いが大勢を占めていました。

平成一〇（一九九八）年の改正法では、このような類似意匠制度に代えて、関連意匠の登録制度を創設し、従来の類似意匠制度の問題点を立法的に解決しました。

関連意匠の制度と従来の類似意匠制度を比較すると、自己の登録意匠に類似する意匠について同一人に意匠登録を認める点では同じです。しかし、関連意匠についても独自の効力範囲を有する意匠権が成立する点で大きく異なります（意法二三条）。この違いは、同じデザイン・コンセプトから創作された意匠は同等の価値を有するものとして保護することにより、すぐれたバリエーションの意匠創作に幅広い保護を与え、併せて保護の迅速化を図ろうとする関連意匠制度の目的に起因するものといえます。

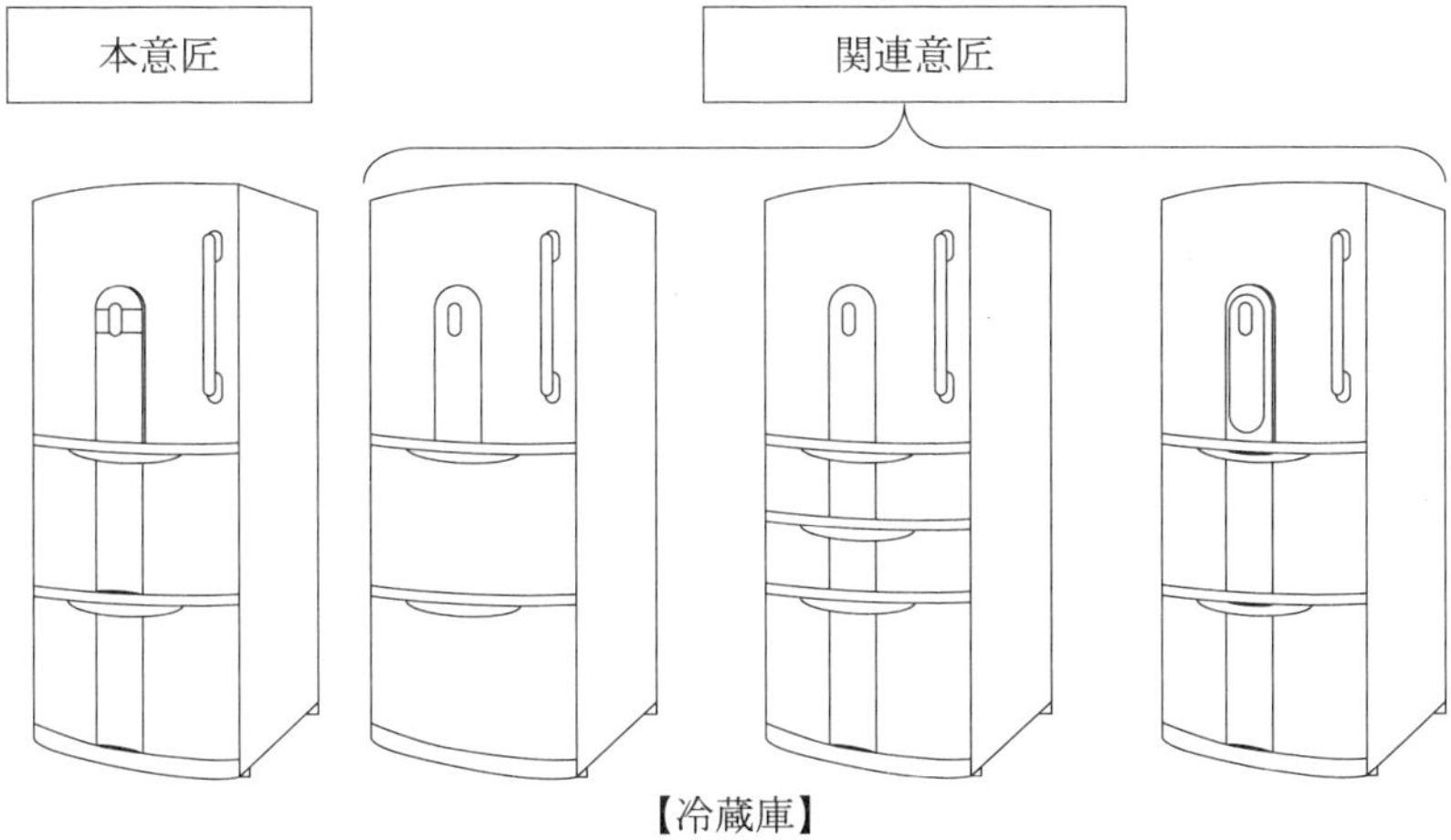

【冷蔵庫】

令和元（二〇一九）年の改正により、関連意匠制度が見直され、従来本意匠の意匠登録出願が掲載された意匠公報の発行の日前に出願された場合のみ登録が認められていた関連意匠について、本意匠（自己の出願意匠に係る意匠又は登録意匠で、関連意匠として選択した一の意匠）の意匠登録出願の日から一〇年を経過する日前に出願されれば登録を受けることができるとされました。本意匠と同一又は類似の意匠については、新規性及び創作容易性は失わないと手当されています（意法一〇条一項・二項）。

また、関連意匠にのみ類似する意匠及び当該関連意匠に連鎖する段階的な関連意匠について、意匠登録を受けることができるとされました（意法一〇条四項）。自動車業界で行われているような、車について、長期間にわたる一貫したコンセプトに基づき開発されたデザイン等の保護を可能としたものです。本意匠及び関連意匠において選択した関連意匠については、合わせて、以下「基礎意匠」と呼ばれます（同一〇条七項）。

関連意匠は、通常の意匠として登録を受けるものですので、登録の効果は、通常の意匠と同じであり、独自の効力範囲を有することは前述のとおりです（意法二三条）。また、出願の手数料の規定や登録料の規定についても通常の意匠として適用を受けます。

関連意匠は、自己の登録意匠に類似する意匠について例外的に登録を認められる意匠であることから次のような特有の制限規定が置かれています。

(i) 関連意匠の意匠権は、基礎意匠の意匠権の存続期間が満了した場合、ともに消滅する（意法二一条二項）。

基礎意匠と類似範囲が重複するところから、権利期間の不当な延長を防ぐためです。しかし、基礎意匠の意匠権が存続期間満了以外の理由で消滅した場合は、関連意匠の意匠権は存続します。

(ii) 基礎意匠と関連意匠の意匠権は分離して移転することができません（意法二二条一項）。

これは、基礎意匠の意匠権が登録料の不納、無効審決の確定又は放棄を原因として消滅した場合も同様です（意法二二条二項）。

(iii) 基礎意匠又は関連意匠の意匠権についての専用実施権は、基礎意匠及びすべての関連意匠の意匠権について、同一人に対して同時に設定する場合に限り設定することができます（意法二七条一項ただし書）。

この規定についても、基礎意匠の意匠権が登録料の不納等で消滅した場合にも適用があるのは、前述の移転の場合と同様です。

なお、関連意匠について後日出願が認められたことに伴い、基礎意匠の意匠権について専用実施権を設定した後は、関連意匠の登録を受けることができないこととされました（意法一〇条六項）。

以上のような制限がある以外は、関連意匠は通常の意匠として登録されますので、それ自体に無効審判を請求したり（意法四八条）、放棄したりすることができると解されます。

4 秘密意匠の制度

秘密意匠の制度とは、出願人の請求に基づき、意匠権の設定登録後一定期間、登録意匠を秘密にしておくことを認め、意匠権の保護を強化しようとする制度です（意法一四条）。

意匠は流行に左右されやすく、また、物品の外形であるため模倣されやすい性格があります。意匠は、発明や考案のように技術の積み重ねにより発展することがほとんど考えられないため、秘密にしておいても弊害はありません。このため意匠法には出願公開の制度はなく、通常の出願の場合には設定登録後に登録意匠が公表されることになっています。しかし、登録後でも需要者の動向を見極めながら登録意匠を実施しようとする権利者にとっては、登録意匠を秘密にしておく必要があります。そこで、意匠法は、意匠権の保護を強化するため秘密意匠の制度を採用したわけです。

出願人は、意匠権の設定登録の日から三年以内の期間を指定して、意匠を秘密にすることを請求できます。出願後に、出願人又は意匠権者は、設定登録の日から三年以内の期間に限り、秘密にすることを請求した期間を延長又は短縮することができます。

秘密意匠の出願手続は、願書に添付すべき図面その他の物件を密封して「秘密意匠」と朱書すること（意施規一〇条）、出願時又は第一年分の登録料の納付時に、

① 意匠登録出願人の氏名又は名称及び住所又は居所

② 秘密にすることを請求する期間

を記載した書面を特許庁長官に提出することのほかは、通常の出願手続と同じです。

秘密意匠の設定登録があったときは、意匠の内容は公表されず、

① 意匠権者の氏名又は名称及び住所又は居所

② 意匠登録出願の番号及び年月日
③ 登録番号及び設定の登録の年月日
だけが意匠公報に掲載されます。秘密にすることを請求した期間が経過した後、遅滞なく、願書及び願書に添付した図面、写真、ひな形又は見本の内容が意匠公報に掲載されます（意法二〇条四項）。

設定登録日から秘密にすることを請求した期間中、当然に意匠は秘密にされますが、次の事由があったときは、その意匠は意匠権者以外の者に特許庁長官によって示されます（意法一四条四項）。

① 意匠権者の承諾を得たとき
② その意匠又はその意匠と同一若しくは類似の意匠に関する審査、審判、再審又は訴訟の当事者又は参加人から請求があったとき
③ 裁判所から請求があったとき
④ 利害関係人が、意匠権者の氏名又は名称及び登録番号を記載した書面その他利害関係人であることを証明する書面を特許庁長官に提出して請求したとき

秘密意匠の意匠権に基づく差止請求権は、第三者が秘密意匠の内容を知ることができないので、通常の意匠権の設定登録があったときに意匠公報に掲載される事項を記載した書面であって特許庁長官の証明を受けたものを提示して警告した後でなければ行使できません（意法三七条三項）。

また、秘密意匠の意匠権が発生しても、第三者は秘密意匠の内容を知らないのが通常なので、その侵害行為について過失があったものとは推定されません（意法四〇条ただし書）。権利者が、損害賠償を請求するときは、侵害者に過失があったことを立証する必要があります。秘密の期間が経過した後、秘密意匠の内容が意匠公報に掲載されて公表されれば、事前に警告をしなくとも差止請求ができ、過失の推定の規定も働きます。

六　登録までの手続

意匠制度は、他の産業財産権制度と似ている点もありますが、保護の対象である意匠の性質から、特別な扱い方をする点があります。

特許制度や商標制度との相違点は、①出願公開、出願審査請求制度、異議申立制度がないこと、②組物の意匠登録制度、関連意匠登録制度、秘密意匠登録制度等があること、③世界公知の制度を採用していること、④権利

図表3-1　登録までの手続

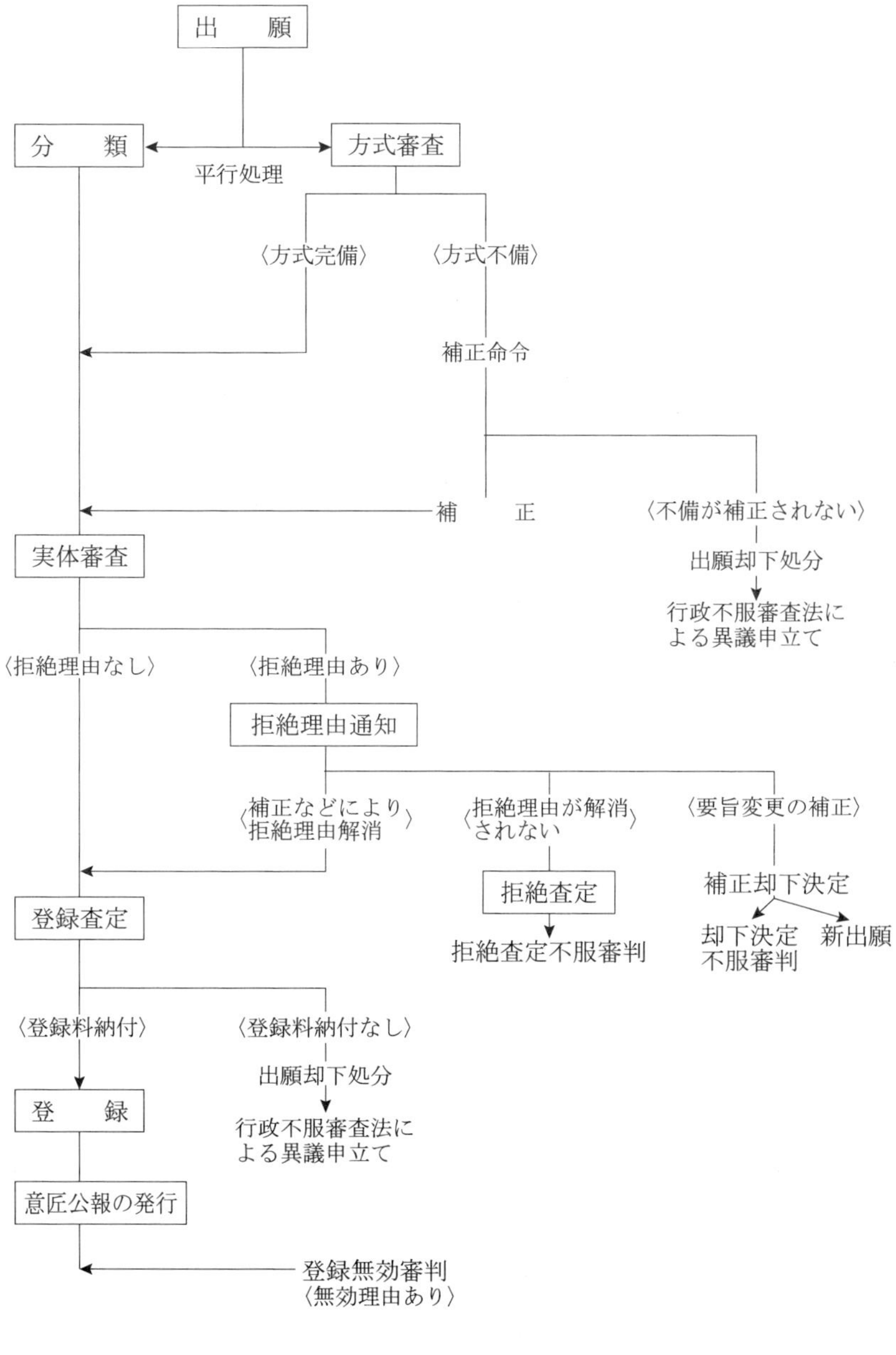
出　願
分　類
平行処理
方式審査
〈方式完備〉
〈方式不備〉
補正命令
補　正
〈不備が補正されない〉
出願却下処分
行政不服審査法による異議申立て
実体審査
〈拒絶理由なし〉
〈拒絶理由あり〉
拒絶理由通知
〈補正などにより拒絶理由解消〉
〈拒絶理由が解消されない〉
〈要旨変更の補正〉
拒絶査定
拒絶査定不服審判
補正却下決定
却下決定不服審判
新出願
登録査定
〈登録料納付〉
〈登録料納付なし〉
出願却下処分
行政不服審査法による異議申立て
登　録
意匠公報の発行
登録無効審判
〈無効理由あり〉

の存続期間について出願時からの制限はないこと、⑤一年分の登録料納付によって意匠権の設定登録がなされることなどが主な点です。

意匠登録までの手続も、意匠の特殊性を反映しています。

1　登録出願

意匠登録出願は、経済産業省令で定めるところにより、意匠ごとにします（意法七条）。

令和元（二〇一九）年の改正により、物品区分による意匠登録出願が廃止され、また組み物の意匠登録出願の範囲が拡大されました（意法七条、八条）。

また、施設の内部の設備及び装飾を構成する物品、建築物又は画像に係る意匠が、内装全体として統一的な美感を起こさせるときは、一意匠として出願をし、意匠登録を受けることができるとされました（意法八条の二）。

意匠登録を受けようとする者は、願書に図面を添付して特許庁長官に提出します。

(1)　願　書

願書には、次の事項を記載します（意法六条）。

〔意匠に係る物品又は建築物若しくは画像の用途〕物品等の用途が明確に理解され、普通に使用されている物品等の名称を記載します。

〔意匠の創作をした者〕

〔意匠登録出願人〕

〔代理人〕

〔添付書類又は添付物件の目録〕

〔意匠に係る物品の説明〕ここには、物品の使用目的、使用の状態など物品の理解を助けることができるような説明を記載します。

〔意匠の説明〕ここには次の事項を記載します。

① 意匠に係る物品の記載や図面からその意匠の属する分野における通常の知識を有する者が、材質、大きさを理解できないため意匠を認識できないときは、その材質や大きさを記載します。

② 意匠に係る物品の形状、模様又は色彩がその物品の有する機能に基づいて変化するときは、その説明を記載します（動く玩具のように形状が変化することがあっても、形状が異なるごとに出願せずに一出願とすることができます）。

③ 意匠に色彩を付するときは白色又は黒色のうち一色について彩色を省略できますが、省略するとき

図表3-2　願　書

【書 類 名】 意匠登録願
【整理番号】
(【提出日】 令和　　年　　月　　日)
【あ て 先】 特許庁長官　　　殿
【意匠に係る物品】
【意匠の創作をした者】
　　【住所又は居所】
　　【氏名】
【意匠登録出願人】
　　【識別番号】
　　【住所又は居所】
　　【氏名又は名称】
　(【国籍】)
【代 理 人】
　　【識別番号】
　　【住所又は居所】
　　【氏名又は名称】
(【手数料の表示】)
　　(【予納台帳番号】)
　　(【納付金額】)
【提出物件の目録】
　　【物件名】 図面
【意匠に係る物品の説明】
【意匠の説明】

は、その旨を記載します。

④　意匠に係る物品が透明であるときは、その旨を記載します。

(2)　図　面

意匠登録出願で最も重要なのは、意匠登録を受けようとする意匠を記載した図面です。

図面には次のように意匠を表します。

①　立体は、正投影図法により作成した正面図、背面図、左側面図、右側面図、平面図、底面図よりなる六面図をもって表します。

②　平面的な意匠は、表面図及び裏面図をもって表します。

③　右①、②で意匠を十分表現できないときは、展開図、断面図、切断部端面図、斜視図、動き・開きなどの変化の状態が分かるような図面などを加えます。

なお、平成一〇（一九九八）年の法改正に対応して、図面の多様化・簡素化が行われ、①の六面図の一部を等角投影図法により作成した図又は斜投影図法により作成した図に代えること、図に立体を表現する陰を記載すること、コンピュータグラフィックス（CG）で図面を作成することなどが認められるようになりました。

(3)　図面の代用

図面に代えて、意匠が明瞭に表される場合には写真を、容易に変質・変形せず、取扱い・保存に不便でない場合にはひな形又は見本を提出することができます。これらの場合には、何を提出するのか願書に記載します。

(4)　特徴記載書

出願人の選択による任意の手続として、出願に係る意匠の特徴を文章等で記載した特徴記載書を提出することができます（意施規五条の二）。審査や審判の迅速化を図ること、また、第三者に登録意匠の創作の意図を知らせる意味があります。ただし、審査官・審判官は類否判断や拒絶の理由にその記載内容を直接用いることはできません。

2 補正

出願書類は出願当初から完全であることが望ましいのですが、出願後に願書の記載事項や添付図面を補充したり訂正する必要が生ずる場合もありますので、補正が認められています（意法六〇条の三、同六八条二項で準用する特法一七条三項・四項）。

しかし、全く自由に補正ができることにすると、先願主義に反し、後願者に不利益を及ぼすばかりでなく、円滑な審査に支障をきたすおそれがあります。そこで意匠法は、補正のできる時期と内容について一定の制限を設けています。

(1) 補正のできる時期の制限

① 自発補正

意匠登録出願、請求その他意匠登録に関する手続をした者は、事件が審査、審判又は再審に係属している場合に限り、その補正を自発的にすることができます（意法六〇条の三）。

② 補正命令に基づく補正

補正命令に基づく補正は、原則として指定期間内にしなければなりません（意法六八条二項で準用する特法一七条三項・四項）。

指定期間内に補正をしないときは、出願却下処分がなされます（意法六八条二項で準用する特法一八条）。

(2) 内容による制限

補正命令に基づく補正は、その命令の趣旨に適合した補正をしなければならないことはいうまでもありません。内容による制限として問題となるのは、出願の実質的内容を変更する場合です。

出願の実質的内容を変更する場合のことを通常「要旨変更」と呼んでいます。

要旨変更は、願書に添付した図面、写真、ひな形、見本、願書に記載した意匠に係る物品名、意匠の説明、物品の説明の要旨を変更した場合に生じます。具体的に何が要旨変更かは難しい問題です。

例えば、意匠に係る物品名の表現形式を単に変えるのではなく実質的に変更することは、物品が変われば意匠も変わるということができますから、その場合には要旨変更と判断されることが多いでしょう。

要旨変更に対する意匠法の規定は、その事実を発見した時期によって異なっています。

① 審査の段階で発見されたとき

審査の段階で要旨変更が認められたときは、審査官は、決定をもってその補正を却下します（意法一七条の二第一項）。この補正却下の決定は、書面で行われ、理由が付されます（意法一七条の二第二項）。

補正却下の決定に対して出願人は、却下決定の謄本の送達のあった日から三〇日以内に補正後の意匠について新たな意匠登録出願をするか（意法一七条の三）又は補正却下の決定に対する審判を請求をすることができます（意法四七条）。

新たな意匠登録出願がなされたときは、その出願は手続補正書を提出した時にしたものとみなされ（意法一七条の三第一項）、また、もとの意匠登録出願は取り下げたものとみなされます（意法一七条の三第二項）。

② 登録後に発見されたとき

意匠権の設定登録後に補正が出願の要旨を変更すると認められたときは、その補正について手続補正書を提出した時に意匠登録出願があったものとみなされます（意法九条の二）。

要旨変更となる補正に基づいて行われた登録は無効とすることも考えられますが、そうすると権利者に酷なこともあるので、このような規定が設けられているわけです。

出願の時点が繰り下がる結果、当初の出願の時と手続補正書を提出した時の間に新規性の喪失事由や他人の出願がある等のため、無効審判により登録が無効とされることもあります。

なお、意匠法には訂正審判の制度はありません。

3 審査

意匠登録出願の実体審査は、審査官によって行われます（意法一六条）。そして、意匠法は、特許法と同様に、審査の公正を確保するため、審査官の資格や審査官の除斥の制度を定めています。

審査は、方式審査と実体審査に分けられます。

(1) 方式審査

出願が受け付けられると、まず出願書類が意匠法令に定める形式的要件を具備するかどうかが審査されます。手続的要件及び出願としての体をなさず、不備な形式の補正を許すことになると第三者の権利を害することとなるような重大な瑕疵を伴う出願は、特許庁長官により却下処分に付されます。

軽微な瑕疵にすぎない出願書類は受理されますが、特許庁長官より補正命令が下されます。指定された期間内に補正書を提出しないと、出願却下処分がなされます。

これらの処分について不服があるときは、行政不服審査法に基づく異議申立てをすることができます。

⑵ 実体審査

意匠登録出願の実体審査は、特許出願のように出願審査の請求を待たなければならないということはなく、形式的要件などを具備したすべての出願について登録要件を具備するかどうかの実体審査が行われます。

意匠登録出願の審査では、出願公開制度が採用されていません。意匠法が出願公開制度を採用しなかった理由は、意匠は流行に左右されやすいので審査を迅速化して早く権利を付与すべきこと、意匠は物品の外観であるため人の目に触れればすぐ模倣されやすいのでこれを防止する必要があること、など意匠の特別な性質から、意匠を審査の段階で公表することによって得られる利益よりも公表しないことによって得られる利益のほうが大きいと判断されたためであると説明されています。

審査官は、拒絶の理由を発見しないときは、登録すべき旨の査定をします（意法一八条）。

登録拒絶の理由は、次のとおりです（意法一七条）。

① 意匠登録の要件（意法三条、三条の二）を満たしていないとき
② 意匠登録を受けることができない意匠であるとき（意法五条）
③ 組物の意匠登録の要件（意法八条）を満たしていないとき
④ 先後願の関係についての規定に違反するとき（意法九条一項・二項）
⑤ 関連意匠の登録要件（意法一〇条一項・二項）を満たしていないとき
⑥ 登録を受ける権利が共有であるにもかかわらず共同で出願していないとき（意法一五条一項で準用する特法三八条）
⑦ 権利能力のない外国人が出願したとき（意法六八条三項で準用する特法二五条）
⑧ 条約により登録し得ないとき
⑨ 一意匠一出願の規定に違反したとき（意法七条）

⑩　冒認出願のとき

審査官が拒絶の理由に該当すると判断したときは、拒絶の理由を通知して、出願人に反論の機会が与えられます。出願人は、拒絶理由に対して意見書を提出してこれに反論することができます。また、補正によって拒絶の理由を解消できる場合もあります。

場合によっては、出願の分割や出願の変更によって権利を得られることもあります。

拒絶の理由が解消されないときは、審査官が拒絶すべき旨の査定をします。

出願人は、拒絶査定に不服があれば審判請求をすることができます（意法四六条）。

4　登　録

(1)　設定の登録

意匠権の設定登録は、登録査定がされた後、意匠権の設定登録を受ける者により一年分の登録料が納付されたときに行われます（意法二〇条）。

設定登録を受けるための登録料の納付期限は、登録すべき旨の査定又は審決の謄本の送達があった日から三〇日以内です。この期間は登録料を納付すべき者の請求によって三〇日以内の範囲で延長が認められます。

納付期間内に登録料の納付がないときは、出願却下処分がなされます。

設定登録がされると、意匠権が発生します（意法二〇条一項）。次いで特許庁長官は意匠権者に意匠登録証を交付します（意法六二条）。登録証には意匠の創作をした者の氏名が記載されます。

設定登録がされると、登録意匠を掲載した意匠公報が発行される（意法二〇条三項）ほか、出願書類を閲覧できるようになります（意法六三条）。ただし、秘密意匠については閲覧できません（意法六三条一項二号）。

意匠公報に掲載される事項は、次のとおりです。

①　意匠権者の氏名及び住所
②　意匠登録出願の番号及び年月日
③　登録番号及び設定登録の年月日
④　願書及び願書に添付した図面、写真、ひな形又は見本の内容

(2)　登録料

意匠権は、少なくとも一年分の登録料を納付しないと設定登録がされず発生しませんが、発生後も存続期間である二五年の各年について登録料を納付しないと消滅し

ます。

登録料は意匠権者だけでなく、利害関係人も納付することができます。

二年分以後の各年分の登録料は、前年以前に納付します（意法四三条二項）。

前年以前に納付できないときは、その期間経過後六か月以内に、通常納付すべき登録料のほかにこれと同額の割増登録料を追納すれば、意匠権の消滅から救済されます（意法四四条）。

また、追納期間内に割増しを含む登録料を納付できなかったことについて正当な理由があるときは、その理由がなくなった日から二月以内で、追納期間経過後一年以内であれば、正規の登録料に割増し登録料を加えて納付することにより意匠権の回復が認められます（意法四四条の二）。追納期間経過後回復の登録前の第三者の当該意匠の実施行為に関しては、この措置により回復した意匠権の効力が制限されます（意法四四条の三）。

七　意匠権

意匠権は、独占排他的に業として登録意匠及びこれに類似する意匠の実施をすることができる権利です（意法二三条）。

1　存続期間

意匠権の存続期間について、意匠登録出願の日から二五年とされました（意法二一条。令和元年改正）。

2　意匠権の効力

意匠権には、他の産業財産権と同様に、独占的効力と排他的効力があり、その侵害に対しては、差止めや損害賠償請求等が認められています。

(1)　独占的効力

意匠権の効力は、意匠権者が、業として登録意匠及びこれに類似する意匠の実施をする権利を専有することを中心的内容としています（意法二三条）。

「意匠の実施」とは、意匠に係る物品を製造し、使用し、譲渡し、貸渡し、輸出し、若しくは輸入し、又はその譲渡若しくは貸渡しの申出（譲渡又は貸渡しのための展示を含みます）をする行為をいいます（意法二条三項。平成一八年改正）。

「専有する」とは、自己のためにする意思で物を所持する「占有」とは全く異なり、意匠権者だけが独占的に実施する権利をもつことをいいます。その結果、意匠権者の意思に基づくか又は法律上認められた実施権を有する者以外の者が実施すると、意匠権を侵害することになります。

独占的に実施できる範囲は、登録意匠及びこれに類似する意匠です。意匠権の効力を登録意匠だけではなく、これに類似する意匠にまで及ぼさせ、意匠権の保護が強化されています。そして、平成一八（二〇〇六）年の法改正で、登録意匠とそれ以外の意匠が類似であるか否かの判断は、需要者の視覚を通じて起こさせる美感に基づいて行うものとされました（意法二四条二項）。

登録意匠の範囲は、願書の記載及び願書に添付した図面に記載され又は願書に添付した写真、ひな形若しくは見本により表された意匠に基づいて定められます（意法二四条一項）。なお、登録意匠の範囲と登録意匠に類似する意匠の範囲は別個に判断されます。

登録意匠及びこれに類似する意匠の範囲について争いがある場合には、特許庁に対し、鑑定の性質をもつ判定を請求することができます（意法二五条）。

ここで判断されるのは、ある意匠が美的印象の点から判断して、登録意匠及びこれに類似する意匠の範囲に入るか否かという事実上の判断です（最高昭四七・七・二〇判・昭四六（オ）四一〇、民集二六―六―一二一〇）。

(2) 排他的効力・差止請求権

意匠権は登録意匠及びこれに類似する意匠を独占的に実施できることを内容とするので、この独占的実施を侵害していたり侵害するおそれがあるときは、意匠権者は自己の意匠権を侵害する者又は侵害するおそれがある者に対し、その侵害の停止又は予防を請求することができます（意法三七条一項）。

登録意匠又はこれに類似する意匠に係る物品の製造にのみ使用する物を、業として製造・販売するような行為は、直接意匠権を侵害するものではありませんが、間接侵害として意匠権を侵害するものとみなされます（意法三八条）。

右の物にはプログラム等が含まれます（平成一四（二〇〇二）年改正）。意匠に係る物品には無体物たるプログラム等は含まれませんが、間接侵害に係る物には、当該意匠に係る物品を製造するために使用する機械を制御するプログラム等が含まれ得るとされています。

令和元（二〇一九）年改正で登録可能とされた建築物

及び画像の意匠について、侵害とみなす行為については、登録意匠又はこれに類似する意匠に係る建築物の建築にのみ用いる物品やプログラム等の製造、譲渡又は画像の作成にのみに用いる物品、画像等の製造、譲渡等が追加されました（意法三八条四号～九号）。

また、模倣品対策として、登録意匠又はこれに類似する意匠に係る物品の製造に用いる物（日本国内において広く一般に流通しているものを除く）であって当該登録意匠又はこれに類似する意匠の視覚を通じた美感の創出に不可欠なものにつき、「その意匠が登録意匠又はこれに類似する意匠であること及び当該物がその意匠の実施に用いられることを知りながら」、業として、当該製造に用いる物の製造等をする行為を侵害とみなすと改正されて、取締まりを回避する目的で、侵害品を構成部品に分割して製造、輸入する行為も侵害とみなされました（意法三八条二号）。

侵害の停止又は予防の請求と併せて、意匠権者は侵害の行為を組成した物の廃棄、侵害の行為に供した設備の除却、その他の侵害の予防に必要な行為を請求できます（意法三七条二項）。

なお、平成一一（一九九九）年及び同一六（二〇〇四）年の法改正により、侵害行為の立証の容易化等が図られました（意法四一条で準用する特法一〇四条の二～一〇五条の七）。

(3) 損害賠償請求権等

平成三〇（二〇一八）年の改正で、書類提出命令に係る手続の拡充として、インカメラ手続（裁判所のみが書類を見ることにより行う手続）が拡大されました（意法四一条準用特法一〇五条二項等）。

意匠権を侵害された者は、侵害者に対し、損害賠償請求（民法七〇九条）、又は不当利得返還請求（同七〇三条、七〇四条）、信用回復措置請求（意法四一条で準用する特法一〇六条）をすることができます。

損害賠償請求における立証責任は請求者にあるのが原則ですが、この立証が一般に困難なため、意匠法では、損害額の推定などの規定（意法三九条）と過失の推定の規定（同四〇条）を設けて、意匠権の保護を強化しています。

令和元（二〇一九）年の改正で、侵害行為により生じた損害の賠償額の算定方式の見直しがされました。

侵害者が譲渡した物の数量に基づく損害額の算定については、意匠権者又は専用実施権者（以下「意匠権者等」

という）が侵害者の譲渡した数量を立証した場合には、これに意匠権者等の単位当たりの利益額を乗じて得た額を基本とし（意法三九条一項一号）、この額に加えて、意匠権者等の実施の能力を超え製造又は販売することができない事情に相当する数量があるときは、これらの数量に応じた登録意匠の実施に対し受けるべきライセンス料相当額を損害の額に加えることができるとされました（意法三九条一項二号）。

侵害行為により利益を受けているときは、その利益額が損害の額と推定されます（意法三九条二項）。その例として「侵害者と権利者のみが登録意匠を実施した物品を製造、販売していた場合、侵害者が製造した数量に利益額を乗じた額を損害額とする。」とした判決（東京地昭三八・一一・三〇判・昭三六(ワ)五五〇四、判タ一四一―一七八）があります。

また、登録意匠又はこれに類似する意匠の実施に対して受けるべき金銭の額に相当する額を、損害額として賠償を請求できます（意法三九条三項）。

実施料を得ていた権利者は、侵害者の行為によって実施権者が受けた販売上の減少額に実施料率を乗じた額を、実施料に相当する金額の得べかりし利益の喪失として賠償を請求でき（東京地昭三八・一〇・一二判・昭三七(ワ)一〇四七七、判タ一五四―一三二）、実施料相当額を販売価格の五％と認めるのが相当とされた事例もあります（東京地昭四七・六・二六・昭四一(ワ)八七八五、取消集一八五）。

平成一一（一九九九）年の法改正により、販売数量等の事実の立証が困難であるときは、裁判所は相当な損害額の認定をすることができるとして、証明度の軽減が図られました（意法四一条で準用する特法一〇五条の三）。

3　意匠権の効力の制限

意匠権の効力は、他に公益的事由がある場合、他人の権利と利用・抵触関係にある場合、実施権がある場合及び再審により回復した場合には制限を受けます。

(1)　他に公益的事由がある場合

次の実施又は物には、公益上の理由から、意匠権の効力が及ばないことになっています（意法三六条で準用する特法六九条一項・二項）。

① 試験又は研究のためにする登録意匠又はこれに類似する意匠の実施

② 単に日本国内を通過するにすぎない船舶若しくは

航空機又はこれらに使用する機械、器具、装置その他の物

③　意匠登録出願の時から日本国内にある物

(2)　他人の権利と利用・抵触関係にある場合

意匠権、特許権、実用新案権、商標権、著作権は、それぞれ異なった目的と要件の下で発生するため、一方の権利の客体の一部又は全部が、他方の権利の客体となる場合もあり得ます。このような場合、意匠法は、先願の他人の権利の客体を利用するとき又は先願の他人の権利と抵触するときには、登録意匠及びこれに類似する意匠の実施をできないこととし、意匠権の効力を制限しています（意法二六条）。

ここで「利用」とは、二つの権利の間で、権利の客体は重複しないけれども、一方の権利の客体を実施しようとすれば必然的に他方の権利の客体を実施しなければならない場合をいいます。

意匠の利用について裁判例では、「ある意匠がその構成要素中に他の意匠又はこれに類似する意匠の全部を、その特徴を破壊することなく、他の構成要素と区別しうる態様において包含し、この部分と他の構成要素との結合により全体としては他の登録意匠とは非類似の一個の意匠をなしているが、この意匠を実施すると必然的に他の登録意匠を実施する関係にある場合をいう。」（大阪地昭四六・一二・二二判・昭四五（ワ）五〇七、無体三―二―四一四）としています。先願に係る自動車用タイヤの登録意匠があり、後願がそのタイヤを用いた乗用自動車の登録意匠である場合などがその例です。意匠権と特許権、実用新案権との間にも利用関係が生ずるので、意匠権の

利　用

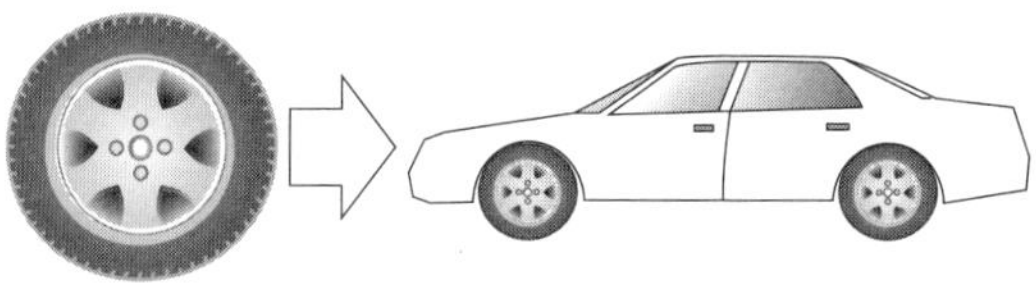

抵　触

効力が制限されます。

「抵触」とは、二つの権利の間で、権利の客体が重複する場合をいいます。

先願の意匠と後願の意匠が重複する場合は後願の意匠が登録されませんので、このような場合についての意匠権の効力を制限する規定はありません。ただし、先願の意匠権と後願の登録意匠に類似する意匠の意匠権との間には抵触の問題を生じます。

意匠権と特許権、実用新案権との抵触は、ある物品について、その形状の技術的効果の面に特許権又は実用新案権が設定され、その形状の美的な面に意匠権が設定されている場合に生じ得ます。

意匠権と商標権との抵触は、ある物品の模様などが美感を起こさせると同時に、商品の出所を表示する場合に生じ得ます。

意匠権が他人の先願に係る意匠権、特許権又は実用新案権と利用・抵触関係にある場合には、登録意匠及びこれに類似する意匠の実施をすることができません。実施しようとする場合は、通常実施権の許諾を得る必要があります。許諾が得られないときは、特許庁長官の裁定を受けることができます（意法三三条）。

また、他人の先願に係る商標権又は先に発生した著作権と抵触する場合に実施しようとするときは、商標権者又は著作権者から登録商標の使用又は著作物の利用の許諾を得る必要があります。

意匠権に実施権がある場合にも意匠権の効力が制限されます。

(3) 実施権がある場合

実施権は、性質・内容の違いによって、専用実施権と通常実施権とに分けられます。

専用実施権は、設定行為で定めた範囲内で、業として登録意匠又はこれに類似する意匠の実施をする権利を専有します（意法二七条）。したがって、意匠権は設定行為で定めた地域・期間・内容の範囲内で独占排他的な効力の制限を受けます。設定行為で定めた範囲内では意匠権者といえども実施できません。

他人に専用実施権を設定していても排他的効力があり、意匠権者は、侵害者に対して損害賠償請求権、差止請求権、信用回復請求権の行使が認められるものと思われます（名古屋地昭四九・七・一二五判・昭四八(モ甲)七〇七、無体六—二—二〇二）。

通常実施権は、発生原因の違いによって、許諾による通常実施権、法定通常実施権、裁定による通常実施権の三つに分けられます。

① 許諾による通常実施権（意法二八条）

② 法定通常実施権

(i) 職務創作による通常実施権（意法一五条三項で準用する特法三五条）

(ii) 先使用による通常実施権（意法二九条）

(iii) 先出願による通常実施権（意法二九条の二）

(iv) 無効審判の請求登録前の実施による通常実施権（意法三〇条）

(v) 意匠権等の存続期間満了後の通常実施権（意法三一条、三二条）

(vi) 再審により回復した意匠についての通常実施権（意法五六条）

③ 裁定による通常実施権（意法三三条）

意匠法の通常実施権と特許法の通常実施権とでは少し異なるところがあります。意匠権の範囲には登録意匠に類似する意匠も含まれるので、意匠権相互間にも抵触関係が生じます。この場合、意匠法には先願又は同日出願の存続期間の満了した意匠権がそのまま実施できるようにするための通常実施権があります（意法三一条、三二条）。裁定による不実施の場合の通常実施権や裁定による公共の利益のための通常実施権が特許法にはありますが、意匠権は特許権ほど公益性が強くないと考えられているので、意匠法にはありません。その他の通常実施権は特許法とほぼ同じ内容です。

意匠権にいずれかの通常実施権がある場合には、通常実施権者の実施を排除できない限りにおいて意匠権の効力が制限されます。

なお、平成二〇（二〇〇八）年の改正で、意匠法にも仮専用実施権及び仮通常実施権の制度が導入され、平成二三（二〇一一）年の改正では、通常実施権及び仮通常実施権については登録を必要とせずに第三者に対抗できる当然対抗制度が導入されました（意法二八条、五条の二）。

(4) 再審により回復した場合

再審により回復した意匠権の効力は、意匠登録を無効とする審決が確定した後、再審の請求の登録前に、善意で登録意匠又はこれに類似する意匠を実施する行為には及びません（意法五五条）。

4 消滅

意匠権の消滅原因には、次の事由があります。

① 存続期間の満了（意法二一条）

② 相続人の不存在（意法三六条で準用する特法七六条一項）

③ 放棄（意法三六条で準用する特法九七条一項）

④ 登録料の不納（意法四四条四項）

⑤ 意匠登録無効審判による登録無効審決の確定（意法四九条）

八　審　判

意匠法の審判の種類は、拒絶査定不服審判（意法四六条）、補正却下決定不服審判（意法四七条）、意匠登録無効審判（意法四八条）の三種類です。

意匠法には、訂正審判の制度はありません。その理由は、意匠が物品の外形であって、登録意匠の範囲が願書の記載及び願書に添付した図面に記載され又は願書に添付した写真、ひな形若しくは見本により表された意匠に基づいて定められるので、訂正の余地がほとんどないからだと思われます。

1　拒絶査定不服審判

拒絶査定を受けた者は、拒絶査定に不服があるときは、その査定を取り消して登録を受けるため、審判を請求することができます（意法四六条一項）。拒絶査定不服審判の請求は、拒絶査定謄本の送達があった日から三月以内にします。原則として、この期間内に審判請求をしないと拒絶査定が確定します。

意匠法の拒絶査定不服審判手続は、審判前置の制度が採用されていないことを除き、特許法と同じです（意法五二条）。

2　補正却下決定不服審判

補正の却下の決定を受けた者は、補正の却下の決定に不服があるときは、その決定を取り消すため、審判を請求することができます（意法四七条一項）。ただし、補正後の意匠について新たな意匠登録出願をしたときは、審判を請求することができません。

補正却下決定不服審判の請求は、その決定の謄本の送達があった日から三月以内にします。

3 意匠登録無効審判

意匠登録に不服があるときは原則として、何人も、意匠登録無効審判を請求することができます（四八条一項・二項本文）。平成一五（二〇〇三）年の改正で、特許法と同様に、右のように請求人適格が緩和されました。また、平成二三（二〇一一）年の改正で、共同出願違反（意法一五条一項において準用する特法三八条）又は冒認出願を理由とするときは、真に登録を受ける権利を有する者のみが請求できることとしました（四八条二項）。

意匠登録無効審判は、意匠権が消滅した後も請求することができます（意法四八条三項）。

無効理由は、拒絶査定の理由とほぼ同じです。異なる点は、一意匠一出願の原則に反する場合等は、拒絶理由とされるのに対し無効理由とはされないこと、拒絶理由にはない後発的な理由としての無効理由には、登録後に意匠権を享有することができない者になったとき又はその意匠が条約に違反することとなったときがあることです（意法四八条一項四号）。

意匠登録を無効とする審決が確定すると、意匠権は設定登録の時にさかのぼって消滅します。後発的な理由によって無効にされたときは、その無効理由の発生した時にさかのぼって消滅します（意法四九条）。

4 再審及び訴訟

確定審決に対して、その当事者は、審判手続に重大な瑕疵があるような場合に、審決の取消しと再審判を求めるための不服申立方法として、再審の請求が認められています（意法五三条一項）。

審決に不服があるときは、審決を受けた者は訴えを提起できます。この訴えは知的財産高等裁判所の専属管轄とされています（意法五九条）。

意匠法の再審及び訴訟の規定は、特許法と同趣旨です。

九 罰則

意匠法は、侵害の罪、詐欺の行為の罪、虚偽表示の罪など特許法と同趣旨の罰則を定めています（意法六九条以下）。

平成一八（二〇〇六）年の改正で、意匠権の直接侵害に対する懲役刑の上限を一〇年、罰金額の上限を一〇〇〇万円に引き上げるとともに（意法六九条）、間接侵害については、それぞれ五年以下、五〇〇万円以下としました。また、産業財産権四法とも懲役刑と罰金刑の併科を導入し、法人科罰については一律三億円以下の罰金に引き上げられました（意法七四条）。

一〇　ハーグ協定のジュネーブ改正協定に基づく特例

我が国が、「意匠の国際登録に関するハーグ協定のジュネーブ改正協定」に加入するため、平成二六（二〇一四）年に意匠法が改正されました。

ハーグ協定のジュネーブ改正協定に基づく特例は、我が国のジュネーブ改正協定への加入に伴って、同協定に基づく国際出願を我が国の意匠法につなぐために設けられたものです。

ハーグ協定のジュネーブ改正協定は一九九九年に採択され、二〇〇三年に発効した、各国別にしなければならない出願手続を一回の国際出願手続で複数国への出願を可能とする意匠の国際登録に関する協定です。二〇〇八年にＥＵが加入し、二〇一四年七月には韓国が加入、アメリカにおいても加入準備が進められています。

同協定に基づいて出願すれば、ＷＩＰＯ国際事務局への一つの出願手続で、指定した締約国それぞれに出願した場合と同等の効果を得ることができ、手続の簡素化、コストの低減を図ることができます。

図表3-3　ジュネーブ改正協定に基づく出願ルート

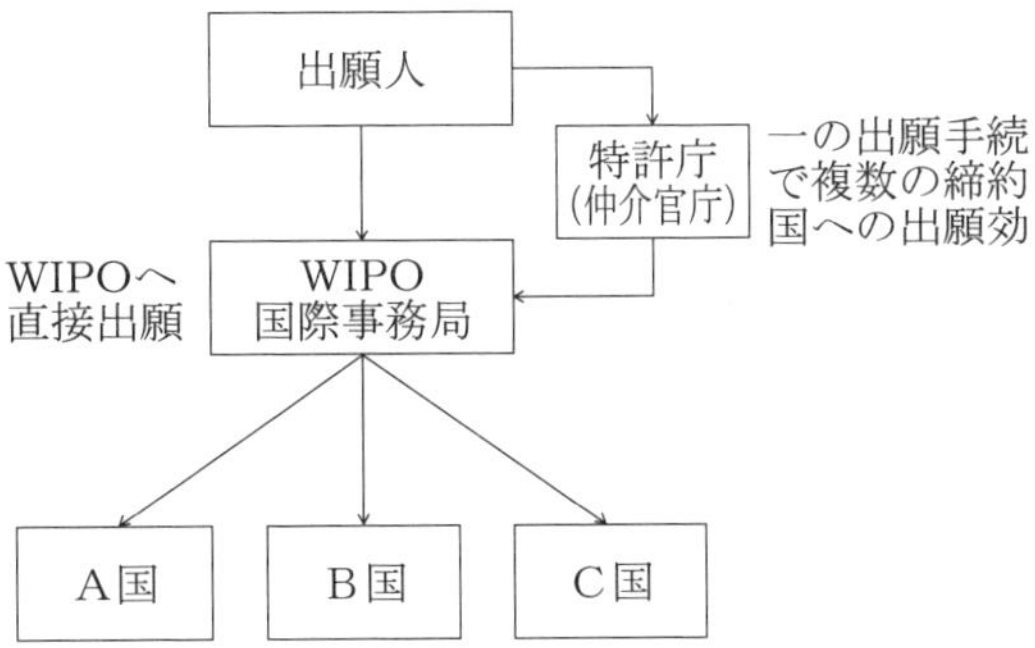

1　国際登録出願

日本国民等は、ＷＩＰＯ国際事務局へ直接出願するか、日本国特許庁を通じて国際出願をすることができます（意法六〇条の三。**図表3-3**参照）。保護を求める締約国を指定し、特許庁長官に「国際登録出願」をします。マドリッド協定議定書と異なり、基礎となる我が国での意匠登録出願や意匠登録（基礎出願又は基礎登録）は不要です。使用言語は英語、フランス語、スペイン語のいずれかで行うことができます。

2　国際意匠登録出願

我が国を指定締約国とする外国からの国際出願であって、その国際出願に係る国際登録について公表がされたものについては、その国際登録の日にされた意匠登録出願とみなされます（意法六〇条の六）。これを我が国では、「国際意匠登録出願」として国内出願と同様に扱われ、審査・審判の対象となります。

国際意匠登録出願が我が国で意匠登録されるときには、すでに国際公表されて意匠は公知になっているため、秘密意匠は適用されません（意法六〇条の九）。また当該公表による模倣被害を防ぐため、特許法六五条に倣い、補償金請求権を付与するなどの手当てがなされています（意法六〇条の一二）。

第4章

商標法のあらまし

一　商標法の目的

商標法は、商標を保護することにより、商標の使用をする者の業務上の信用の維持を図り、もって産業の発達に寄与し、併せて需要者の利益を保護することを目的とした法律です（商標一条）。他の三法、特許法、実用新案法、意匠法が人間の精神的活動の結果としての「創作」を保護することを目的とするのに対し、商標は、それ自体として創作性を必要とするものではなく、出所表示機能を通じて獲得する商標の使用をする者の業務上の信用の維持を図ることを直接の目的としています。特許法などが技術開発のインセンティブとしての役割をも有しているのに対し、そのような役割を有しない、商取引にかかわる企業活動などのルールを定めた法律が商標法といえるでしょう。商標を保護して取引秩序を確立することは、需要者の保護にもつながることになるわけです。

我が国の商標法は、登録主義をとっているので、商標が登録されればすべて商標権という独占排他権が発生する建前になっていますが、商標法は使用する商標の保護を目的としていることに注意すべきでしょう。そして、保護対象は、出所表示機能等を通じて商標に化体する信用（顧客吸引力・グッドウィル）といわれています。

二　商標・サービスマークとは

商標とは、従来「文字、図形、記号若しくは立体的形状若しくはこれらの結合又はこれらと色彩との結合（以下「標章」という。）」であって、業として商品又は役務に使用するものと定められていました。平成二六（二〇一四）年の改正で、右各標章に加え、新たに音の標章及び色彩のみからなる標章が導入されました。また、将来的に音や色彩以外の新しいタイプの商標に対応させるため「その他政令で定めるもの」を追加しました。

すなわち、改正後の商標法二条一項は「この法律で『商標』とは、人の知覚によって認識することができるもののうち、文字、図形、記号若しくは立体的形状若しくは色彩又はこれらの結合、音その他政令で定めるもの（以下「標章」という。）」であって、「業として商品を生産し、証明し、又は譲渡する者がその商品について使用するもの」（同一号）と定め、「業として役務を提供し、又は証明する者がその役務について使用するもの」（同二号）と定めています。一号がこれまでの商品に係る商標であり、二号が役務（サービス）に係る商標すなわちサービスマークです。

この定義についていくつか説明をしたいと思います。

第一に、構成要素が文字、図形、記号、立体的形状、色彩、音とされていることです。色彩については、従来、文字や図形等との結合でなければ認められませんでしたが、色彩のみの単色も認められることとなりました。文字、図形等は、以前から商標の構成要素ですが、これらが時間やホログラフィーその他の方法によって変化する商標（「動き商標」、「ホログラム商標」）も認められ、商標を商品等に付す位置が特定される「位置商標」も認められます。

第二に、商品を生産、証明、譲渡する者がその商品について使用するもの（商品に係る商標）であり、役務を提供、証明する者がその役務について使用するもの（役務に係る商標＝サービスマーク）でなければなりません。

この定義には商標の本質である出所表示機能ないし自他商品・役務の識別力について規定するところがないことから、現行商標法では商品やサービスについて使用された文字等はすべて商標であって、「値段」、「日本製」などの文字も商標ということになり、社会一般の商標とは異なるのではないかという批判があります。しかしながら、この批判は条文をそのまま形式的に解釈しており、商標が出所表示機能を本質としていることは疑いがなく、一条の商標法の目的、三条の登録要件とを併せ考えれば、二条の商標には出所表示機能が前提として含まれていると解釈すべきであると思われます。判決もこの見解に立っており（東京地昭五一・九・二九判・昭四七（ワ）九九一・無体八―二―四〇〇ほか）、この点、平成二六（二〇一四）年の改正で明らかにされました（商標三条一項三号、同二六条一項六号）。

二条三項では、「使用」とは、商品に標章を付する等の行為である旨定め（一号・二号）、三号～七号は、サービスマークについての「使用」を定めています。

サービスは、商品と異なって無形であるため、直接サービスについて標章を付する等の使用をすることができません。そこで、使用の実態に着目していくつかの「使用」の類型が定義されています。八号では、商品、サービスの両者について、広告等に標章を付して頒布する行為などをいう旨定めています。

平成二六（二〇一四）年の音の商標の導入で、音を実際に発する行為が使用の定義に追加されました（商標二条三項九号）。今後さらに保護対象が拡大した場合に備え、「政令で定める行為」を使用の定義に追加しました（商標二条三項一〇号）。

なお、平成一八（二〇〇六）年の改正で、「輸出」が商標の使用の定義に加えられました（商標二条三項二号）。

〔商標の使用行為の明確化〕 平成一四（二〇〇二）年の改正で、商標の使用の定義規定に、インターネット通信によるコンピュータ・プログラム等の譲渡の際に表示される標章が商品に係る商標の使用に含まれることとされました（商標二条三項二号）。無体物たるコンピュータ・プログラムや電子出版物等がネットワーク利用の進展により、CD-ROM等の記憶媒体を介さずインターネット通信上で直接ダウンロード可能となり、そのような取引が増大しました。商標法上商品とは、商取引の対象となる有体物と解されているため、コンピュータ・プログラムのダウンロードなど、電気通信回線を通じて提供する際に表示される標章が商品に係る商標の使用に当たることを明確にしたものです。

インターネット通信によるサービスの提供として、音楽のストリーミングサービス、オンラインバンキングなどの際にモニターやディスプレイなどに表示される標章もサービスマークの使用に含まれるとされました（商標二条三項七号）。商品やサービスの広告等として、モニターやディスプレイなどに表示される標章の使用も同様です（商標二条三項八号）。

また、立体商標制度の導入（平成八年改正）に伴い、商品等それ自体を標章の形状として表すことが使用に当たるとの解釈規定が設けられました（商標二条四項一号）。さらに、音の標章の場合には、音を記録媒体に記録することが、商品等に標章を付することになる旨規定されました（商標二条四項二号）。

商標法二条五項では、「登録商標」とは、商標登録を受けている商標をいう旨定めています。

〔新しいタイプの商標〕 平成二六（二〇一四）年の改正で新しいタイプの商標が登録可能となりました。導入が決まった新しいタイプの商標には、音の商標、色彩のみからなる商標のほか、動き商標、ホログラム商標、位置商標があります。動き商標とは、文字や図形等が時間の経過に伴って変化する商標のことであり、ホログラム

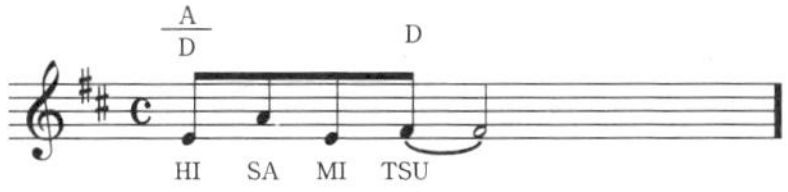

音の商標

（久光製薬）

色彩の商標

（トンボ：MONO消しゴム）

商標とは、文字や図形等がホログラフィーその他の方法による視覚効果により変化する商標のことです。また、位置商標とは、図形等を商品に付す位置が特定される商標をいいます。これら以外の新しいタイプの商標としては、香り（匂い）の商標、感触の商標、味の商標などがありますが、これらについても、国際的な動向や将来的な保護のニーズの高まりによって、今後政令で追加される可能性があります。

〔立体商標制度〕平成八（一九九六）年の改正で、立体商標制度が導入されました。立体商標とは、広告に供される店頭の立体人形などがそれに当たります。諸外国では既に立体商標を登録し、商標法で保護しています。我が国でも、平面商標に加え立体商標も登録可能となりました。立体的形状からなる商標でも、商標法上は商品・役務の識別標識として扱われますから、登録要件として、自他商品・役務の識別力を有すること及び不登録事由に該当しないものであることは基本的には平面商標の場合と同じです（商標三条、四条一項）。

しかし、立体商標には、商品自体の形状又はその包装・容器の形状でも該当するものがあるため、その機能を確保するための形状が限られ、だれがつくっても同じ形状にならざるを得ない商品などの形状のみからなる立体商標に商標権が付与された場合、商品自体などに独占権が生じたと同じこととなり、しかも更新可能な権利となってしまいます。このような弊害を避けるため、不登録事由として、機能を確保するために不可欠な立体的形状のみからなる商標は登録しない旨の規定が設けられていましたが、新たに色彩のみや音からなる商標が導入されたため、「商品等が当然に備える特徴のうち政令で定めるもののみからなる商標」は登録しないと改められました（商標四条一項一八号）。

〔小売及び卸売業の役務商標〕平成一八（二〇〇六）年の改正で、小売及び卸売業者の使用する商標につい

歴　史

我が国では、特許より古い

商標制度は古く、古代にさかのぼるといわれています。しかしながら、古代のものは、陶器などの所有を表すものであり、今日的意味でのものではなかったようです。

今日的意味での商標制度は、一九世紀初めにフランスで、商標の盗用を私文書偽造の罪とし、さらに同国で一八五七年に一般的法律が出現して以降確立されたものとなり、アメリカ、ドイツなどにも一九世紀末に設けられました。

我が国における商標制度は、古代的意味でのそれを別とすると、明治初期に高橋是清が中心となり立案作業を進め、明治一七年に制定された商標条例が最初のものです。これは、特許・意匠などを含め、我が国で実際に施行された最初の産業財産権法規であったことが注目されましょう。本則二四条の簡単なものですが、登録主義、存続期間（一五年）と更新、先願主義、商品類別（六五種類）など基本的枠組みは整っていました。

その後、明治二一年の商標条例、同三二年の商標法、同四二年の商標法を経て、大正一〇年に他の三法とともに大改正が行われ、出願公告と異議申立制度の採用、商標の↖

の特例（ただし、対象は一部）を定めるものとして、工業所有権に関する手続等の特例に関する法律が制定されています。

平成三年には、サービスマーク登録制度を新設するための改正商標法が公布され、同四年四月一日から施行されました。

平成八年には、商標法条約への対応、不使用登録商標対策、早期権利の付与、著名商標の保護及び経済活動の活性化支援のため、また、同一一年にはマドリッド協定議定書に加入するため、改正されました。

平成一六年には、地域団体商標制度新設のための改正法が公布されて、平成一八年四月一日に施行されました。

平成一八年には、小売業者等が使用する商標を役務商標として保護することとし、団体商標の主体にその他の社団が追加されました。また、商標の使用の定義に輸出を追加し、商標権侵害罪の量刑を引き上げ、法人重課の罰金額を引き上げるなど刑事罰を強化する改正が行われました。

平成二〇年には、拒絶査定に対する審判及び補正の却下の決定に対する審判の請求期間が三月以内に拡大され、設定登録料及び更新登録料が引き下げられました。

平成二三年には、登録要件のうち、商標権消滅後一年間保護を類似商品にも及ぼすこととしました。

さらに、第二次大戦後、経済復興と経済発展に対応するため、昭和二五年以来検討が行われ、他の三法とともに、同三五年に施行されました。

主な改正点は、商標権の自由譲渡性を認めたこと、存続期間を二〇年から一〇年に短縮したこと、防護標章制度を創設したことなどです。

この三五年法は、出願の増加に対処するため、昭和五〇年に、不使用取消審判における立証責任の転換、更新登録出願時における出願時前三年以内に不使用の商標の更新登録の拒絶などを内容とする改正が行われました。

平成二年には、ペーパーレス計画の実施に伴い、商標法の他人の登録排除規定を削除し、政府等以外の者が開設する博覧会について、特許庁長官が指定する制度を廃止し、特許庁長官の定める基準に適合する博覧会に改められました。

平成二六年には、色彩のみや音からなる商標が保護対象として追加され、地域団体商標の登録主体に商工会、商工会議所及びＮＰＯが追加されました。また、需要者が何人かの業務に係る商品又は役務であることを認識することができる態様により使用されていない商標に対しては、商標権の効力が及ばない旨が規定され、判例上の法理が立法化されました。


て、事業者の利便性向上や国際的制度の調和の観点から、これを役務商標として保護する制度が導入されました。

小売業者等は、商品の販売を促進するために、需要者による商品選択が容易となるようなサービス活動を行っています。しかし、このようなサービスは、商品を販売するための付随的な役務であり、対価は商品価格に転嫁して間接的に支払われ、サービス自体が独立して取引の対象となっているわけではないため、商標法上の役務には該当しないとされてきました。そのため、小売業者等が使用する商標について商標法上の保護を求める場合は、その取り扱う商品と関連して商品商標として登録を受ける必要があったわけです。しかし、商標が使用されているというためには、商品・役務に関連して使用されていなければならないところ、商品商標により保護される商標権は、一般的な小売サービスの商標の使用態様に十分対応できていないという問題が指摘されていました。

アメリカやイギリス、欧州共同体商標意匠庁（ＯＨＩＭ）ではすでにサービスマークとしての保護を認めています。また、ニース協定第九版においても、小売店等により提供されるサービスが役務に含まれることが明記されました（国際分類第三五類）。そこで、我が国においても小売及び卸売の業務において行われる「顧客に対する便益の提供」を商標法上の役務に含め、小売業者等により使用される商標を商標法上の役務商標として保護することとされました（商標二条二項）。

商品を取り扱い販売する小売及び卸売業であれば、デパート、コンビニエンスストア、家電量販店などの総合小売店や、靴屋、本屋、八百屋などの専門店により提供される顧客に対して行う便益の提供が含まれます。また、通信販売業者、インターネット業者等によるものも含まれます。

〔団体商標制度〕 団体商標とは、商品の共通の特徴（産地の自然・風土などに由来する品質的特徴など）などを表示してその品質を証明するために使用する商標で、一定の構成員を要する団体が所有し、団体が定める規約に従い、その構成員が使用するものです。団体商標の保護はパリ条約の義務でもあり（パリ条約七条の二）、我が国では、旧商標法（大正一〇年法）に団体標章制度がありましたが、現行商標法の制定時に通常使用権制度で実質的に団体商標の保護が可能であるとして、廃止された経緯があります。旧商標法時代には、団体標章として「信州味噌」、「小城羊羹」、「磯部煎餅」などが登録されました。

平成八（一九九六）年の改正で、明文の規定を有する諸外国との国際的な調和、使用しない出願人・団体と三条一項柱書の規定の問題の解消及び近時の地域興しに係る特産品のネーミングの支援の観点から、団体商標制度が明文化されました。

団体商標の性格から、団体商標を所有することができる団体は、民法三四条の社団法人、事業協同組合などの法定の組合（法人格を有するもの）及びこれらに相当する外国の法人のみに限られていましたが、平成一八（二〇〇六）年の改正で、その他の社団（法人格を有しないもの及び会社を除く）が追加されました。その他の社団には、商工会議所、商工会、ＮＰＯ法人等特別の法律により法人として設立された社団が含まれ、団体商標として登録を受ける商標は「構成員に使用させる商標」とされています（商標七条一項。平成一八年改正）。これらの法人であることを証明する書面を出願の際又は登録後団体商標に係る商標権として移転するときに、特許庁長官に提出しなければなりません（商標七条三項、二四条の三第二項）。

団体商標についても、識別力に関する登録要件及び不登録事由の適用は、通常の出願商標と同様ですが、使用意思に関する商標法三条一項柱書は「構成員」について適用されます（商標七条二項）。

団体が登録を受けたときは、その団体の構成員には、原則として当該団体商標を使用する権利が認められ、使用権の許諾を受ける必要はありませんが、団体の規約で団体商標に関し定めがあるときはそれに従わなければなりません（商標三一条の二）。構成員は、取消審判などにおいては通常使用権者とみなされます（商標三一条の二第三項・四項）。

なお、団体商標に係る商標権は、団体商標を所有できる団体以外の者に移転されたときは、通常の商標権に変更されたものとみなされます（商標二四条の三第一項）。

〔地域団体商標制度〕 平成一七（二〇〇五）年の改正で、地域産業の活性化や地域興しの観点から、地名と商品又は役務の名称等からなる商標について、地域団体商標として商標登録を受けることができることとなりました。

地名と商品等の普通名称等からなる商標が、その地域と密接に関連する商品等に使用されて、一定の需要者の間に広く認識されている場合には、事業協同組合その他の組合は、地域団体商標として登録を受けることができるとするものです。近年では、商工会、商工会議所及び特定非営利活動法人（ＮＰＯ）がいわゆる「ご当地グルメ」なる新たな地域ブランド普及の担い手となっていることにかんがみ、平成二六（二〇一四）年の改正で、これらの団体にも登録主体として地域団体商標の登録を受けることができるよう追加されました（商標七条の二第一項）。

従来、これらの商標は、自他商品・役務識別力がなく商標法三条一項三号・六号に該当するとして、原則、登録を受けることができませんでした。また、使用による顕著性（商標三条二項）を獲得した場合には登録を受けることができますが、全国的な知名度を求められることから、登録を受けるのは容易ではありませんし、その間は他人の便乗使用を排除できませんでした。

そこで、地名と商品等の普通名称等からなる商標が、その地域との密接な関連性を有する商品等に使用されて一定程度の周知性を獲得した場合には、地域団体商標として登録を認め、地域ブランドのより適切な保護を図るため、地域団体商標制度が新設されました（商標七条の二）。

商標登録を受けることができる者は、事業協同組合、農業協同組合等の特別の法律により設立された法人のほか、商工会、商工会議所及び特定非営利活動法人（NPO）並びにこれらに相当する外国の法人に限られます。法律上、構成員についての加入の自由が保障されていることが必要で、構成員に使用させる商標であることが要件となります（商標七条の二第一項、三条一項柱書、七条の二第四項）。

商標は、使用の実績により、出願人である団体又はその構成員の業務に係る商品等を表示するものとして需要者の間に広く認識されている場合、すなわち周知性を獲得していれば、登録が認められます（商標七条の二第一項柱書）が、周知性については全国的には至っていなくとも、隣接都道府県に及ぶ程度の周知性で足りるとされました。

地域団体商標として登録を受けることができる商標の構成は、①○○りんご、○○みかんのように、地名と商品等の普通名称を普通に用いられる方法で表示する文字のみからなる商標（商標七条の二第一項一号）、②○○焼、○○織のように、地名と商品等の慣用名称を普通に用いられる方法で表示する文字のみからなる商標（商標七条の二第一項二号）、③本場○○織、特産○○キャベツのように、①又は②の文字に、産地等を表示する際に付される文字として慣用されている文字であって、普通に用いられる方法で表示するものを結合した商標（商標七条の二第一項三号）、の三類型があります。

これらの商標については、三条一項各号は、一号、二号を除き適用されませんが、他の不登録事由（商標四条一項各号）については適用されます。

地名は、商品又は役務と密接な関連性を有する地域の名称であることが必要で、現在の行政区画単位の地名ばかりでなく、旧地名、旧国名、河川名、山岳名、海域名等も含まれます。密接な関連性とは、商品の産地である場合、役務の提供の場所である場合、製法が地域に由来している場合、主要な原材料が地域において生産されている場合等が挙げられます（商標七条の二第四項）。

地域団体商標が登録された場合は通常の商標権であり、使用権や禁止権を有します（商標二五条、三七条）。しかし、出願される前から不正競争の目的なく継続して使用している商標については、周知性を有していないものであっても、その使用者に先使用権を認めています（商標三二条の二）。また、商標の表示されている態様から見て、商品の普通名称や産地・品質等を表示するものにすぎず、出所表示機能を果たしていないと認められる商標については、商標権の効力が及ばない範囲を規定する商標法二六条の規定がそのまま適用されると考えられます。

「喜多方ラーメン」の地域団体商標の登録性について知財高裁は、原告団体への加入状況やその構成員でない者が喜多方市外で喜多方ラーメン店を相当期間にわたって展開していること、「喜多方ラーメン」の文字を含む商標が登録され使用されている例が複数あることから、前記周知性の登録要件を満たさないとしました（知財高平二二・一一・一五判・平成二一（行ケ）一〇四三三　速報四二八―一六七七九）。

三　商標の機能

商標は、自らの商品と他人の商品とを、また、自らの役務と他人の役務とを区別するために用いられる標識であるといわれています。自己の製造又は販売に係る商品と他人の製造又は販売に係る同種の商品とを、また、自らが提供する役務と他人が提供する同種の役務とを区別する役目を果たします。商標は、自他商品・役務を区別する機能を有することによって、出所表示機能、品質保証機能、広告機能の三つの経済的機能を発揮します。

出所表示機能は、同一の商標を付した商品・役務は同一の製造者・提供者などに由来することを示すものです。この出所表示機能は、商標の機能のうちでも最も基本的なものと考えられます。このため、商標法は出所表示機能を有する商標を基本的登録要件として定めています（商標三条一項各号）。

品質保証機能は、同一の商標を付した商品・役務は同一の品質（役務の質）を有することを示すものです。先の出所表示機能は、この品質保証機能の裏付けがあってこそ、有効に働くものと考えられます。

広告機能は、商標が商品やサービスを広告・宣伝する作用を果たすというものです。この機能は、近年、テレビ・ラジオ・新聞・雑誌などの急速な発達、すなわち、広告媒体の多様化と拡大に伴い、重要性を増しています。

近時、技術革新が進み、あらゆる分野で商品が大量に生産されて市場に豊富に出回っています。企業間の技術格差もなくなり、品質や価格もほとんど差が見られなくなっています。また、最近の我が国におけるサービス取引の発展は著しいものがあり、各分野での競争が激化しています。

このような状況の下で企業は、一層自社商品・サービスの個別化・差別化を図る必要があるとされています。CI（Corporate identity）の導入もその一例です。

このようなことから、自他商品・役務の識別標識で右の三つの機能を有する商標は、商品・役務の個別化・差別化を図る意味で特に重要性が認識されるようになっています。

四　商標登録の要件

1　人的要件

商標法三条一項柱書は、「自己の業務に係る商品又は役務について使用をする商標については、」と定めています。ここで注意しなければならないことは、「使用をする」とは、商標を現実に使用している場合だけでなく、将来、商標を使用する意思がある場合を含むということです。

しかしながら、将来においても使用されない商標、すなわち、出願人が指定商品・役務に係る業務を行うことが法律上禁止されている場合や他人に使用させる目的では商標登録を受けることはできません。

なお、商標権という権利である以上、出願人が権利能力を有していなければならないことは当然です。

2　一般的登録要件（商標の識別性）

次に、一般的登録要件を充足していなければなりません。商標としての機能、すなわち、出所表示機能ないし自他商品・役務の識別力を備えているもののみが、法律による保護に値することは当然であり、商標法三条に規定されています。同条一項では、

① 商品又は役務の普通名称を普通に用いられる方法で表示する標章のみからなる商標（一号）
② 商品又は役務について慣用されている商標（二号）
③ 商品の産地、販売地、品質、原材料、効能、用途、形状（包装の形状を含みます）、生産若しくは使用の方法若しくは時期その他の特徴、数量若しくは価格又は役務の提供の場所、質、提供の用に供する物、効能、用途、態様、提供の方法若しくは時期その他の特徴、数量若しくは価格を普通に用いられる方法で表示する標章のみからなる商標（三号）
④ ありふれた氏又は名称を普通に用いられる方法で表示する標章のみからなる商標（四号）
⑤ 極めて簡単で、かつ、ありふれた標章のみからなる商標（五号）
⑥ 以上の①～⑤のほか、需要者が何人かの業務に係る商品又は役務であることを認識することができない商標（六号）

については商標登録を受けることができないと定めています。

商標法三条については、特別顕著性、自他商品・役務の識別力という商標の基本概念との関係で議論の多いところです。大正一〇（一九二一）年法では、「登録を受くることを得べき商標は、文字、図形若しくは記号又はその結合にして特別顕著なるものなることを要す。」と定めており、特別顕著性とはそもそもその商標の意義であるところの自他商品の識別力なのか否か、仮に自他商品の識別力と考えた場合、商標の構成要件なのか登録要件なのかなどの議論がありました。このため昭和三四（一九五九）年法では、特別顕著の語は用いずに、特別顕著性とは商標の有する自他商品の識別力であり、それは商標登録の要件であるとの考え方の下に、具体的内容を三条一項各号に列挙したわけです。

商標の自他商品・役務識別力は、使用される商品又は役務との関係で相対的なものです。例えば、商標「アップル」は、商品「りんご」との関係では普通名称で自他商品識別力がありませんが、これを「コンピュータ」に使用すれば自他商品識別力があります。

各号は、おおよそ法文を読めば分かると思いますので、ここでは、各号に該当する実例をいくつか紹介したいと思います。

まず、一号の商品又は役務の普通名称とは、取引界に

商標登録制度が存在しなければ

商標登録制度が存在しない場合には、「其久用ノ所以ヲ説キ其証ヲ挙ケ日子ヲ費シ心力ヲ労シ費用アリ損失アリ其権利伸張ヲ得ル容易ノ事ニアラス。」しかしながら、商標登録制度が存在すれば、「之ニ頼テ其証ヲ挙クルヲ以テ曲直判然費用ナク損失ナク依然其業ヲ営ミ殆ト傍看者の如クシテ可ナルノ鴻益アリ。」というものです（特許庁・万国工業所有権資料館蔵『高橋是清氏特許制度ニ関スル遺稿』第二巻所収の文書から）。

サービスマーク登録制度は、平成四（一九九二）年四月一日から新たに設けられたものですが、それまでは、不正競争防止法によって保護されていました。

平成三（一九九一）年の第一二〇回国会では、次のような審議がなされています。このやりとりは、右に見た制度創設当時の説明と驚くほど似ています。

「不正競争防止法による〔サービスマークの〕保護だけではどのような点に限界があるのか」という質問に対して、植松政府委員（当時特許庁長官）は、不正競争防止法では「自己の営業上の利益が害されるおそれがある」ということや、自己のサービスマークが「周知」であることを立証する必要がある点などを指摘した後、「……〔不正競争防止法による保護を求める場合には〕商標の登録による商標権の保護に比べますと、時間的にも金銭的にもかなりの負担をこうむるということになりますし、また、時間的におくれるために、被害の未然防止あるいは拡大の阻止に支障を来すというようなことになるわけでございます。御案内のとおり、商標法におきましては、マークを登録しておきますと指定商品あるいはその類似商品、サービスマークで申しますと指定または類似の役務、サービスにつきまして、他人がその登録マークを使用いたしますと直ちに商標権の侵害ということで差し止め請求等ができるということで、簡易、迅速な救済が図り得るということになるわけでございます。」（『第一二〇回国会衆議院商工委員会議録第一五号』平成三年四月二四日、一四ページ）

おいて、その商品又は役務の一般的な名称であると意識されるに至ったものです。例えば、「サニーレタス」はレタスの一種の普通名称、「ういろう」は菓子の一種の普通名称、「カンショウ乳酸」は有機酸の一種であるPH調製剤の普通名称であるとされています。また、本号の普通名称には、商品又は役務の一般的な名称のほか、「ワープロ」、「損保」、「一六銀行」など商品又は役務の略称、俗称も含まれます。なお、登録商標についても一般の使用を放置している場合には普通名称となることもあり、また逆に、われわれ一般消費者から見ると普通名称と思えるものでも、取引者の間では商標として使用され、権利者による管理も適正に行われているため、商標権が存在しているものも多くあります。「オキシフル」、「メンソレータム」、「味の素」、「クレパス」などが代表例といえるでしょう。

二号の慣用商標とは、もともとは自他商品・役務の識別力があったものが、同業者間で普通に使用されるようになったため、その識別力を失ったものです。例えば、清酒に使用されている「正宗」、カステラに「オランダ船の図」、宿泊施設の提供に「観光ホテル」、興行場の座席の手配に「プレイガイド」などが挙げられます。

三号の例としては、ワインについて商品の産地を示す「フランス」、清酒について品質を示す「吟醸」、ブラウスについて原材料を示す「シルク」、靴について用途を示す「登山」、自動車による輸送について役務の提供の場所を示す「関東一円」、入浴施設の提供について役務の効能を示す「疲労回復」など数多く考えられます。平成二六(二〇一四)年の改正で色彩のみや音からなる商標が導入されましたが、これらは生来的に識別力を欠くことが多いと考えられます。例えばTシャツについて「黒色」単一色の色彩や目覚まし時計について「ピピピ」という音、ラーメンについてチャルメラの音などが想定されます。

四号の例としては、「山田」、「スズキ」、「佐藤商店」などが、五号については、仮名文字の一字や数字、「A」や「AB」のようなローマ文字の一字又は二字のみからなる商標が挙げられます。

六号ですが、輪郭が確定できない地模様、「習う楽しさ教える喜び」のようなキャッチフレーズ、特定の役務について多数使用されている店名、例えば、アルコール飲料を主とする飲食物の提供や茶、コーヒーを主とする飲食物の提供に「純」、「愛」、「蘭」などが該当すると考えられます。
　以上、商標法三条一項を簡単に説明しましたが、次に同条二項について説明します。一項各号に掲げる商標は、特別顕著性、自他商品・役務の識別力がなく、商標登録を受けることができないわけですが、三号、四号、五号に該当する商標であっても使用された結果、需要者が何人かの業務に係る商品・役務であることを認識することができるに至ったものについては、商標登録を認めることとしています。これは、「永年使用による特別顕著性の取得」とか「使用による識別力」といわれています。代表例として、オートバイの「ホンダ」などがあります。判決でも「ミルクドーナツ」(東京高昭四九・九・一七判・昭四七(行ケ)六八、無体六—二—二五七)、「アマンド」(東京高昭五九・二・二八判・昭五七(行ケ)一四七、取消集一二七五)などが認められています。

マグライト

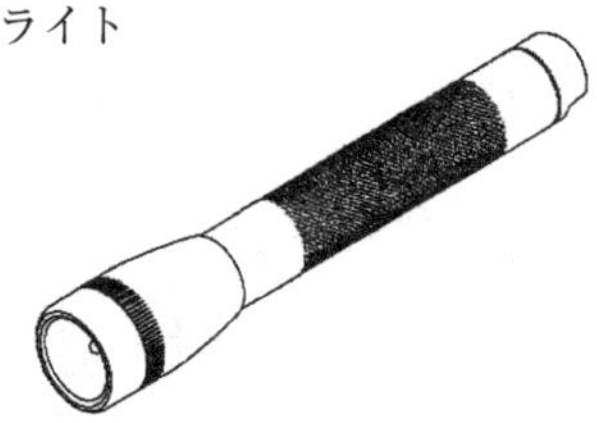

ヤクルト容器

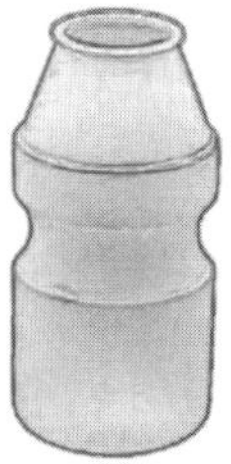

　菓子「ひよ子」の立体商標について、知財高裁は、「ひよ子」の文字商標は需要者に広く知られているものの、立体商標それ自体はいまだ全国的な周知性を獲得するまでには至っていないとして、使用による識別力の取得を認めて登録無効不成立とした審決を取り消しています(知財高平一八・一一・二九判・平成一七(行ケ)一〇六七三、速報三八〇—一四〇二五)。一方、懐中電灯「マグライト」は、使用に基づき需要者が何人かの業務に係る商品であることを認識することができるようになったとして、立体形状で初めて三条二項が適用されました(知財高平一九・六・二七判・平成一八(行ケ)一〇五五五、判タ一二五二—一三二)。その後、「コカコーラ」の瓶の形状(知財高平二〇・五・二九判・平成一九(行ケ)一〇二一五、判時二〇〇六—三六)や、「ヤクルト」の容器の形状(知財高平二二・一一・一六判・平成二二(行ケ)一〇一六九、速報四二八—一六七八〇)についても使用による識別

力の獲得が認められています。平成二六（二〇一四）年の改正で導入された色彩のみの商標や音の商標について識別力がないと判断された場合にも、同様と考えられます。

3　具体的登録要件（不登録事由）

商標法三条は、商標が自他商品・役務の識別力を有し、法律上保護に値するかどうかについての一般的基準を定めているのに対し、商標法四条は、一般的登録要件を具備するとされた商標について、具体的に公序良俗の観点、他人の業務に係る商品・役務と混同を生じるか否か、商品の品質、役務の質の誤認を生ずるか否かなどの観点、すなわち、公益上の理由あるいは私益との調整のため商標登録を受けることができない事由を定めたものです。

四条一項により、次のものに該当する場合には、商標登録を受けることができません。

① 国旗、菊花紋章、勲章、褒章《ほうしょう》又は外国の国旗と同一又は類似の商標（一号）

② パリ条約の同盟国、世界貿易機関の加盟国又は商標法条約の締約国の国の紋章その他の記章であって経済産業大臣が指定するものと同一又は類似の商標（二号）

③ 国際連合その他の国際機関を表示する標章であって経済産業大臣が指定するものと同一又は類似の商標（三号）

④ 赤十字の標章及び名称等の使用の制限に関する法律（昭和二二年法律第一五九号）第一条の標章若しくは名称又は武力攻撃事態等における国民の保護のための措置に関する法律（平成一六年法律第一一二号）第一五八条第一項の特殊標章と同一又は類似の商標（四号）

⑤ 日本国又はパリ条約の同盟国、世界貿易機関の加盟国若しくは商標法条約の締約国の政府又は地方公共団体の監督用又は証明用の印章又は記号のうち経済産業大臣が指定するものと同一又は類似の標章を有する商標であって、その印章又は記号が用いられている商品又は役務と同一又は類似の商品又は役務について使用をするもの（五号）

平成八（一九九六）年の改正で、②と⑤については、商標法条約の締約国の国の紋章又は政府などの監督用の印章などで経済産業大臣が指定するものが加えられました。また③については平成二六（二〇一四）年の改正で、国際連合その他の国際機関を表示する標章が、自己の業務に係る商品等を表示するものとして需要者の間に広く認識されている場合には、これらと同一又は類似であっても商標登録が可能となりました（三号イ）。国際機関の略称と同一又は類似であって、その国際機関と関係があるとの誤認を生ずるおそれがないものも同様です（三号ロ）。

⑥ 国若しくは地方公共団体若しくはこれらの機関、公益に関する団体であって営利を目的としないもの又は公益に関する事業であって営利を目的としないものを表示する標章であって著名なものと同一又は類似の商標（六号）

⑦ 公の秩序又は善良の風俗を害するおそれがある商標（七号）

①～⑦は国の威信、国際機関の権威の保持などの公益上の観点から定められたものであり、当事者の承諾があっても商標登録されることはありません。

①～⑤については特に説明をすることはないと思います。⑥に該当するものとしては、ＹＭＣＡ、ＮＨＫ、都市の紋章、オリンピック、大学等を表示する著名な標章などがあります。⑦については「征露丸」（大審院大一五・六・二八判・大一五（オ）一九三、商公大七四九—一）、「特許大学」（東京高昭五六・八・三一判・昭五五（行ケ）九六、無体一三—二—六〇八）が該当するとした判決、「ごまの蠅」が該当するとした審決（昭三一・一〇・九審決・昭二九抗審八二五、審公一三四—三八）などがあります。また、音の商標の導入により、緊急用のサイレンの音や国歌に該当する音などが想定されます。

なお、⑥はその団体自身が商標登録出願するときには適用されません（商標四条二項）。

⑧ 他人の肖像又は他人の氏名若しくは名称若しくは著名な雅号、芸名若しくは筆名若しくはこれらの著名な略称を含む商標（他人の承諾を得ているものを除きます）（八号）

この号は、人格権保護説、出所の混同説とがありましたが、最近の通説・判例は、人格権保護説をとっており、このため「他人」は生存者に限られ、外国人も含まれます。

また、最高裁は、人格権保護であることを理由として、「著名」の判断対象については、特定の指定商品等の需要者のみを基準とするのではなく、その略称が本人を指し示すものとして一般に受け入れられているか否かを基準とすべきであるとの判断を示し、「国際自由学園」は他人の略称「自由学園」を含むことは明らかであるとしました（「国際自由学園事件」平一七・七・二二判・平一六(行ヒ)三四三、速報三六五―一三二五三）。

⑨　政府若しくは地方公共団体が開設する博覧会若しくは政府等以外の者が開設する博覧会であって特許庁長官の定める基準に適合するもの又は外国でその政府等若しくはその許可を受けた者が開設する国際的な博覧会の賞と同一又は類似の標章を有する商標（九号）

⑩　他人の業務に係る商品若しくは役務を表示するものとして需要者の間に広く認識されている商標又はこれに類似する商標であって、その商品若しくは役務又はこれらに類似する商品若しくは役務について使用をするもの（一〇号）

この号は、いわゆる周知商標（未登録のもの）に関するものですが、学説・判例は、商品の出所の混同防止のためであるか、使用の事実状態を保護するものであるか分かれています。また、「需要者の間に広く認識されている」とは、最終消費者まで広く認識されているものだけでなく、取引者の間に広く認識されているものも含まれ、全国的に認識されているものだけでなく、一地方で広く認識されているものも含まれます。

⑪　当該商標登録出願の日前の商標登録出願に係る他人の登録商標又はこれに類似する商標であって、その商標登録に係る指定商品若しくは指定役務又はこれらに類似する商品若しくは役務について使用をするもの（一一号）

既に商標権が設定されているときには、これと抵触する商標を登録しないことは当然といえるでしょう。したがって、この号は、商品・役務の出所の混同防止を目的とするものであるといえますが、その出願より後の出願に係る登録商標があっても、本号によって拒絶されることはありません。その結果、無効審決確定までは類似商標が併存することとなるため、商品・役務の出所の混同防止より先願者の権利を尊重していると解されます。

この号では、商標の類否及び商品の類否をめぐる問題があります。

また、平成三年の改正で、商品と役務の間にも類似関係があり得る旨の規定が新設されました（商標二条五項）。これらについては後述五3で説明します。

⑫ 他人の登録防護標章と同一の商標であって、その防護標章登録に係る指定商品又は指定役務について使用をするもの（一二号）

「防護標章」については、後述一二を参照してください。

⑬ 商標権が消滅した日（異議申立てにおける決定又は無効審決があったときは、その確定の日）から一年を経過していない他人の商標（他人が、商標権が消滅した日前一年以上使用をしなかったものを除きます）又はこれに類似する商標であって、その商標権に係る指定商品若しくは指定役務又はこれらに類似する商品若しくは役務について使用をするもの（一三号—削除）

この号は、何人かが使用をしていた商標は、たとえその使用をやめても一年間程度はその商標に化体された信用が残存しているため、他人がその商標の使用をすると、商品の出所の混同を招くおそれがあるため、これを排除するための規定でしたが、権利の早期取得という観点から、一年間の期間経過を待たずに商標登録を受けることを可能にするため、平成二三（二〇一一）年の改正で削除されました。

⑭ 種苗法一八条一項の規定による品種登録を受けた品種の名称と同一又は類似の商標であって、その品種の種苗又はこれに類似する商品若しくは役務について使用をするもの（一四号）

種苗法による品種登録の有効期間経過後は、その品種の名称は一般に普通名称化すると考えられますので、商標法三条一項一号又は三号に該当し、品種登録を受けた本人が出願しても登録することはできません。

⑮ 他人の業務に係る商品又は役務と混同を生ずるおそれがある商標（一五号）

この号は、一〇号、一一号、一六号などと並んで重要な規定です。競業関係がある場合に限らず、他人の著名商標を非類似商品又は非類似役務に使用する場合、他人の著名商標を一部に含む場合も本号に該当するとされており、広く適用されるものと考えられます。

この号の混同には、右他人の業務に係る商品・役務との混同（狭義の混同）のほかに、右他人と経済的又は組織的等に何らかの関係がある者の業務に係る商品・役務のごとく誤認する混同（広義の混同）をも含むとされ、最高裁も肯定しています（レール・デュタン事件＝最高平一二・七・一一判・平一〇(行ヒ)八五、判時一七二一―一四一）。

判決では、左記の上の出願商標をそれぞれその指定商品等に使用するときは、下の引用商標が周知・著名であるため、広義の混同を含み、引用商標を使用する商品等と出所の混同のおそれがあるとされました。

・「株式会社河内駿河屋」（菓子）＝「駿河屋」（東京高平八・八・九判・平六(行ケ)一六四、取消集六六―一六〇）
・「ギフトセゾン」（被服）＝「SAISON」（東京高平一〇・三・三一判・平八(行ケ)二〇二、特企三五一―五八）
・「NOELVOUGE」（被服）＝「VOUGE」（東京高平一〇・九・二九判・平九(行ケ)二七八、判時一六六九―一二九）
・「ホテルゴーフルリッツ」（宿泊施設の提供）＝「Ritz」（東京高平一一・八・三一判・平一〇(行ケ)一四七、速報二九四―八九八二）
・「レール・デュタン」（鞄類）＝「L'AIR DU TEMPS」（最高裁平一二・七・一一判・平一〇(行ヒ)八五、判時一七二一―一四一）
・「ILANCELI」（被服）＝「LANCEL」（東京高平一一・一二・二二判・平一一(行ケ)二一七、速報二九八―九二二八）
・「PALM SPRINGS POLO CLUB」（被服）＝「POLO」（最高裁平一三・七・六判・平一二(行ヒ)一七二、判時一七六二―一三〇）
・「金盃菊正宗」（日本酒）＝「菊正宗」（東京高平一四・五・二九判・平一三(行ケ)四九四、速報三二六―一〇七九七）
・「日本電通株式会社」（電子応用機械器具）＝「電通」（東京高平一五・三・二四判・平一四（行ケ）四五七、速報三三六―一一四三七）
・「イルガスロン」（薬剤）＝「ガスロンN」（東京高平一五・五・八判・平一四(行ケ)五三八、速報三三八―一一五六〇）

・「RUDOLF VALENTINO」（被服）＝「VALENTINO」（東京高平一五・九・二九判・平一四（行ケ）三七〇、速報三四二―一一八三四）

⑯ 商品の品質又は役務の質の誤認を生ずるおそれがある商標（一六号）

この号の「品質」とは、狭義の品質ではなく、品質・効能・用途・産地などの特性を示す広い概念です。

判決・審決では、「Image communication」を「画像通信」が行われないラジオ放送等に使用するとき（東京高平一三・一一・一三判・平一三（行ケ）七二、速報三一〇―一〇四四三）、「Tahitian NONI」を「タヒチ産の植物の実」を原料とする果実飲料以外に使用するとき（東京高平一四・一一・二五判・平一四（行ケ）二二四、速報三三二―一一一六六）、「トフィー」をキャラメル又はキャラメル風菓子の香料や添加物等として利用されていない穀物の加工品等に使用するとき（東京高平一五・二・三判・平一四（行ケ）四八六、速報三三五―一一三三五）、「英国スコットランド地方の民俗楽器を演奏する人物の図」をスコッチウィスキー以外のウィスキーについて使用するときは（特許庁平一三・三・一五決定・異議二〇〇〇―九〇五八二）、それぞれ品質や質の誤認を生ずるおそれがあるとされました。他方、「Afternoon Tea」を「茶、紅茶」以外の「清涼飲料等」に使用しても品質の誤認のおそれはないとされました（東京高平一五・六・四判・平一四（行ケ）五九六、速報三三九―一一六〇六）。

⑰ 世界貿易機関の加盟国などの保護に係るぶどう酒、蒸留酒の産地表示を有する標章であって、その産地以外の産に係るものについて使用をする商標（一七号）

ＴＲＩＰＳ協定を受けて、平成六（一九九四）年の改正で追加されたもので、例えば、ぶどう酒の産地である「シャンパーニュ」については、それのみからなる商標については三条一項三号に、他の文字などに識別性があっても産地について誤認を生ずるおそれのある商標は四条一項一六号に該当しますが、さらにその産地で生産されたごとく誤認を生ずるおそれがなくとも（例えば、他の産地が明示してある場合など）商標中に「シャンパーニュ」の文字を有する商標は一七号に該当することになります。

⑱　商品（商品の包装、役務を含みます）が当然に備える特徴のうち政令で定めるもののみからなる商標（一八号）

従来、立体商標との関係で、商品又は商品の包装の機能を確保するために不可欠な立体的形状のみからなる商標は商標登録を受けることができないとされていましたが、平成二六（二〇一四）年の改正で、音及び色彩の商標が導入されたことに伴い、立体商標に加えて音、色彩についても該当するとしてこのように規定されました。

⑲　他人の業務に係る商品又は役務を表示するものとして日本国内又は外国における需要者間に広く認識されている商標と同一又は類似の商標であって、不正の目的をもって使用をするもの（①～⑱に掲げるものを除きます。一九号）。

平成八（一九九六）年の改正で、不正目的で他人の周知（外国でのみ周知商標を含みます）、著名商標について登録を受けるのを防ぐために設けられた規定です。従来、本号に該当するものの一部については公序良俗違反（商標四条一項七号）及び出所の混同（商標四条一項一五号）の規定に該当するとして扱われていましたが、明文の規定を設けたものです。

不正目的は、不正競争の目的と異なり、競業関係にない場合も含まれ、公正な取引秩序に違反し又は信義則に違反する目的を指します。具体例としては、我が国で未登録の外国周知商標について高額で買い取らせるため先取り的に又は代理店契約を強制するために使用する出願商標、他人の著名商標について出所表示機能の希釈化又は信用にただ乗りするために使用する出願商標などが考えられます。

①～⑲の具体的登録要件について見てきましたが、これらに該当するか否かを判断する時期については、商標法四条三項に規定されています。すなわち、⑧、⑩、⑮、⑰、⑲に該当する商標については、査定又は審決の時に該当し、かつ商標登録出願の時にも該当しなければ適用されません。明文の規定がないほかの号については、査定又は審決の時のみが判断時となります。

五　商標の類似と商品・役務の類似

先に、商標の登録要件について概説しましたが、商標法四条一項の各号には、「同一又は類似の商標」、「指定商品若しくは指定役務又はこれらに類似する商品若しくは役務について使用するもの」といった表現が見られます。これは「二　商標・サービスマークとは」で述べたように、商標がそもそもある商品・役務と他の商品・役務を区別するためのものであり、類似の商標を同種の商品や役務について使用した場合、あるいは同一又は類似の商標を類似の商品・役務について使用した場合には、混同を生じるおそれがあるということから不登録事由になっているわけです。現実の事件では、このような例が多くありますので、商標の類似、商品の類似及び商品と役務の類似について簡単に触れておくことにします。

1　商標の類似

まず、商標の類似の問題についてですが、商標の類似とは、一般的な意味で似ているかどうかということではなくて、比較される二つの商標が互いにある商品・役務について使用した場合に、取引上商品や役務の出所の混同を生ずるおそれがあるほどに相紛らわしいことをいいます。

商標の類否の問題は、特に商標法四条一項一一号などで問題となり、多数の判決・審決があります。ここでは商標の観察方法、類似基準を簡単に述べたいと思います。

第一には、離隔的観察と対比的観察についてです。対比的観察とは、同一の時点、同一の場所で対比しながら二つの商標を観察する方法であり、離隔的観察とは、時点、場所を異にして二つの商標を観察する方法です。

我々の通常の購買活動あるいは経験的な取引活動から考えると、ある商品や役務についてつけられた商標と他の商品・役務についてつけられた商標とを直接比較して購入しようとするのはまれですから、原則として離隔的観察方法がとられるべきであると考えられます。

第二には、全体的観察と要部観察です。全体的観察とは、商標の全体を観察して商標の類否を判断する方法であり、他方、要部観察とは、商標の中で出所表示機能を果たす部分を抜き出して商標の類否を判断する方法です。全体観察が基本とされています。

前述の離隔的観察方法に対応する一般的な取引の下では、「覚えている」商標によって商品・役務を識別することになります。したがって、必ずしも商標の全体を詳細に覚えているわけではありません。覚えやすい、商標の主要部分を記憶しておいて商品・役務を識別するのが一般的であるといえるでしょう。この意味では、要部観察も重要な観察方法です。

他方、例えば、出願商標をみだりに分断して観察すべきでないこともまた明らかです。したがって、この意味では、全体的観察と要部観察の両方法がともにとられるべきとされています。

なお、右第一と第二のほかに、使用の態様、取引の実情などをも考慮されるべきものとされています。

次に、商標が類似するとした場合、どのような態様があるかという問題です。通常、外観上の類似、称呼上の類似、観念上の類似という三つの態様が挙げられています。そして、特許庁の実務では、この中の一の態様において比較する商標が類似するときは、他の態様で非類似であっても、それらの商標は原則として類似商標とされています。

外観上の類似とは、文字、図形、記号などを視覚でとらえた場合に外見が相紛らわしいため、取引上商品・役務の出所の混同を生ずるおそれがあるということです。例えば、「」と「」(東京高昭四七・一・二五判・昭四五(行ケ)一〇一、取消集四七—四八三)、「」と「」(東京高昭五三・五・三一判・昭五三(行ケ)一四、取消集五三—一〇〇七)、「」と「」(東京高平一一・二・二四判・平一〇(行ケ)二二二、速報二八八—八六四二)、「」と「」(東京高平一二・九・二一判・平一二(行ケ)一四七、速報三〇六—九六五八)、「」と「」(東京高平一三・一〇・二四判・平一三(行ケ)一七四、速報三一九—一〇三九七)、「ＪＮＯＣ」と「ＪＮＣＯ」(特許庁平一四・八・一六決定・異議二〇〇一—九〇六二七)などが外観上類似するとされています。

称呼上の類似とは、商標の呼び名・呼び方が紛らわしいため、取引上、商品・役務の出所の混同を生ずるおそれがあるということです。

称呼上類似とされたものには、「ＯＬＴＡＳＥ・オルターゼ」と「ＵＬＴＡＳＥ」(東京高昭六一・三・六判・昭六〇(行ケ)一八〇、取消集六一—一七八八)、「京繍」と「京趣」(東京高昭六一・五・一四判・昭六〇(行ケ)二〇一、取消集六一—一七九九)、「レジエール」と「リジェール」(東京高平二・九・一八判・平二(行ケ)一一六、取消集三—四五五)、「百合鷗」と「ゆりかごめ」(東京高平八・一二・一九判・平八(行ケ)二九、取消集一〇—二〇五)、「ＳＰＲＡ」と「ＳＰＬＡ」(東京高平一一・一一・一六判・

平一一(行ケ)一九七、速報二九六—九一二一)、「リスコート・RISCOAT」と「VISCOAT」(東京高平一三・九・一三判・平一三(行ケ)四七、速報三一八—一〇三一二)、「サマリール・SAMARIL」と「Amaryl」(東京高平一四・七・一一判・平一四(行ケ)八八、速報三二八—一〇八九二)などがあります。

称呼上非類似とされたものは、「ポンフィール」と「ポンシル」(東京高昭五四・一・一八判・昭五二(行ケ)六二、判タ三八七—一四二)、「ハイシミン」と「ハイシー」(東京高昭五七・一・二八判・昭五四(行ケ)二二、無体一四—一—二三)、「どさん子大将」と「どさん子」(東京高昭五七・三・三一判・昭五五(行ケ)三六六、無体一四—一—一七三)などがあります。

観念における類似とは、商標の表す意味・意義が同一若しくは極めて近似するため、取引上商品・役務の出所の混同を生ずるおそれがあるということです。

例えば、「星(図)」と「レッドスター」(東京高昭四二・一・三一判・昭三七(行ナ)二一五、取消集四二—四七五)、「アトム」と「鉄腕アトム」(東京高昭五五・三・三一判・昭五四(行ケ)二二一、取消集五五—八四七)、「夢二」と「竹久夢二」(東京高平三・一・二二判・平二(行ケ)一三〇、取消集三—三八二)、「伏見の竜馬」と「竜馬」(東京高平一三・九・六判・平一三(行ケ)一二一、速報三一七—一〇二九〇)、「Golden Retriever」と「Labrador Retriever」(東京高平一三・九・二〇判・平一三(行ケ)一一四、速報三一八—一〇三二九)、「ふぐの子」と「子ふぐ」(東京高平一五・七・三判・平一四(行ケ)三七七、速報三四〇—一一六七六)などが観念における類似(同一)とされています。

商標の類似に関する判例として、昭和四三年二月二七日の「氷山印」最高裁判決(昭三九(行ツ)一一〇、民集二二—二—三九九)は、「商標の類否は、対比される両商標が同一又は類似の商品に使用された場合に、商品の出所につき誤認混同を生ずるおそれがあるか否かによって決すべきであるが、それには、そのような商品に使用された商標がその外観、観念、称呼等によって取引者に与える印象、記憶、連想等を総合して全体的に考察すべく、しかもその商品の取引の実情を明らかにしうるかぎり、その具体的な取引状況に基づいて判断するのを相当とする」と判示しました。この判決は、以降の同種事件に踏襲され、また、侵害事件でも引用されて商標の類否判断基準として定着しています。

以上、ごく簡単に商標の類否の問題について、観察の方法と類似の態様について述べましたが、そもそも特定の商標と他の商標が似ているか似ていないかということは、個別ケースごとに判断されるべきであることを付け加えておきたいと思います。確かに、類否の判断を観察する方法やどこが類似するかという態様などについては、抽象的・客観的な考え方を整理しておく必要はありますが、出発点は、我々消費者なり、取引業者なりが、特定の商標と他の商標を見て、相紛らわしいと思うか否か、その結果、商品・役務の出所を混同する（買い間違える）に至るおそれがあるか否かということにあるわけであり、ある意味では、社会一般の常識――しかも時代の流れによって変化し、さらには商品の流通系統、需要者などによっても異なり得るところの、いわゆる取引の経験則――が基本にあるといえるでしょう。

なお、立体商標と平面商標、文字商標と音の商標との間でも先後願の関係があり、各両者間で類否判断されます。ともに商品又は役務の識別標識として観察し、出所の混同のおそれに関して、外観、称呼又は観念上から判断されるのは平面商標同士の場合と同様ですが、色彩の商標であれば外観重視、音の商標であれば称呼重視というように、新商標のタイプごとの特性を考慮して判断されることになるものと思われます。

2　商品の類似

例えば、デパートである商品を購入しようとした場合、その商品に付されている商標が他の商品のものと同一あるいは類似であった場合を想定してみましょう。ある商品と他の商品がそれぞれ、鉛筆とバスの場合、洗剤と雑誌の場合、冷蔵庫とテレビの場合など無数のケースがあり、組合せにより、なんとなく違うなあと思うでしょう。すなわち、品質、形状、用途、取引の実情などから見て、消費者、取引業者が二つの商品が同一人の製造などに係ると思うか否かによって異なるわけです。

昭和三六年六月二七日の「橘正宗」最高裁判決（昭三三(オ)一一〇四、民集一五―六―一七三〇）は、商品が類似するかどうかは、「商品自体が取引上誤認混同の虞があるかどうかにより判定すべきものでなく、それらの商品が通常同一営業主により製造又は販売されている等の事情により、それらの商品に同一又は類似の商標を使用するときは同一営業主の製造又は販売に係る商品と誤認される虞があると認められる関係にある場合には、たとえ商品自体が互に誤認混同を生ずる虞がないものであっても類似の商品にあたる」と判示し、商品の類否判断基準を示しました。

この商品の類否の問題については、同一あるいは類似の商標が使用された場合に、出所について誤認・混同を生じるかどうかという視点から見るべきとする意見と、誤認混同という視点を除いて材料・用途・製造販売者などの共通性などの視点から商品自体の類否を見るべきとする意見がありました。しかし、平成三（一九九一）年の改正によって二条五項（平成一八年改正で六項に移行）が新設されたことに伴い、これまでの、「商品の類似」を当該商品自体の属性に基づいて定めるべしとする考え方は、その理論的根拠を失ったといわざるを得ません。商品と役務が、その属性において「似ている」ことはあり得ないからです。

3 商品と役務の類似

平成三（一九九一）年の改正で、「この法律において、商品に類似するものの範囲には役務が含まれることがあるものとし、役務に類似するものの範囲には商品が含まれることがあるものとする。」という新設の規定が設けられ、商品と役務の間にも「類似」という関係があり得るものとされました（商標二条六項）。

したがって、典型的には商標法四条一項一一号の適用の場合などで問題となることもあります。例えば、商品「コーヒー豆」（三〇類）を指定商品とするA登録商標が存在する場合に、これと類似するA'商標の役務「コーヒーを主とする飲食物の提供」（四三類）を指定役務とする商標登録出願は、四条一項一一号の規定に該当するとしてその登録を拒絶されることもあり得ます。

また、右A登録商標が存在する場合に、右A'商標の使用はA登録商標の侵害とみなされることもあります（商標三七条一号）。

裁判例では、役務「建物の売買」と商品「建物（マンション）」とは類似すると判示した東京地裁判決があります（ヴィラージュ事件＝東京地平一一・一〇・二一判、判時一七〇一―一五二）。これは控訴審では肯定されませんでしたが、「建物」が商品であると認定された点は注目を集めました。

これまでの商品の類似についての特許庁の実務は原則として『類似商品・役務審査基準』に基づいてされており、例えば、旧第一七類「寝具類」と旧第二〇類「寝台」のような区分（類）を超えた「類似」関係についても、実務上「備考類似」と呼ばれている当該商品が記載されている箇所の「備考」の記載に基づいて実務の運用がされていました。しかし、平成四（一九九二）年四月一日以降の出願について適用される『類似商品・役務審査基準』では、「商品」と「役務」についての旧「備考類似」のような定めは存在しません。つまり、この商標法二条六項に対応する審査基準は存在しないままに運用されています。したがって、商品に係る登録商標を有する者（登録を得ようとする者）も、登録サービスマークを有する者（登録を得ようとする者）も、ともに自らの判断で、自らの登録商標の指定商品・役務と「類似」であると考える指定役務・商品について、他人の類似商標の登録を排除するために登録異議の申立てや登録無効審判の請求を考慮すべきこととなりました。

六　商標登録出願

次に、商標登録を受けるまでの手続について述べることにします。この手続については、既に「特許法」あるいは「意匠法」の項で説明をしていますので、重複する点は省略して、商標について特別な点を中心に手短かに触れたいと思います。

1　商標登録出願に必要な書類等

商標登録を受けようとする者は、願書に登録を受けようとする商標などを記載し、必要な書面を添付して特許庁長官に提出しなければなりません（商標五条）。出願の方法としては、パソコンを利用した電子出願手続と、書面による出願手続とがあります。

〔標準文字制度の採用〕 平成八（一九九六）年の改正で、標準文字制度が採用されました。出願人が文字のみからなる商標についてその態様に特別の権利を求めないときは、特許庁長官が指定する標準文字により登録、公表する制度です。願書の作成、公報発行などの事務処理の便宜などのために主要国で採用されているもので、我が国でも採用したものです（商標五条三項、一八条三項三号）。

出願人が標準文字により登録を受けるときはその旨願書に記載し、登録を受けようとする商標を願書に直接記載します。標準文字により商標登録を受けたときは、登録商標の範囲は標準文字により現した商標に基づいて定めることとなりますが（商標二七条一項）、商標権の範囲の広狭には影響ないと考えられます。

〔新しいタイプの商標〕 平成二六（二〇一四）年の改正で導入された新しいタイプの商標について商標登録を受けようとするときには、願書に新商標の種類としてどのような商標なのかがわかるように、商標のタイプ（動き商標、ホログラム商標、色彩からなる商標、位置商標、音商標）を記載する必要があります（商標五条二項）。

〔商標の詳細な説明の記載又は物件の提出〕 商標記載欄だけでは具体的な構成、態様等が不明確な、動き、ホログラム、色彩、位置商標については、商標の詳細な説明の記載が必要です。音商標については、商標の詳細な説明は任意ですが、音を録音したCDやMP3のような電子ファイルを物件として提出する必要があります（同四項）。これらの記載や物件については、商標登録を受けようとする商標を特定するものでなければなりません（同五項）。

次に、願書には、商標を使用する指定商品又は役務及びそれらの区分を記載しなければなりません（商標五条一項三号）。

〔一出願多区分制度の採用〕 平成八（一九九六）年の改正で、商標法条約三条(5)などの要請により一出願多区分制度が採用されました（商標六条一項）。従来は「区分ごとの出願」として一出願一区分制でしたが、改正後は一の出願で二以上の区分に属する商品又は役務を指定することが可能となりました。多区分出願も一の出願ですので、登録されたときは一の商標権であり、また指定商品・役務の一部に拒絶理由があるときは出願全体が拒絶されます（出願の分割又は指定商品・役務の補正により対処可能です）。しかし、出願手数料などの料金は、区分数に応じた料金体系となりました。一出願多区分制は防護標章登録出願にも準用されています。

商品の区分は、商標法施行令二条により第一類ないし第三四類の三四の類別に、また、役務の区分は第三五類ないし第四五類の一一の類別に分けられています。これは先ほど述べた商品又は役務の類似の範囲とは関係がありません（商標六条三項）。具体的な商品・役務は商標法施行規則別表に掲げられていますが、これは例示ですので、これ以外の商品や役務、例えば、新商品についても、それを指定商品として商標登録を受けることができます。また、新商品・役務の区分は、国際分類（ニース協定）に即して定められていますので、適切な商品・役務の表示を右施行規則別表に見いだせないときには、ニース協定のアルファベット・リスト（翻訳も公表されています）をも参照すべきでしょう。

2　出願日の認定

平成八（一九九六）年の改正で、商標法条約第五条の要請により、商標登録出願について出願日の認定に関する規定が設けられ、出願日の認定要件が明確にされました。

特許庁長官は、商標登録出願が次のいずれにも該当しないときは、その願書を提出した日を出願日として認定しなければなりません（商標五条の二第一項）。

① 商標登録を受けようとする旨の表示が明確でないと認められるとき（一号）

② 出願人の氏名又は名称の記載がないときなど（二号）

③ 願書に商標登録を受けようとする商標の記載がないとき（三号）

④ 指定商品又は指定役務の記載がないとき（四号）

右の出願日の認定要件を満たさない出願については、特許庁長官より手続の補完が命じられ、補完されたときは、手続補完書を提出した日が出願日として認定されます（商標五条の二第二項～四項）。従来の願書の不受理処分に相当する出願手続の不備が、出願日の認定されない基準とされていました。異なる点は、従来は願書が返却され再出願が必要でしたが、改正後は補完命令に対し手続補完書を提出することとなります。指定期間内に手続補完書を提出しないときは、出願が却下処分に付されます（商標五条の二第五項）。

3　出願の効果

出願をして出願日が認定されれば、出願の効果が生じます。具体的には、第一に、「商標登録出願により生じた権利」――すなわち、商標登録を請求することができ、譲渡することができる（商標一三条二項）――が発生します。しかしながら、この権利は、商標には創作性がないことから、発明の完成と同時に発生する特許を受ける権利などとは根本的に異なります。第二には、先願の効果――商標法八条一項に基づき、他人が同一又は類似の商品・役務について使用をする同一又は類似の商標について遅い日に出願をした場合には、その他人の出願は登録を受けることができません。

同日に競合する出願があった場合は、出願人の協議によることは特許法の場合と同様ですが、協議が成立しない場合などは、特許法と異なり、くじにより定めた者が商標登録を受けることができます。

第三には、先願の効果は、出願が放棄・取下げ・却下とされた場合又は査定・審決が確定したときは、初めからなかったものとみなされます（商標八条三項）。したがって、特許出願と異なり、先願が拒絶された場合は、後願は他に拒絶理由がないときは登録されます。このようなことから、商標出願の審査においては、先願の処分の確定を待つ「先願待ち」の出願が多数あります。このため、先願の存在を後願の出願人に知らせ、指定商品・役務の補正や出願の断念などの対応を早目に可能にするための規定が設けられました（商標一五条の三）。後願が拒絶されるのは、先願商標が登録されたときです。

一定の博覧会に出品・出展した商品・役務に商標を使用した者が六月以内に出願したときは、出品又は出展の時に出願したものと見なされるという先願の例外については、九条に規定があります。

また、二以上の商品・役務を指定商品・役務とする出願はこれを、手数料の納付を条件（平成三〇年改正）として分割することもでき、この場合には、後の分割した出願は、もとの出願の時にしたものとみなされます（商標一〇条）。通常の商標出願と防護標章登録出願又は団体商標登録出願との間で出願の変更が認められ、出願日が遡及します（商標一一条、一二条、六五条）。

4　商標権設定前の金銭的請求権

従来は、商標登録出願から商標権の設定登録までは、商標法上何らの権利がないため、第三者の模倣などに対して、出願人の信用が損なわれても救済の途がありませんでした。平成一一（一九九九）年改正で、商標登録出願から設定登録前までの使用を通じて得た出願人の業務上の信用を保護するために、出願に係る商標をその指定商品・役務について使用している者に対して警告を条件として、その使用により生じた業務上の損失に相当する金額を請求する権利が認められました（商標一三条の二）。

商標登録出願が確定する設定登録後に行使が可能で、登録後に異議により取り消されたとき、又は無効審判により無効とされたときは、この請求権は初めからなかったものとみなされます。この請求権の採用に伴い、マドリッド協定議定書上の国内登録効に関する国際登録日からの保護と整合することとなりました。

右のように、商標登録出願について、設定登録前に金銭的登録請求権を認めたことに伴い、その出願の内容が公開されることとなりました（商標一二条の二）。公開に伴う法的効果はありませんが、商標情報として早期に利用可能となります。マドリッド協定議定書に基づく国際登録（国際商標登録出願）については、英語で公開されますが、指定商品・役務については日本語の参考訳が付されます。

5　審　査

次に審査官による審査が行われます。

審査官は、出願が次のいずれかに該当するときは、拒絶をしなければなりません（商標一五条）。

①　次の規定により商標登録をすることができないとき

○三条（登録の要件）＝前述

○四条一項（商標登録を受けることができない商標）＝前述

○八条二項又は五項（先願）＝前述

○五一条二項（五二条の二第二項での準用を含みます）又は五三条二項（商標登録の取消しの場合の再登録禁止）

○七七条三項で準用する特許法二五条（外国人の権利の享有）

②　条約の規定により商標登録をすることができないとき

③　五条五項又は六条一項若しくは二項（一商標一出願）の要件を満たしていないとき（五条五項を除き異議申立理由から除かれています。商標四三条の二）＝前述

また、拒絶査定の前に拒絶理由の通知をしなければならないことなどは、特許法と同様です（商標一五条の二）。

平成一一（一九九九）年改正で、マドリッド協定議定書で規定している拒絶通報期間内の審査を実施するとともに、右審査を国内出願にも適用する改正が行われました（商標一六条）。この結果、商標登録出願について拒絶査定をするためには、審査官は所定の期間内（商標登録出願から一八月）に拒絶理由通知をすることを要し、出願人は早期に出願の成否を知ることが可能となりました。

6　登録料の分割納付制度の採用

平成八（一九九六）年の改正で、商標権の設定登録時に納付する登録料について、従来の存続期間一〇年一括払いに加えて、五年ごとに分割して納付する制度が採用されました（商標四一条の二）。更新申請時に納付する登録料も同様です。分割納付をしたときでも、商標権の存続期間は一〇年です（商標一九条一項）。これは、登録商標の中には短ライフサイクル商品に係る商標や将来の使用に備えた商標も少なくないことから、存続期間の中途で登録商標の要否を見直す機会を商標権者側に付与し、不必要な登録商標については登録料を納付しないで消滅させることにより、登録料の面から不使用登録商標の整理を図ろうというものです。後半五年分に相当する登録料を追納しないときは、商標権は満了前五年の日にさかのぼって消滅します（商標四一条の二第四項）。

分割して納付する場合は、一〇年一括払いより割高になります。

なお、著名商標の保護制度で使用を前提としない防護標章登録については、分割納付制度はありません。

七　商標権付与後登録異議申立制度

平成八（一九九六）年の改正で、商標権付与の迅速化を図るため、従来の出願公告に伴う異議申立制度を廃止し、商標権の設定登録後の異議申立制度が採用されました。改正後は、商標登録出願について、審査官が審査をして拒絶の理由を発見できないときは、直ちに登録査定がされます。そして商標権の設定登録後に商標公報が発行され、その後二月以内に異議の申立てをすることができることとなりました。

登録無効審判との関係は、登録異議申立ては、「瑕疵ある行政処分（商標登録）を速やかに是正するもの、無効審判は当事者間の紛争を解決するものと位置付けられており、商標法においては、両制度の併存が維持されて同時に係属が可能とされていますが、平成一五年改正前の特許法上の両制度間に生じたような事情はないようです。

異議申立期間は「商標掲載公報発行の日から二月」で（商標四三条の二）、理由及び証拠の補充期間として右二月経過後三〇日が認められます（商標四三条の四第二項ただし書）。

異議申立ては何人も可能で、申立理由は拒絶理由と同じです（区分違反の出願に係る登録を除きます）。二以上の指定商品・役務に係る商標登録については指定商品・役務ごとに申し立てることができます。

審判合議体での審理、利害関係の参加、申し立てない理由についての職権審理、併合審理の原則、取消決定をする場合の理由の通知と意見書提出の機会の付与、取消決定の手続、知財高裁への出訴、取消決定の効果及び維持決定に対する不服申立不可などが規定されています（商標四三条の二以下）。

取消しの決定をしようとする場合に、商標権者側にそれを免れるための補正の制度はありませんが、商標登録無効審判においては合議体の職権で無効理由に該当する指定商品・役務のみを無効とする一部無効の実務が行われ定着しているため、異議の取消決定においても無効審判の場合と同様に扱われることとなります。

異議申立制度が商標権の付与後に移行したため、登録前にも審査の適正を期し、無効理由のある商標権の発生を未然に防ぐため、従来特許法で設けられていたと同趣旨の情報提供制度が設けられました（商施規一九条）。

八　商標権の効力

1　商標権の効力

審査を経て登録されると、商標権の効力が生ずることとなります（商標一八条一項）。登録商標の範囲は、願書に記載された商標に基づいて決定されますが（商標二七条一項）、その際、商標に関する詳細な説明や所定の物件の内容が考慮されます（同三項）。商標権の効力としては、他の産業財産権と同様に独占的効力と排他的効力があります。

(1)　独占的効力（使用権）

指定商品又は指定役務について、登録商標を独占的に使用することを内容とします（商標二五条）。したがって、登録商標と類似する商標の使用にまでは及びません。

「使用」については、商標法二条三項の説明を参照してください。

(2)　排他的効力（禁止権）

これは、独占的効力と裏腹のものであり、他人が権利者の独占的使用を侵害したり侵害するおそれがあるときは、その侵害の停止又は予防を請求することができるというものです（商標三六条一項）。侵害については、商標法三七条により「侵害とみなす行為」として本来的な商標権の侵害の予備的な行為などを侵害とみなしています（間接侵害）。三七条一号は、指定商品又は指定役務についての登録商標に類似する商標の使用あるいは指定商品・役務に類似する商品又は役務についての登録商標やこれに類似する商標の使用を挙げて類似の範囲についても排他的効力が及ぶとしていますが、これらについては使用する権利がないことは前述のとおりです。

商標権の侵害に対しては、商標法三六条の差止請求のほか、損害賠償請求、不当利得返還請求、信用回復措置請求などができます（特許法、意匠法の項参照）。

損害賠償の額については、登録商標と同一（社会通念上の同一を含む）の使用による侵害については、当該登録商標の取得及び維持に通常要する費用相当額を請求できるとされました（商標三八条四項・ＴＰＰ担保法改正）。

(3) 最近の裁判例

商標権の侵害訴訟においては、裁判所は、商標法二条一項の定義規定を認めつつも、同法を構造的に検証して、同法三条一項や二五条の規定から、標章を商品に関して使用しても、出所表示機能を有しないものやそのような態様での使用は、登録商標の出所表示機能を害しないのであるから、商標権の侵害には当たらないとの解釈を導き出して（ＰＯＳ事件＝東京地昭六三・九・一六判・昭六二(ワ)九五七二、判時一二九二―一四二）、最近ではこの解釈が定着し、出所表示機能を有して侵害に当たる使用は、いわゆる「商標的使用」と呼ばれています。この点に関し、平成二六（二〇一四）年の改正で二六条一項六号を新設し、「需要者が何人かの業務に係る商品又は役務であることを認識することができる態様により使用されていない商標」には商標権の効力が及ばない旨規定し、明文をもって明らかにしました。

また、損害賠償の請求について、最高裁は、「登録商標に類似する標章を第三者がその製造販売する商品につき商標として使用した場合であっても、当該登録商標に顧客吸引力が全く認められず、登録商標に類似する標章を使用することが第三者の商品の売り上げに全く寄与していないことが明らかなときは、得べかりし利益としての実施料相当額の損害も生じていないというべきである。」（「小僧寿し」事件＝最高平九・三・一一判・平六（オ）

一一〇二、民集五一―三―一〇五五）として、商標法三八条三項に規定する使用料相当額の損害も否定しました。不使用登録商標を念頭に置いたもので、下級審でもこれにならい注目されています（ホームページジャムジャム事件＝名古屋地平一三・一一・九判・平一二(ワ)三六六、速報三二〇―一〇四八八）。

なお、商標権侵害訴訟においても、「キルビー特許」最高裁の判例変更により（最高平一二・四・一一判・平一〇(オ)三六四、判時一七一〇―六八）、商標登録について無効理由が存在することが明らかであることを理由として、商標権の行使に対して権利濫用の抗弁を認める裁判例が出されています（東京高平一五・七・一六判・平一四(ネ)一五五五ほか、速報三四〇―一一七〇五）。

(4)　並行輸入

これは、外国において適法に商標を付されて拡布された商品（真正商品）の輸入が内国商標権の侵害になるかという問題です。パリ条約六条は商標の独立を明記し、商標権について属地主義を明らかにしていますが、この属地主義の原則には特定の場合には限界があるのではないかということです。我が国においては、古い判決（東京地昭三九・二・二九判・昭三七(ワ)六七七三・下民一五―二―四五六、同昭三九・六・一仮処分決定・昭三九(ヨ)二一三三九・ジュリ三二九―一二九（土井評釈）など）では、「真正商品の輸入であっても原則として商標権あるいは専用使用権の侵害になる。」としていましたが、パーカー判決（大阪地昭四五・二・二七判・昭四三(ワ)七〇〇三、無体二―一―七一）は、「属地主義の妥当する範囲も商標保護の精神に照らし商標の機能に対する侵害の有無を重視し合理的に決定しなければならない。」とし、「パーカーペンは世界中どこでも同一品質であるので、原告による輸入、販売は需要者に商品の出所や品質について誤認混同を起こさせないし、また（日本における）商標権者であるパーカー社の業務上の信用その他の営業上の利益をそこなわない。」と判断し、実質的に違法性を欠き商標権の侵害を構成しないと判示しました。

その後最高裁は、真正品の並行輸入に関しては、いわゆる商標の機能論を採用して、①当該商標が適法に付されたものであること、②外国における商標権者と我が国商標権者とが同一人又は同一視できる関係にあって、両商標が同一の出所を表示するものであること、及び③両商標に係る商品の品質について実質的に差異がないことを条件として、商標権侵害の実質的違法性を欠くとし、侵害に当たらない旨判示して従来の判決を追認しました（最高平一五・二・二七判・平一四(受)一一〇〇、判タ一一一七—二一六）。

2　商標権の効力の制限

商標権の効力は、次に掲げるように、異なる権利との調整、蓄積された信用の保護などの観点から制限されています。

① 自己の肖像・氏名などを普通に用いられる方法で表示する商標、指定商品・役務又は類似商品・役務の普通名称・品質などを普通に用いられる方法で表示する商標・商品などが当然に備える特徴のうち政令で定めるもののみからなる商標などについては商標権の効力は及びません（商標二六条一項）。右の品質表示などが商標の一部となっている場合も同様です。

この規定は、多くの場合これらの商標は登録されませんが、誤って登録された場合などに無効審判によらずに救済することなどを目的としているとされるのが一般です。

② 平成二六（二〇一四）年の改正で、これまで裁判上認められていた商標的使用の法理が明文をもって明らかにされました。すなわち、需要者が何人かの業務に係る商品又は役務であることを認識することができる態様により使用されていない商標には、商標権の効力は及びません（商標二六条六項）。

③ 再審により回復した商標権の効力は、審決確定と再審の予告登録との間における第三者の善意の行為には及びません（商標五九条）。更新申請期間経過後に回復した商標権の効力も同様です（商標二二条。ただし、善意の要件はありません）。

④ 登録商標の使用がその使用の態様により、その出願より先に出願された他人の特許権、実用新案権又は意匠権、あるいはその出願より先に生じた他人の著作権若しくは著作隣接権と抵触するときは、指定商品又は指定役務のうち抵触する部分について、その態様により登録商標の使用をすることができません（商標二九条）。特許権などは立体商標制度の導入に伴い加えられ、著作隣接権は音の商標等の導入により加えられたものです。

「使用の態様により」とは、分かりにくい言葉ですが、例えば意匠的に使用するという意味に置き替えてください。

⑤　他人の使用権による制限があります。

他人の使用権のうち、合意によって設定される使用権については、後述しますので、ここでは、法律の規定によって生じるいわゆる先使用権について説明します。

他人の出願前から日本国内において不正競争の目的でなく、指定商品・役務又は類似商品・役務について、その商標又は類似商標の使用をしていた結果、その商標が自己の業務に係る商品・役務を表示するものとして需要者の間に広く認識されているときは、継続してその商品又は役務についてその商標を使用する場合は、その商品又は役務についてその商標の使用をする権利を有するというものです（商標三二条）。

先使用権が認められるためのいわゆる周知の範囲については、同権利が商標権に対する抗弁権としての性格を有することから、その要件を緩和して、四条一項一〇号の周知商標よりは狭い、ないしは低い周知で足りるとする裁判例が出されています（東京高平五・七・二二判・平三(ネ)四六〇一、無体二五—二—二九六ほか）。

⑥　中用権による制限があります。

中用権とは、無効事由があるにもかかわらず、誤って登録された商標又は類似商標を、無効事由があることを知らないで、無効審判の請求登録前に、日本国内において、指定商品・役務又は類似商品・役務について使用した結果、その商標が自己の業務に係る商品・役務を表示するものとして需要者の間に広く認識されていたときは、継続してその商品・役務についてその商標の使用をする場合は、その商品又は役務についてその商標を使用する権利を有するというものです（商標三三条）。

九　商標権の移転等

次に、商標権を移転し、第三者に使用させ、あるいは質権などの担保物権を設定するという、いわば商標権の財産性に伴うことについて概説することにします。

1　商標権の移転

商標権は指定商品・役務について登録された商標を使

用する権利であり、財産権の一つであることから、当然に移転することができます。指定商品又は役務が二以上あるときは、指定商品・役務ごとに分割して移転することもできます（商標二四条の二第一項）。

大正一〇（一九二一）年法の下では、「商標権ハ其ノ営業ト共ニスル場合ニ限リ之ヲ移転スルコトヲ得」と定めており、指定商品を単位とする営業と商標とを結びつけて定めていましたが、現行法では、そのような規定は廃止されました。

平成八（一九九六）年の改正で、従来の連合関係にあったような同一又は類似の関係にある登録商標に係る商標権の間でも移転が認められるようになりました。そのため、出所の混同防止策が別途設けられました（商標二四条の四、五二条の二）。また、商標法条約一一条(4)の要請により、商標権の移転の際に必要だった日刊新聞紙への公告が廃止されました。国などに属する商標権の移転が制限されるのは従前のとおりです（商標二四条の二第二項・三項）。

商標権が共有の場合には、自分の持分を移転するに当たっては、他の共有者の同意が必要です（商標三五条で準用する特法七三条一項）。

相続・合併など一般承継による場合を除いて、登録されなければ効力が生じないことは、特許権などの場合と同様です。

2 使用許諾

次に使用許諾ですが、これも財産権としての商標権を有効に利用しようとすることから設けられた制度です。出所表示機能から見て、疑問を呈する意見もあります。商標権者の使用と、使用を許諾された者による使用とが併存するため、移転以上に紛らわしいとするものです。

使用許諾としては、専用使用権（商標三〇条）と通常使用権（商標三一条）があり、特許権の場合の専用実施権と通常実施権と基本的には同じです。それぞれの使用権者の権利、さらに他人に対して商標権者が使用権を設定できるか、使用権の侵害に対して保護が与えられるか、登録は効力発生要件か、あるいは第三者に対する対抗要件かなどについては特許法と同様ですので、特許法の説明を参照してください。

令和元（二〇一九）年の改正により、国、地方公共団体又は非営利の公益団体等が有する自らを表示する著名な商標（商標四条一項六号参照）に係る商標権についても、他人に通常使用権を許諾することができることとされました（商標三一条一項ただし書）。

3 質権

商標権、専用使用権、通常使用権については、質権の設定も認められます（商標三四条）。大正一〇（一九二一）年法の下では、「移転」のところで述べたように、営業と分離した商標権の移転が認められていなかったため、質権を設定し得るか否か意見が分かれていました。現行法は、営業と分離して商標権を移転できると定めたことに伴い、質権の設定も明文をもって可能としました。登録が効力発生要件（通常使用権を目的とする質権は対抗要件）であることなどは特許権の場合と同様です。

なお、抵当権の設定はできませんが、財団抵当制度の対象となり得、また、譲渡担保の目的にもなり得ます。

一〇 商標権の更新と消滅

次に、いったん取得された商標権がどのような事由で消滅するかについてです。消滅事由としては、存続期間の満了、相続人の不存在、商標権の放棄、審判による無効、審判による取消しがあります。

他方、商標権の存続期間は更新することができます。

1 存続期間の満了と更新登録

商標権の存続期間は登録の日から一〇年をもって終了するとされています（商標一九条一項）。しかしながら、その存続期間は更新申請によって更新することができる（同一九条二項）こととされており、更新申請をすれば何回でも更新することができ、何年間でも存続することとなります。特許権などが一定期間しか存続しないことと大きく異なる点ですが、これは、特許法などが人間の創造的活動の結果としての「創作」を保護して社会の進歩に資するということを目的としていること、すなわち、発明のインセンティブの観点からは存続期間を長くするという要請があり、反面、発明を社会一般が広く利用し得るようにすべきであるという観点からは存続期間を短くするという要請があり、両者の接点として、存続期間を具体的に定めているのに比べて、商標法の目的が商標の使用をする者の蓄積された業務上の信用を保護することにあり、存続期間を限ってしまうことは、制度の目的に反することとなるからです。しかしながら、全く使用していない商標については法律により権利として保護すべき必要がないので、存続期間を定めることにより更新申請をさせ、不使用登録商標などを整理していくこととしています。

平成八（一九九六）年の改正により、従来の実体審査とリンクした更新登録出願制度から更新申請に変更されました。商標法条約で実体審査とリンクした更新手続を禁止しているためです（商標法条約一三条⑹）。従来は、更新時に登録商標が公益的不登録事由に該当するに至っていないかと、登録商標の使用状況について審査をしていましたが、廃止されました。

改正後は、特許庁長官に登録料の納付と申請書を提出することにより、商標権の存続期間の更新の登録を受けることができます（商標二〇条一項、四〇条二項）。更新に係る登録料は五年ごとに分割して納付することができるのは、商標権の設定登録時に納付する登録料と同様です（商標四一条の二第二項以下）。

登録後に当該登録商標が公益的不登録事由に至ったものについては、登録無効事由とされ、無効審判の対象となりました（商標四六条一項五号）。無効が成立したときは、無効事由に該当するに至った時又は審判請求の登録の日から、当該商標権はなかったものとみなされます（商標四六条の二ただし書）。

更新申請の期間は、商標権の存続期間の満了前六月から満了の日までです（商標二〇条二項）。右期間経過後であっても、存続期間満了後六月以内は倍額の割増登録料の追納を条件として、更新申請をすることができます（商標二〇条三項、四三条一項）。存続期間満了後六月以内に更新申請をしないときは、商標権は、存続期間満了の時にさかのぼって消滅します（商標二〇条四項）。

また、存続期間満了後六月以内に更新申請ができなかったことについて正当な理由があるときは、その理由がなくなった日から二か月以内で、存続期間満了後一年以内であれば、割増登録料の納付を条件として、商標権の回復が認められ、存続期間満了日にさかのぼって更新されたものとみなされます（商標二一条、四三条一項）。存続期間満了の日から六月経過後回復の登録前の第三者の侵害に当たる行為については、回復した商標権の効力が制限されます（商標二二条）。

なお、商標権の更新は右のように手続が簡素化されましたが、防護標章登録に基づく権利の存続期間の更新及びサービスマーク登録制度導入の際に特例として認められた重複登録に係る商標権の初回の存続期間の更新については、それぞれ従来同様の出願によることとされ、実体審査がされます（商標六五条の二以下、平成八年改正附則一一条以下）。

2　審判による無効

商標権は、無効審判によって登録が無効とされることによっても消滅します。次の各無効審判による無効審決が確定した場合は、原則として商標権は初めからなかったものとみなされます（商標四六条の二）。

① 商標登録無効の審判（商標四六条）
② 防護標章登録無効の審判（商標六八条四項で準用する同四六条・四六条の二）

3　審判による取消し

商標権は、取消審判によって取り消されることによっても消滅します。次の各取消審判による審決の確定後に将来に向かって消滅します（商標五四条一項）が、①については審判請求の登録の日に遡及して消滅します（商標五四条二項）。

① 不使用による取消し（商標五〇条）
② 商標権者の誤認・混同行為に基づく取消し（商標五一条）
③ 使用権者の誤認・混同行為に基づく取消し（商標五三条）
④ 外国の商標権者などの承諾なく、その代理人等によりされた登録の取消し（商標五三条の二）
⑤ 類似商標の移転に係る登録の取消し（商標五二条の二）

4　その他

その他、以下のような場合に商標権が消滅します。

① 商標権の放棄による消滅（商標三五条で準用する特法九七条一項。なお、指定商品・役務ごとの放棄も認められています。商標六九条一項）。この場合は、その登録により効力が生じます。
② 相続人の不存在による消滅（商標三五条で準用する特法七六条）
③ 登録料又は更新登録料を分割納付して、後半に係る登録料を追納期間内に納付しないことによる消滅（商標四一条の二第四項）

一一　審判と判定

1　商標の審判

商標登録出願がされると、審査官によって審査が行われますが、その判断に過誤がないとはいえません。また、登録後に、不使用あるいは誤認混同行為など法的保護に値しない事態が生じた場合には何らかの対処をしなければなりません。このため、商標法では、審査官による判断の過誤を排し、また、登録後の事態に対応するため、審判制度を設けています。審判の種類としては次のものがあります。

①　拒絶査定に対する審判（商標四四条）
②　補正却下の決定に対する審判（商標四五条）
③　商標登録無効の審判（商標四六条）

この審判の趣旨・手続などは基本的には特許無効審判と同様ですが、特定の無効事由について除斥期間があることが特許の場合と異なります。また、誰が請求できるかについて示されていませんでしたが、平成二六（二〇一四）年の改正で、これまでの解釈のとおりに利害関係人に限ると明記されました（商標四六条二項）。

商標登録が登録要件（商標三条）、不登録事由（商標四条）中、私益的不登録事由（商標四条一項八号・一一号ないし一五号（不正の目的で商標登録を受けた場合を除きます））、先願（商標八条一項・二項・五項）の規定に違反してされたとき、商標登録が周知商標との抵触、及びぶどう酒・蒸留酒の産地表示の保護（商標四条一項一〇号・一七号）の規定に違反してされたとき（不正競争の目的で商標登録を受けた場合を除きます）などは、商標登録無効の審判は、商標権の設定の登録の日から五年を経過した後は、請求することができません（商標四七条）。

これは、商標権の法的安定性を考慮したものです。また、従来、更新時の不登録事由とされていた公益的なものが無効事由となりました（商標四六条一項五号）。

なお、商標法条約の要請により移転を伴わない商標権の分割が認められましたので（商標二四条）、この分割で無効審判に対処することが可能となりました。

④　不使用による取消しの審判（商標五〇条）

継続して三年以上日本国内で商標権者、専用使用権者又は通常使用権者のいずれもが各指定商品・役務についての登録商標（社会通念上同一と認められる商標を含みます）の使用をしていないときは、何人もその指定商品・役務に係る商標登録を取り消すことについて審判を請求することができます（商標五〇条一項）。

商標は、現実に使用していない場合でも使用の意思があれば登録を受けることができます。しかしながら、商標権の発生後一定期間経過後も全く使用しないものについてまで独占権を認めることは商標法の目的に反し、他人の商標の採択の余地を狭めるなど弊害こそあれ、使用されない登録商標を保護する必要はないものです。

したがって、一定期間使用されない登録商標については、取消しの審判の請求を待って整理することとしています。

この取消審判の規定は、昭和五〇（一九七五）年及び平成八（一九九六）年改正後のものですが、昭和五〇年の改正前の規定では、商標権者などが不使用であることの立証を審判の請求人が負うこととされていました。ところが、登録商標が不使用であるという消極的な内容のものを、しかも請求人が立証することは至難の業であり、ほとんど成功した（取り消された）例がありませんでした。そこで、昭和五〇年の改正において、登録商標を使用しているかどうかを最も知っているのは商標権者であり、使用している場合はその証明は容易であり、また、立証責任は衡平の原則によって分配されるべきであるとの観点などから、立証責任の転換が図られました。

この取消審判の請求があった場合は、前記期間内に商標権者などがその請求に係る指定商品・役務のいずれかについて登録商標の使用をしていることを被請求人が証明しない限り、商標権者は、その指定商品・役務に係る商標登録の取消しを免れません。ただし、不使用について正当な理由があることを明らかにしたときは、この限りではないとされています（商標五〇条二項）。

外国企業の我が国でのフランチャイズ展開のための事業活動は企業の内部事情にすぎず、正当な理由には当たらないとされ、使用の有無について、英語で表示されたアメリカのウェブページによる広告は、日本で検索可能であるとしても、日本の需要者を対象としたものではないから、日本国内での使用には当たらないとされています（PAPA JOHN'S事件＝平一七・一二・二〇判・平一七(行ケ)一〇〇九五、速報三六九―一三四七七)。

登録商標の使用の証明の時期については、「被請求人が証明しない限り…取消しを免れない」との規定から、一般には審判段階に限られると解されていますが、民事訴訟法の原則に従い「(登録商標の使用の)事実の立証は事実審（知財高裁）の口頭弁論終結時に至るまで許されるものと解するのが相当」とした最高裁判決が出されています（最高平三・四・二三判・昭六三(行ツ)三七、判時一三八五―一一六)。

〔不使用取消審判の改善〕 平成八（一九九六）年の改正で、不使用取消審判が改善され、請求人適格の緩和、駆込み使用の防止、取消効果の遡及及び連合商標使用の特例の削除がされた一方で、登録商標の使用と認められる範囲が拡大されました。

近年の出願件数が高水準で推移していることに伴い、登録商標が増加して不使用登録商標が累積し、特許庁の先行商標に係る審査負担が増大し、出願人側の調査においても同様であり、また商標の採択の範囲を狭めるという状況にありました。さらに、商標法条約では更新とリンクした使用状況の審査を禁止しているため（商標法条約一三条(4)(iii)）、従来の更新時の使用状況の審査ができなくなりました。そこで、不使用取消審判の改善が行われました。

不使用取消審判の請求人適格として、従来は利害関係を有する者に限られていましたが、「何人」に拡大されました。不使用登録商標の整理は公益的側面を有することが考慮されたものです（商標五〇条一項)。

従来は、取消しを免れる使用を単に「審判請求の登録前三年以内の使用」としていたため、審判請求されることを知ってから使用を開始しても取消しを免れるという事態が生じました。いわゆる駆込み使用が許されたわけですが、審判請求の登録前三月以内の使用については、請求人側が「審判請求されることを知った後の使用」であることを証明したときは、取消しを免れる使用には該当しないと改められ（商標五〇条三項)、駆込み使用が認められなくなりました。証明資料としては、請求前に商標権の譲渡交渉などにおいて商標権者側に不使用取消審判を請求する旨を伝えた書面などが挙げられます。

右の使用は原則として駆込み使用に該当することとなりますが、その時期に使用計画があったことを反証できる場合、指定商品・役務に係る許認可との関係でその時期にならざるを得なかった場合など商標権者側が正当理由があることを明らかにしたときは、駆込み使用には該当しないとされます（商標五〇条三項ただし書）。

従来は、不使用取消審判が成立し、その審決が確定したときは、その後に商標権が消滅し、商標登録の取消しの効果は将来効でした。したがって、例えば、商標権侵害訴訟に先行して当該商標登録を不使用取消審判により取り消しても、審決が確定するまでは商標権は存続するため、消滅するまでの期間は損害賠償請求の対象となりました。今般の改正で、不使用取消審判の取消審決の効果を審判請求の登録の日まで遡及させましたので、改正前に生じたような事態については改善されることとなりました（商標五四条二項）。

図表4-1　登録商標の使用と認められる事例

①　平仮名，片仮名及びローマ字の文字の表示を変更するものであって同一の称呼及び観念を生ずる商標

例１　平仮名と片仮名の相互間の使用

ちゃんぴおん ⟷ チャンピオン
わんぱく ⟷ ワンパク
よいこのくに ⟷ ヨイコノクニ

例２　平仮名及び片仮名とローマ字の相互間の使用

ラブ(らぶ) ⟷ love ［愛］
アップル(あっぷる) ⟷ apple［林檎］
ライオン(らいおん) ⟷ lion ［獅子］

②　外観において同視される図形からなる商標

例

③　その他社会通念上同一と認められる商標

例　称呼及び観念を同一とする場合の平仮名及び片仮名と漢字の相互間の使用

はつゆめ（ハツユメ） ⟷ 初夢
かんぱく（カンパク） ⟷ 関白
ほくとせい（ホクトセイ） ⟷ 北斗星

（資料）　特許庁説明会資料

不使用取消審判の請求があった場合は、商標権者側が当該登録商標の使用を証明することになりますが、実際に使用している商標が登録商標と同一でないときがしばしばあります。登録商標の使用の認定が厳しいと取消しが多くなり、その一方で取消審判請求に備えて実際の使用態様に合わせて登録を受ける必要が生じ、出願増大につながります。従来、登録商標の同一性の認定は、社会通念により同一と認められる範囲として運用されていましたが、登録商標の使用には「社会通念上同一と認められる商標を含む」と明記されました（商標五〇条一項かっこ書）。登録商標の使用と認められる事例については、**図表4-1**を参照してください。

⑤　商標権者の誤認・混同行為に基づく取消しの審判（商標五一条）

商標権者が故意に、(i)指定商品・役務についての登録商標に類似する商標、(ii)指定商品・役務に類似する商品・役務についての登録商標、あるいは(iii)指定商品・役務に類似する商品・役務についての登録商標に類似する商標の使用を行い、その使用が商品の品質・役務の質の誤認あるいは他人の業務に係る商品・役務と混同を生ずるものであるときは、何人も、その商標登録を取り消すことについて審判を請求することができます（商標五一条）。

⑥　使用権者の誤認・混同行為に基づく取消しの審判（商標五三条）

専用使用権者又は通常使用権者が、指定商品・役務又はこれに類似する商品・役務についての登録商標又はこれに類似する商標の使用を行い、商品の品質・役務の質の誤認あるいは他人の業務に係る商品・役務と混同を生ずるものであるときは、何人も、その商標登録を取り消すことについて審判を請求することができます（商標五三条）。

この審判は、⑤の審判と異なり指定商品・役務について登録商標を使用する場合も含まれています。これは、専用使用権等の使用許諾制度を採用したことに伴い、使用権者が商標権者の商品（役務）より劣悪な品質（役務の質）の商品・役務を提供し需要者の期待を裏切った場合にも適用があることとしているためです。

通常、商標法で商品の品質・役務の質といった場合、例えば、四条一項一六号、五一条などでは商標と商品・役務との不実関係を指し、品質の優劣は問題となりませんが、この審判の場合の品質（役務の質）は、その優劣も問題となることに注意しなければなりません。

この審判の請求があった場合でも、当該商標権者が前記事実を知らなかった場合において、相当の注意をしていたときは取り消されません。

⑦　外国の商標権者などの承諾なく、その代理人等によりされた登録の取消しの審判（商標五三条の二）

登録商標がパリ条約の同盟国、世界貿易機関の加盟国又は商標法条約の締約国における外国の商標権者などの当該権利に係る商標又はこれに類似する商標であって、その商標権などに係る商品・役務又はこれに類似する商品・役務を指定商品・指定役務とするものであり、かつ、正当な理由がないのに、その出願が外国の商標権者などの承諾を得ずに、その代理人等によってされたものであるときは、その外国の商標権者などは、当該商標登録を取り消すことについて審判を請求することができます（商標五三条の二）。

この審判は、パリ条約のリスボン改正で設けられたパリ条約六条の七を我が国で実施するために、不正競争防止法二条一項一五号とともに設けられているものです。パリ条約六条の七は、外国の商標権者などの異議申立て、登録の無効請求のほかに、登録を自己に移転することを請求することができるとされています。

⑧　類似商標の移転に係る登録の取消しの審判（商標五二条の二）

商標権が移転した結果、同一又は類似の関係にある登録商標が異なる商標権者に属することとなった場合において、その一の商標権者が不正競争の目的で、他の商標権者などの業務に係る商品・役務と混同を生ずる登録商標の使用をしたときは、何人もその商標登録を取り消すことについて審判を請求することができます（商標五二条の二）。

この取消審判は、平成八（一九九六）年の改正で連合商標制度が廃止されて従来の連合関係にあるような商標権の間でも移転が認められることとなったことに伴い、出所の混同を防止するために設けられたものです。出所混同の防止は公益に属し、請求は何人にも認められますが、混同を生ずるような使用に加えて、不正競争の目的の存在が取消しの要件です。

2　商標の判定

次に判定制度ですが、これについては、商標法二八条が「商標権の効力については、特許庁に対し判定を求めることができる。」と定めています。特許の場合には「特許発明の技術的範囲」、意匠の場合には「意匠の範囲」について、それぞれ判定を求めることができると定めているのに対し、商標の場合には「商標権の効力について」としています。このため、商標法二六条（商標権の効力が及ばない範囲）、二九条（他人の特許権等との関係）、三二条（先使用による商標の使用をする権利）など商標権の効力の範囲について疑義のある場合すべて適用されるとする見解があり、特許庁もこの見解に従って判定を行っています。

なお、手続等については特許法の判定と同様です。

一二　防護標章登録制度

防護標章登録制度とは、商標権者の業務に係る指定商品・役務を表示するものとして需要者の間に広く認識されている登録商標と同一の商標を指定商品・役務と類似していない商品・役務について他人が使用した場合、それらの出所について混同を生じさせるおそれがあるときは、そのおそれがある商品・役務について登録を認めようという制度です（商標六四条）。使用の結果いわゆる著名商標となると、類似商品・役務の範囲を超えて出所の混同を生じる場合も生じてきます。

しかしながら、商標権の排他的効力は登録商標の指定商品・役務の類似の範囲にまでしか及ばないことは前述しました。したがって、他人が著名登録商標を非類似の商品・役務に使用した場合はそれを排除できないことになります。このような場合を放置することは、商標法の目的にも反することになるので、防護標章登録制度を設け、著名登録商標の保護を図ったものです。

この制度は、現行法において初めて採用されたものですが、著名性の認定などが困難であることなどから必ずしも十分に機能しているとはいえないといわれています。

このようなことなどから、平成八（一九九六）年の改正の際に、防護標章登録制度の廃止が検討されましたが、著名商標に係る不正競争防止法二条一項二号に該当する不正競争行為については刑事罰が科されないため廃止すると著名商標の保護水準が低下すること、関税定率法の水際対策では防護標章登録に基づく権利が有用であることなどから、登録時及び更新時の著名性の認定を厳格に運用することとして、存続することとされました（なお、平成一七（二〇〇五）年の不正競争防止法の改正で、不正の目的の存在を条件に刑事罰が科されることとなりました）。

防護標章登録を受けた場合は、他人がその標章と同一の標章をその指定商品・役務に使用したときなどは商標権侵害とみなされ、その使用を排除することができます（商標六七条）。

登録防護標章はその趣旨から、不使用であっても取消審判により取り消されることはありません。

登録防護標章と同一の商標、同一の商品・役務に係る他人の出願は拒絶されること（商標四条一項一二号）、通常の出願と防護標章出願との間の変更ができること（商標一二条、六五条）、防護標章登録に基づく権利は付随的であり、商標権に従って移転されること（商標六六条）、侵害とみなす行為（商標六七条）などの規定があります。

一三　マドリッド協定の議定書に基づく特例

我が国が、「標章の国際登録に関するマドリッド協定の議定書」に加入するため、商標法が改正されました。

1　マドリッド協定議定書の概要

「標章の国際登録に関するマドリッド協定の一九八九年六月二七日にマドリッドで採択された議定書」（マドリッド協定議定書）は、標章（商品に係る商標及びサービスマーク）を国際的に保護するため、国際出願及び国際登録制度を創設したものです。議定書加盟国の国民は、登録又は出願を基礎とし保護を求める国を指定（領域指定）して、自国の特許庁（本国官庁）に英語、仏語、スペイン語のいずれかで国際出願することができ、本国官庁から送付された国際出願については、世界知的所有権機関（ＷＩＰＯ）の国際事務局において国際登録簿に登録されます。国際登録は、指定国について国内出願と同一の効果が発生します。指定国の特許庁がその国の商標法に基づき所定の期間内（一年又は一八月）に保護の拒絶の通報をしないとき又はその通報が取り消されたときは、国際登録日（国際出願の出願日）から国内登録と同一の効果が発生し、国際登録は一〇年間存続します。

国際登録の更新及び名義人の変更の手続などは国際事務局において国際登録簿に記録して行われます。国際登録日から五年の間に本国における基礎登録が消滅し又は出願が拒絶された場合などは、国際登録も消滅して、国際登録は本国の登録などに従属します（セントラルアタック制度）。

マドリッド協定議定書は、各国ごとにする出願を一の国際出願に代えることを可能とするとともに、国際登録制度を創設し、登録・更新などの手続先を国際事務局に一元化して、標章の国際的維持・管理を容易にしたものです。また、一八九一年に制定されたマドリッド協定の欠陥を補い、出願を基礎とできること、拒絶通報期間、料金の選択などにおいて審査主義国に配慮したものとなっています。

マドリッド協定議定書には、イギリス、ドイツ、フランス、ベルギー、ロシア、中国などが加入しています。日本については、平成一二（二〇〇〇）年三月一四日に加入の効力が生じました。

2 国際登録出願等

我が国の国民などは、我が国における登録又は出願を基礎とし、特許庁を本国官庁として国際出願（国際登録出願）をすることができます（商標六八条の二）。国際出願の言語としては英語が選択されています。国際出願については、国際事務局に対する基本手数料、追加手数料及び付加手数料、追加手数料及び付加手数料に代えて個別手数料の支払いを宣言している国を指定する場合は個別手数料のほか、本国官庁としての我が国特許庁に対する手数料が必要です。

事後指定（国際登録後に指定国を追加する場合など）、国際登録の存続期間の更新、国際登録の名義人の変更に係る手続も、国際事務局に直接するほか、特許庁長官を通じてもすることができます（商標六八条の三〜六八条の六）。

3 国際商標登録出願

国際登録において我が国を指定する領域指定は、国際登録日に出願された商標登録出願とみなされます（商標六八条の九）。これを我が国では、「国際商標登録出願」として国内出願と同様に扱われ、審査・審判の対象となります。例外として、マドリッド協定議定書で定められている商標権の存続期間の更新及び移転などは特例が定められています（商標六八条の二一など）。セントラルアタックにより国際登録が消滅したときは、救済措置として再出願の途が設けられています（商標六八条の三二）。我が国は個別手数料を選択しています（商標六八条の三〇）。

令和元（二〇一九）年の改正により、国際商標登録出願について、拒絶理由の通知を受けた後、その事件が審査、審判又は再審に係属している場合に限り、指定商品又は指定役務について補正をすることができるとされました（商標六八条の二八）。

一四　その他（平成二六年、同一八年、同八年、同三年改正附則等）

1　音等の商標導入に伴う経過措置

平成二六（二〇一四）年改正の施行前から、日本国内において不正競争の目的なく音の商標を使用してきた者には、その音を使用してきた範囲内で継続的使用権が認められます（平成二六年改正附則五条三項）。

2　小売業等を役務商標として保護する制度導入に伴う経過措置

小売等役務の指定については、平成一八（二〇〇六）年改正法の施行日（平成一九年四月一日）以降にした出願から適用されます（平成一八年改正附則五条）。

① 施行の日から三月間（特例期間）にされた小売等役務に係る商標登録出願については、同日に出願されたものとみなされます（同附則七条）。

② 特例期間中に出願された小売等役務を指定役務とする出願同士が競合した場合、施行前から日本国内で不正の目的でなく自己の業務に係る小売等役務について使用していた旨の使用に基づく特例を主張することによって、特例の適用がない出願に優先して商標登録を受けることができます（同附則八条）。その結果、使用特例商標登録出願が複数あるときは、それらが重複して商標登録を受けることがあり得ることになります（同附則八条四項）。

③　施行前から日本国内で不正競争の目的でなく小売等役務に使用されている商標は、その業務を行っている範囲で施行後も継続してその商標の使用ができる権利（継続的使用権）が認められます（同附則六条）。

3　指定商品の書換え

平成八（一九九六）年の改正で、平成四（一九九二）年三月三一日までの出願により現行区分前の商品区分など（以下「旧区分など」と略します）により登録された商標権に係る指定商品については、これを現行区分に従って書き換えるための登録が行われることとなりました（平成八年改正附則二条以下）。

現行区分はニース協定に係る国際分類を採用し平成四年四月一日の出願から適用されていますが、それまでは我が国独自の商品分類で、しかも現存する商標権が明治期以来五種類の区分・類別にわたって存在しているため、先行商標の調査が不便であり、また、なかには現在では流通していない商品や不明確なものなども存在し、商標管理などにおいて支障を来していました。

これらの問題を解決するために、旧区分などの商品分類で登録された商標権に係る指定商品を書き換えて、現行区分である国際分類及び現行の商品表示に統一しようとするものです。

旧区分などで登録を受けた商標権者は指定商品の書換登録の申請をしなければなりません。書換登録を受ける商標権の範囲及び受付開始日は特許庁長官が指定します。指定された特定の商標権についてはそれらの申請期間は、特許庁長官が指定する受付開始の日の六月後に最初に到来する商標権の存続期間の満了日前六月から満了日後一年以内です（満了日前六月の初日が受付開始日前となるときは次の満了日が基準となります）。

書換登録申請の審査などは、商標登録出願の審査・審判に準じて行われます。申請に係る商標権の指定商品の範囲を実質的に超えるものは、拒絶理由、登録無効理由となります。書換登録がなされたときは、書換え後の指定商品が当該商標権の指定商品となります。申請期間内に申請をしなかったとき又は申請が拒絶されたときなどは、商標権は当該存続期間の満了により消滅し、次回の更新を受けることができません。

なお、書換登録の各規定は、防護標章登録に基づく権利についても準用されています（同附則二三条）。

4 立体商標制度導入に伴う経過措置

平成八（一九九六）年改正の施行（平成九年四月一日）の前から、不正競争の目的なく立体商標を使用している者には、継続的使用権が認められます。他人が抵触する立体商標などについて登録を受けその他人が商標権の侵害を主張したとき、継続使用を条件として抗弁権として機能するものです。周知は要件とされていませんが、使用の範囲が施行の際の業務の範囲内となります（平成八年改正附則二条一項）。施行の際周知となっている立体商標については、先使用権（商標三二条）と同様の使用権が認められます（同附則二条三項）。

5 サービスマーク登録制度導入に伴う経過措置

(1) 平成三（一九九一）年改正の施行の日（平成四年四月一日）から六月を経過する前、不正競争の目的なくサービスマークを使用している者には、継続的使用権が認められます（平成三年改正附則三条）。

(2) 平成三年改正附則五条三項などに基づいて、使用に基づく特例出願に係る商標については重複登録も認められましたが、重複登録については、更新時の混同の有無の審査、混同防止表示の請求、不正使用による取消審判の特例及び不正競争防止法の適用が認められます（平成三年改正附則九条、一〇条、一一条）。なお、更新時の混同の有無の審査については、商標法条約二二条(6)の要請により初回の更新時のみとなりました（平成八年改正附則一一条）。

第５章

不正競争防止法のあらまし

一　不正競争防止法はなぜ産業財産権法なのか

現代の資本主義経済社会においては営業の自由が保障されており、その一環として自由競争の原理が貫かれています。この自由競争の原理こそ経済発展の原動力になっているといえるでしょう。

しかしながら、競争の自由にもおのずから一定の枠があり、ルールに従わなければなりません。このルールとは、一言でいえば、「公正な競争」（fair play）であり、商慣習、商業道徳であるといえます。公正な競争を確保することは、競争者間のルールであるにとどまらず、技術進歩を促し、品質を向上させ、価格を下げるなど消費者の利益にも深く結びついています。

現実の経済社会においては、競争の激化に伴って、利潤追求のあまり、競争関係で優位な立場を築こうとして、商慣習などで確立された商取引秩序を破壊する行為が生じます。この行為を「不正競争」（unfair competition）といいます。不正競争行為は、単に取引秩序を乱し、競業者の顧客獲得可能性を奪うばかりでなく、一般消費者

歴史

外国からの要請でできた不正競争防止法

○日本では、江戸時代はその身分制度に端的に現れているように、商工業はあまり重要視されていませんでした。

明治に入り、開国後、欧米諸国との貿易も始まり、また士族制度の撤廃などに伴い、経済発展を目指して商工業の育成が図られ、商工業は急激に発達しました。これに伴い、明治一七年に商標条例、同一八年に特許条例などが制定されました。

しかしながら、日本における不正競争の観念は低く、むしろ他人との競争に勝つためには、法に違反しない限り、他人の名声を利用し、模造品を出すという傾向さえありました。

こうした中で、日本は、不平等条約を撤廃するために、明治三二年七月一三日にパリ条約に加入し、同条約を公布しましたが、原産地の虚偽表示に関するマドリッド協定には加入しなかったことから、不正競争の防止に関する法制を整備する必要はなかったわけです。

その後、一九一一（明治四四）年にパリ条約がワシ

の利益をも害することになります。

このようなことから、資本主義経済の発達に伴って、不正競争を取り締まる必要が生じました。そして、自由競争秩序における商慣習や商業道徳を法律まで高めたのが不正競争防止に関する法律であるといえます。

通常、産業財産権法（旧工業所有権法）といった場合、特許、実用新案、意匠、商標に関する法律四法を指しますが、工業所有権の保護に関するパリ条約一条(2)によれば「工業所有権の保護は、特許、実用新案、意匠、商標、サービス・マーク、商号、原産地表示又は原産地名称及び不正競争の防止に関するものとする。」とされていますので、サービスマーク、商号、不正競争防止に関する法律なども広義の産業財産権法といえましょう。

我が国では、現在のところ、不正競争防止に関する法律としては不正競争防止法が制定されており、また、商号に関する法律としては商法及び会社法があります。サービスマークの登録制度は、平成四（一九九二）年四月から新設され商標法の中に組み込まれています。

不正競争には、単に法律に違反する行為のみならず商慣習、商業道徳に反する行為及び不当な取引も含まれます。パリ条約でも、「工業上又は商業上の公正な慣習に

ントンで改正され、保護の対象として不正競争の防止も掲げられましたが、既存の国内法（刑法・民法など）で対処することができるとして、不正競争防止に関する国内法は制定されませんでした。
○しかしながら、日本の国内においても不正競争の取締りの必要性の声が高まり、明治四四年に「不正競争取締ニ関スル法案」が作成されましたが公布に至りませんでした。
さらに、一九二五年にヘーグでパリ条約が改正され、その中で不正競争の防止に関する規定が大幅に強化されました。他方、同盟国の中で不正競争防止法を有しない国は、次の会期（一九三三年＝昭和八年）までに法律を制定することを申し合わせました。

次期パリ条約改正会議は一九三四年にロンドンで開催されることとなっていました。この会議に出席するためにヘーグ改正条約を批准し、不正競争防止法を制定する必要があったことから、商工省において不正競争防止法が作成され、第六五回帝国議会に提出され成立しました。そして、昭和九年三月二七日に法律第一四号として公布され、同一〇年一月一日にヘーグ改正条約の効力発生と同時に施行されました。
○不正競争防止法は、経済の発展に伴う国内での不正競

反するすべての競争行為は、不正競争行為を構成する。」（一〇条の二(2)）と不正競争行為を定義しています。

不正競争については、欧米諸国では古くから取締りの努力が行われ、フランスでは不法行為の理論で、英米ではパッシング・オフの理論やコモンローで禁止され、ドイツでは一九世紀末に不正競争禁圧法が制定されました。

我が国では、不正競争の一部は刑法の詐欺罪（刑法二四六条）、信用毀損業務妨害罪（同二三三条）及び民法の不法行為（民法七〇九条）で取り締まることも可能ですが、その要件がかなり異なりますので十分ではありません。

また、商標法も、商取引の目印である商標を一定のルールにより登録することで取引秩序の確保を目指すことを目的の一つとしていますが、直接に不正競争の取締りを目的とするものではありません。このため、我が国においても、不正競争防止法が別途制定されています。

近年、次のような事情の下で、不正競争防止法の役割は一層重要になってきています。

① 経済の発展、生活水準の向上に伴って、特に、消費財分野の流通過程で商号・商標などの役割が増大

争防止の必要性よりも、むしろパリ条約の改正条約の批准のため必要に迫られて制定されました。

このようなことから、不正競争防止法は、ヘーグ改正条約の批准のために必要最小限を規定したにとどまり、条文もわずかに六か条からなる簡単なものでした。しかしながら、明治三二年のパリ条約加盟以来懸案とされていた不正競争防止法が成立したわけですから、当時の不正競争の観念からすれば画期的といえるものでありました。

不正競争防止法は、一九三四（昭和九）年のパリ条約のロンドン改正に伴い昭和一三年に改正され、戦後、日本の業者による国内外での不正競争が頻発したことから連合国最高司令部などの指示もあり、昭和二五年に改正されました。

次いで、昭和二八年の原産地の虚偽表示の防止に関するマドリッド協定への加入に伴い、同年に不正競争防止法が改正されました。

○昭和四〇年、パリ条約のリスボン改正条約の批准に伴い、昭和五〇年、同条約のストックホルム改正条約の批准に伴い、それぞれ改正されました。

○平成二年に、近年における技術革新・情報化・経済のサービス化の進展に伴う営業秘密の重要性の高まり及

していること

② 二〇世紀中ごろまでの技術進歩のテンポに比較して近来のそれはスローダウンしており、品質面の競争は行われにくくなっていること

③ 経済成長の鈍化に伴い、市場の急激な拡大は望み得ず、シェアアップのためには、競争者のシェアにいかに食い込むかがポイントであること

④ 産業財産権を有しない場合でも、事業者の一定の利益を保護するため利用可能であること

右のような事情の下では、不正競争防止法などによる「公正」な競争秩序の維持が求められているわけです。

不正競争防止法の不正競争行為の類型が制限的列挙であることから、必ずしも取引市場の実態と一致していないとの批判は、不正競争防止法が今日改めてその意義が見直されている一つの現れであるともいえるでしょう。

同じ経済取引における競争の自由を確保するための法律でも、不正競争防止法は主として競業者間の私益保護を目指し、独占禁止法は一般消費者の利益、すなわち公益保護を目指しているところが異なります。

右のような役割を期待されている不正競争防止法は、平成五（一九九三）年五月、昭和九（一九三四）年の制

びガット・ウルグアイラウンド等の国際交渉における知的財産の適切な保護の動きなどを背景として改正されました。

○平成五年に、これまでに集積された判例、日本の経済社会の環境変化及び国際的ハーモナイゼーションへの対応などを踏まえて、本文のとおり全面改正されました。

○平成一〇年に、国際商取引における外国公務員に対する贈賄の防止に関する条約を批准するために改正されました。

○平成一一年に、コンテンツ事業を保護するため改正されました。

○平成一三年に、ドメイン名の不正登録や使用を排除するため、新たな不正競争行為が追加されました。

○平成一五年に、営業秘密不正行為について刑事罰を科することや損害賠償額の立証の容易化等のため改正されました。

○平成一六年に、不正競争防止法の一部改正のほか、裁判所法等の一部を改正する法律（平成一六年法律第一二〇号）の中で、侵害訴訟における書類提出命令に関する規定を整備する改正がなされました。

○平成一七年に、営業秘密の刑事的保護の強化、模倣

定以来六〇年ぶりに全面改正されました（平成五年法律第四七号。平成六年五月一日施行）。

この改正は、従来のカタカナ表記を現代文の表記に改めた上、次の改正がなされています。

① 不正競争行為の類型中に、新たに、著名表示冒用行為と商品形態模倣行為が加えられました。

② 原産地等虚偽表示行為の対象が商品から役務にも拡大されました。

③ 損害額の推定規定が新たに設けられました。

④ 法人処罰規定の罰金額が「一億円以下」に引き上げられました。

以下では、平成五年に全面改正された不正競争防止法及びその後の改正について説明します。

二 不正競争行為の類型

不正競争防止法では、二条一項で「不正競争」を一五の類型に分けています（本書では「営業秘密不正行為」を一つにまとめ、九つの類型として説明します）。

1 周知表示混同惹起行為

品・海賊版対策及び罰則の見直しなどについて、改正が行われました。

○平成一八年に、産業財産権侵害の罰則の見直しにならい、刑事罰強化のために、懲役刑の上限及び罰金刑の最高額が引き上げられました。

○平成二一年及び同二三年にもわずかですが改正されました。本文を参照してください。

○平成二七（二〇一五）年に改正されて、営業秘密の保護強化が図られました。最近相次いで発生した営業秘密刑事事件、製鉄技術に係る新日鐵住金対ポスコ事件やフラッシュメモリ技術に係る東芝対ＳＫハイニックス事件、顧客情報に係るベネッセ事件等を背景としたものです。

○平成三〇（二〇一八）年の改正で、限定提供データ不正行為が不正競争行為に追加されました。

不正競争防止法の制定・改正の多くが、日本国内での不正競争に対する関心の高まりや、その取締りの必要性や拡大からではなくて、むしろ、パリ条約の改正を中心とする外部からの要請によって主として行われてきたことは、日本における不正競争に対する意識・関心を知る上で、非常に興味を覚えるとともに、不正競争防止法を理解するに当たって大いに参考になると思われます。

不正競争の第一の類型は、不正競争防止法二条一項一号に掲げられた行為、すなわち他人の商品等表示として需要者の間に広く認識されているものと同一のもの若しくは類似のものを使用し、又はそのような商品等表示を使用した商品の譲渡若しくは輸出入等を行って、その他人の商品や営業と混同を生じさせる行為（周知表示混同惹起行為）です。

ここでいう「商品等表示」には、「人の業務に係る氏名、商号、商標、標章、商品の容器若しくは包装その他商品又は営業を表示するもの」が該当します（不競法二条一項一号かっこ書）。出所表示機能を有するものであれば、商品やその包装・容器の形態も該当します。営業とありますが、経済上一定の収支決算の上に立って行われる事業であれば、学校や病院、舞踊の家元の文化活動など非営利事業に係る商品等表示も該当します。

最高裁は、宗教法人の宗教活動自体やそれと密接不可分の関係にある事業、出版、講演等については不正競争防止法の適用対象外と、また同法人が行う駐車場業など収益事業については対象となり得ると判示しました（「天理教豊文教会事件」最高一八・一・二〇判・平一七(受)五七五、民集六〇―一―一三七）。

この商品等表示は、「需要者の間に広く認識されている」もの、すなわち「周知」のものでなければなりません。これは「広く認識されるようになったもの」でなければ不正競争防止法によって保護するに値しないばかりか、「周知」に達していないような商品等表示を保護の対象にするとすれば、かえって取引の安定に寄与しないこととなるからであると説明されています。そして、商品等表示は、一定の地域や需要者・取引者間での周知で足りますが、不正競争行為者の営業地等で周知でなければなりません。「広く認識」する「需要者」は、最終需要者に限られるものではなく、取引者をも含むものと考えられます。

周知については、保護を求める原告側が立証しますが、必ずしも容易ではありません。最近の裁判例でも、地裁では立証に失敗して、控訴審の高裁で認められた「日本車輌事件」（知財高平二五・三・二八判決　原審東京地平二四・七・一九判決）があります。商品等表示の周知性については、事実認定であるため、使用商品の譲渡数量、使用期間、使用地域や広告媒体たる新聞・雑誌・テレビによる広告の回数等の証明が必要です。また本件判決では、原告による使用ではないが新聞による原告紹介記事も、採用されました。

次に、商品等表示の「類似」性が問題となりますが、おおむね商標法で見た類似の判断方法と同様の方法に基づいて判断されると考えてよいでしょう。

「混同」というのは、一般的には、当該商品又は役務について出所が同一であると誤認させることをいいます。これは一般に狭義の混同と呼ばれていますが、不正競争防止法ではこの狭義の混同に限られるものではなく、広義の混同、すなわち資本上の系列などの関係があるものと誤認させることをも含むものと広く解釈されているのが実情です。

本行為に該当する場合は、両当事者がいずれも商品等表示を使用しているときですので、混同は抽象的なおそれではなくて、混同の具体的な危険性があるときと考えられます。

平成一五（二〇〇三）年の改正で、混同行為の態様に、「電気通信回線を通じて提供する行為」が追加されました。インターネット通信の発展に伴い、商標法二条二項二号と同様に、コンピュータ・プログラムのダウンロードなど、電気通信回線を通じて提供する際に表示される商品等表示が本行為の対象であることを明確化したものです（後述の著名表示冒用行為、原産地等誤認惹起行為及び代理人等商標冒用行為においても、同様です）。

周知表示混同惹起行為には適用除外規定があります。普通名称等を普通に用いられる方法で使用したり（不競法一二条一項一号）、自己の氏名を不正の目的でなく使用したり（同二号）、周知になる前から使用している場合（同三号）がそれです。

2　著名表示冒用行為

第二の類型は、他人の著名な商品等表示と同一若しくは類似のものを自己の商品等表示として使用する行為、又はその商品等表示を使用した商品を譲渡・輸入等を行う行為（不競法二条一項二号。著名表示冒用行為）です。

この規定は、平成五年改正で新設されたもので、これまで著名商標等の「ただ乗り」（フリーライド）、「希釈化」（ダイリューション）等として問題とされていた事態に対応するためのものであるということができるでしょう。

この規定には、特に「著名」という用語が用いられていますが、一号にいう需要者の間に広く認識されているもの（周知）のうちでも、とりわけ高い程度の周知性を獲得するに至っている（著名）表示の冒用について適用されると考えてよいでしょう。

本行為に係る初めての裁判例が二件出され、いずれも著名商標所有者側（原告）の請求が認められました（東京地平一〇・三・一三判・速報二七六―八〇五二、東京地平一〇・四・二四判・特企三四七（九八・七）七〇）。しかし、被告が争わなかったので、フリーライド又はダイリューションなど、本行為として禁止するための保護法益がいずれにあるのか明らかにされませんでした。

また、他人の著名商標を無断でドメイン名として登録して、自ら開設したホームページのリンク先の画面で商品の宣伝広告をしている場合には、そのドメイン名の使用は本行為に当たるとされました（ＪＡＣＣＳ事件＝富山地平一二・一二・六判、判タ一〇四七―二九七）。

この著名表示等冒用行為についても、一号と同様の適用除外規定があります。

3　商品形態模倣行為

第三の類型は、不正競争防止法二条一項三号に掲げられた行為です。販売の時から三年以内に他人の商品の形態を模倣した商品の譲渡、輸入等を行う行為（商品形態模倣行為）です。

これは、他人が費用や労力を投資して開発した商品を他に選択の余地があるにもかかわらず模倣した、すなわち同一又は実質的に同一の商品（デッドコピー）の販売等を禁止したものです。

ここでの「商品の形態」については、平成一七（二〇〇五）年の改正で、需要者がする通常の用法に従った際の認識を基準として、「商品の外部及び内部の形状並びにその形状に結合した模様、色彩、光沢及び質感」と、「模倣」については、「他人の商品の形態に依拠して、実質同一の形態の商品」とそれぞれ定義されました（不競法二条四項・五項）。いずれもこれまでの裁判例で確立された解釈を踏まえたものです。また、「商品の形態」からは、「当該商品の機能を確保するために不可欠な形状を除く」とされました。改正前の「通常有する形態」については他に用語例がなく分かり難いとの指摘等に対して、意匠法（五条三号）や商標法（四条一項一八号）が採用する規定に倣ったものと思われ、この結果、「ありふれた形態は」は除かれないことになりますが、このような形態は「模倣」の対象外でしょう。

「商品の形態」については「内部の形状」も含むとさ

れましたが、バックの内部構造程度のものであって（「旅行用小型ショルダーバック形態模倣事件」東京高平一三・九・二六判・判時一七七〇—一三六）、機械や器具の内部構造までも含むものではありません（「ドレンホース形態模倣事件」大阪地平八・一一・二八判、知財裁集二八—四—七二〇）。

改正前の二条一項三号かっこ書「最初の販売の日から三年経過したものを除く」の規定は、販売地を「日本国内において」として、適用除外として規定されました（不競法一九条一項五号イ）。商品形態が模倣されている商品を善意、無過失で譲り受けたような場合には、適用が除外されます（不競法一九条一項五号ロ）。

重過失の有無について判断された最近の裁判例があります（「ステンドグラスランプシェード形態模倣事件」東京地平二五・六・二七判決）。被告はインテリア用品輸入販売業者であるところ、この種商品の輸入業者には侵害の有無に注意を払う立場にあり、大手インターネットショッピングモール楽天市場に開設した原告ショップへの画像の掲載や、訴外メーカーに対し模倣の有無につき問い合わせることで模倣の有無は容易に調査でき、調査義務があったのに行わなかったのは、重大な過失がなかったと認めることはできないとされました。

4　営業秘密不正行為

第四の類型は、営業秘密不正行為です（不競法二条一項四号～一〇号）。営業秘密を不正な手段（窃取、詐欺、脅迫等）等で取得し若しくは取得したものを使用し、開示する行為又は営業秘密の保有者から示された者が、不正の利益を得る目的や損害を与える目的で、使用し若しくは開示する行為を禁止するものです。二条六項には「営業秘密」が、「秘密として管理されている生産方法、販売方法その他の事業活動に有用な技術上又は営業上の情報であって、公然と知られていないものをいう。」と定義されています。この「営業秘密」、すなわち、企業内で「秘密として管理されている」いわゆるノウハウや顧客リスト、販売マニュアルなどを違法な手段で取得したり、取得した情報を自ら利用したり他人に売却するなどの行為が、第四の類型になります。

平成二七（二〇一五）年の改正で、技術上の営業秘密に係る不正行為については、悪意・重過失のある場合は、当該侵害物品の三次以降の譲渡、輸出入等行為をも営業秘密不正行為に追加されました（不競法二条一項一〇号)。また、技術上の営業秘密に係る一定の物の生産に関する不正行為については、行為者が当該不正行為をして生産等をしたと推定する規定が新設されて、損害賠償請求等に係る立証負担が軽減されました（不競法五条の二)。

営業秘密として不正行為から保護されるためには、単に営業秘密の保有者が秘密だと思っているだけでは不十分で、それが営業秘密であると客観的に認識できるような状態で管理されていることが必要でしょう（秘密管理性)。例えば、就業規則等で営業秘密に関する規定を設けたり、営業秘密の収納・保管・破棄方法等を規定したり、営業秘密の取扱者を限定すること等が一般的に行われているようです。

次に、営業秘密として不正行為から保護されるためには、生産方法・販売方法・研究開発等の事業活動に役立つ情報であることが必要です（有用性)。この場合の有用性とは、単に営業秘密の保有者が主観的に有用であると思っているだけでは足りず、客観的に有用性が認められることが必要です。例えば、ある企業が脱税、有害物質の垂れ流し等の情報をひた隠しにしていたとしても、そのような情報は、営業秘密には当たりません。また、人事の話・ゴシップ・スキャンダル情報等も事業活動に有用な情報とは考えられませんから、営業秘密にはならないでしょう。

さらに、営業秘密として不正行為から保護されるためには、それが一般的に知られていないことが必要です。保有者がいくら大切に秘密として管理している情報であっても、すでに一般的に知られているものは保護されません（非公知性)。例えば、以前に同じ製法が発見されていたことが明らかになった場合とか、第三者が同じ製法を偶然発見して学会で報告していた場合は、「公然と知られていた」こととなり、営業秘密には該当しないこととなります。

本行為に該当するとされた裁判例として、男性用かつらの顧客名簿の事例があります。各顧客の頭髪の状況なども記載され、マル秘の印を押印の上、保管されていた顧客名簿は営業秘密に当たるとされました（大阪地平八・四・一六判、判タ九二〇—二三二)。また、最近の裁判例でも、原告の請求が認容されて、約五三〇〇万円の損害賠償が認められたものがあります（「電工表示器等顧客情報営業秘密事件」東京地平二五・一〇・一判決)。原告の元社員でその後被告に転職した者らが、原告在職中に顧客情報を無断複写して被告へ引き渡し、被告が使用したという典型的な営業秘密不正事件です。原告は本件顧客情報については集中管理、立入禁止、閲覧制限及び就業規則の制定・社内周知ときっちりと管理していたため、管理性要件を満たしました。

4―2　限定提供データ不正行為

平成三〇（二〇一八）年の改正で、例えば、自動走行車輌向けに提供する三次元地図データや化学物質等の素材の技術情報を要約したデータ等を「限定提供データ」として、営業秘密に係る不正競争と同様な行為を不正競争行為としました（不競法二条一項一一号〜一六号）。

限定提供データを不正な手段（窃取、詐欺、強迫等）などで、取得し若しくは取得したものを使用し、開示する行為又は限定提供データ保有者から示された者が、不正の利益を得る目的や損害を与える目的で、使用し若しくは開示する行為を禁止するものです。

適用除外として、①取引によって限定提供データを取得した者が、その取得時に、不正開示行為であること又は不正取得行為若しくは不正開示行為が介在したことを知らないときで、その取引によって取得した権原の範囲内においてその限定提供データを開示する行為及び②相当量蓄積されている情報が無償で公衆に利用可能となっている情報と同一の限定提供データを取得、使用又は開示する行為については、不正競争行為とはなりません（一九条一項八号イ、ロ）。

5　コンテンツ技術的制限手段解除機器等提供行為

第五の類型は、二条一項一一号・一二号に掲げられているものです。

これは、コンテンツ事業（音楽、映画、ゲームソフトなどをデジタル化してインターネット又はＤＶＤなどにより消費者に提供する事業）において用いられている無断コピー、アクセス制限のための技術的制限手段に対して、これを無効化するために用いる機器又はプログラムの譲渡などを不正競争行為としたものです。

平成二三（二〇一一）年の改正において、本行為については、無断コピーやアクセス制限といった技術的制限手段を回避するのみの機能を有する機器やプログラムの譲渡等禁止から、それ以外の機能を併有する機器等も含む旨拡大されました。

右の無効化する機器としては、例えば、映画などのビデオにコピー画像を乱すための特殊な信号を組み込むマクロビジョン方式に対して、そのコピーガードを解除するマクロビジョンキャンセラーなどが挙げられています。また、有料衛星放送などのペイパービューサービス契約者以外の者が視聴できないように制限がされている放送に対して、この制限を解除するために用いる機器を譲渡することなども不正競争行為に当たることとなりました。

「技術的制限手段」及び「プログラム」については、定義規定が設けられています（不競法二条七項・八項）。

平成三〇（二〇一八）年の改正で、「技術的制限手段」の定義等については、それによって制限されているものとして、機器の提供等に加えて、情報（電磁的記録に記録されたものに限る）の処理及び記録という役務の提供も追加されました。

6　ドメイン名不正登録行為

第六の類型は、不正の利益を得る目的で、又は他人に損害を加える目的で、他人の特定商品等表示と同一若しくは類似のドメイン名を使用する権利を取得、若しくは保有し、又はドメイン名を使用する行為です。

平成一三（二〇〇一）年の改正で追加された不正競争行為で、他人が、登録商標や商号等と同一又は類似のものを無断でドメイン名として登録した場合に救済するものです。ドメイン名とは「インターネットにおいて、個々の電子計算機を識別するために割り当てられる番号、記号又は文字の組み合わせに対応する文字、番号、記号その他の符号又はこれらの結合」（二条九項）です。

また、特定商品等表示には、「人の業務に係る氏名、商号、商標、標章その他の商品又は役務表示」が含まれます（二条一項一号かっこ書）。

このように、ドメイン名登録者に不正の利益を得る目的等の主観的要件が必要とされます。ドメイン名に関する国際的紛争処理ルールである国際的ドメイン名の管理組織ＩＣＡＮＮが作成した「統一ドメイン名紛争処理システム（ＵＤＲＰ）」に符合するものであり、登録者側の正当理由等（自己の商号であるなど）の事情は右主観的要件の中で考慮されます。

本行為に係る初めての裁判例では、既に著名となっている原告商品等表示（商標）と類似するドメイン名を用いてウェブサイトを開設し宣伝広告する行為は、著名な原告商品等表示が獲得していた良いイメージを利用して利益を上げる目的（不正の利益を得る目的）があったものと推認して、原告が受けるべき損害額としての使用料率は売上げの〇・五％が認められました（マクセルコーポレーション事件＝大阪地平一六・七・一五判・平一五（ワ）一一五一二）。

7　原産地等誤認惹起行為

第七の類型は、二条一項一四号に掲げられているものです。

まず、商品そのものや商品の広告・取引書類等に、原産地・品質・内容・製造方法・用途等を誤認させるような表示をする行為、その表示した商品の譲渡・輸入等を行う行為が挙げられます。

次に、役務や役務についての広告・取引書類等に、その役務の質・内容・用途・数量を誤認させるような表示をする行為、そのような表示をして役務を提供する行為がこの類型に含まれます。レストランやホテル等が提供する料理は役務に当たります。

平成二〇（二〇〇八）年ごろ、産地偽装事件が相次ぎました。「ブラジル産鶏肉」（平二〇・七・九付け朝日新聞夕刊）や「中国産養殖フグ」（平二〇・七・二九付け読売新聞）、「中国産リンゴ果汁」（平二〇・八・二六付け朝日新聞）、「事故米」（平二〇・九・一二付け朝日新聞夕刊）、「中国産ウナギ」（平二〇・一一・一五付け読売新聞夕刊）、「中国産タケノコ水煮」（平二一・一・八付け読売新聞夕刊）では、いずれも本号該当の事件とされました。そして、「食肉偽装・ミートホープ」（平二〇・三・一九付け読売新聞）や「牛肉・船場吉兆」（平二〇・八・一一付け読売新聞）、「比内地鶏」（平二〇・一二・二四付け読売新聞夕刊）については、刑事罰が科されました。

8　競争者営業誹謗行為

第八の類型は「競争関係にある他人の営業上の信用を害する虚偽の事実を告知し、又は流布する行為」（不競法二条一項一五号）です。

これは、旧不正競争防止法一条一項六号に対応するもので、競争関係にない者間の行為については適用されません。

現に他人の営業上の信用を害していなくとも、そのおそれがあれば、この規定の適用があるものと考えられます。

9　代理人等商標冒用行為

第九の類型は、二条一項一六号に掲げられている行為です。

パリ条約の同盟国、世界貿易機関の加盟国又は商標法条約の締約国において商標に関する権利（商標権に相当する権利に限る）を有する者の代理人若しくは代表者又は代理人若しくは代表者であった者が、正当な理由がないのにもかかわらず、その権利に係る商標と同一若しくは類似の商標を、同一若しくは類似の商品・役務に使用して又はこれを使用した商品を販売・拡布若しくは輸出する行為若しくは役務を提供する行為は、代理人などによる商標冒用行為といい、不正競争として禁止されています。

ただし、この場合、本行為の開始前一年以内に代理人又は代表者でない者の行為は該当しません。

本行為は、パリ条約のリスボン改正の批准に伴い、同条約の六条の七を受けたものです。本行為に該当する事例としては、アメリカで商標権を有する者Ａが日本のＢと総代理店契約を結んでいたが、その解約後もＢが無断でＡの商標を使用した場合などです。

商標に関する権利とされていますので、使用主義を採用している国では必ずしも登録されている必要はありません（使用主義国では商標の使用の開始で商標権が発生し、登録はその確認にすぎません）。他方、商標権に相当する権利に限るとされていますので、外国で原産地名称として保護されていたとしても、該当しません。

＊

以上の行為が我が国の不正競争行為の類型ですが、制限列挙ですので不正競争行為として差止請求等ができるのは以上の行為に限られます。

例えば、ドイツでは「営業上の取引において競業の目的をもって善良の風俗に反する行為」を不正競争行為とするという、いわゆる一般条項を設けて幅広く不正競争を取り締まっており、このことから、我が国でもこのような一般条項を設けて不正競争を幅広く禁止し、公衆の利益保護の拡大を図ることが今後の不正競争防止法のあり方であるなどともいわれていますが、平成五年の改正では、右のような一般条項を設けるには至りませんでした。

三　不正競争とはならない行為

1　商品の普通名称などの適用除外

不正競争行為に形式的には該当する場合であっても、氏名使用の自由などとの調整から不正競争行為とはならない行為を次のように定め、その行為には差止請求、損害賠償責任及び罰則の適用を除外しています（不競法一九条一項）。

①　商品の普通名称（ぶどうを原料又は材料とする物の原産地の名称であって普通名称となったものを除きます）若しくは慣用表示を普通に使用される方法で使用する行為又はこれらの表示を使用した商品を販売などをする行為（同一号）

この普通名称は商標法三条一項一号の普通名称と、慣用表示は同二号の慣用商標などと同じものと考えてよいでしょう。

裁判例では、普通名称に地名を冠した「成城調剤薬局」について右と同旨のものであるとして、本号を適用しました（東京地平一六・三・五判・平一五（ワ）一九〇〇二、速報三五〇―一一三七八）

②　営業の慣用表示を普通に用いられる方法で使用する行為（同一号）

営業の慣用表示としてはデパート、スーパー、ショッピングセンターなどが挙げられます。プレイガイドもこの表示に含まれるとの判決もあります（赤木屋プレイガイド事件＝東京地昭二八・一〇・二〇判・昭二七（ワ）六一五〇、下民四―一〇―一二〇三）。

③　自己の氏名を不正の目的でなく使用する行為又はこの表示を使用した商品の販売などをする行為（同二号）

自己の氏名を不正の目的なしに使用する場合は不正競争行為とはならないことは当然です。しかし、法人の代表者の氏名を商号に使用することは本行為には含まれないとされています（山葉事件＝静岡地浜松支部昭二九・九・一六判・昭二七（ワ）二五六、下民五―九―一五三一）。

また、「ここにいう『氏名』は、自然人の氏名に限定して解すべきものではなく、法人の名称も含むものと解するのが相当である。けだし、法人であっても、創業地や本店所在地の地名、創業者の氏名等をその名称に用いる必要がある場合は少なくないものであるから、そのような名称を不正競争の目的なく使用する場合には、これを不正競争防止法の適用の対象から除外する必要性が存在する。」（バドワイザー事件＝東京地平一四・一〇・一五判・平一二(ワ)七九三〇、速報三三一―一一一九）とした裁判例があります。

④ 周知表示混同惹起行為等に係る商品等表示が周知又は著名となる以前より、これと同一又は類似の表示を不正の目的なしに使用する者若しくはその者より営業とともにその表示の使用を承継した者がその表示を使用する行為又はこれを使用した商品の販売などをする行為（同三号・四号）

先使用者は周知の要件を必要とせず、使用の事実だけで差止請求などを免れ保護されます。商標法においては、先使用者が商標権の侵害にならないなどの保護を受けられるのは周知商標の場合に限られている（商標三二条など）のと比較すると異なります。

⑤ 販売開始から三年経過後の商品の譲渡等又は善意で商品形態模倣商品を取得する行為（同五号）

日本国内で最初に販売された日から三年を経過した他人の商品の形態を模倣したものを譲渡・輸入等をする行為や、他人の商品の形態を模倣したものを重大な過失なく購入などした者が、その商品を譲渡・輸入等する行為は不正競争になりません。

⑥ 営業秘密が不正行為によるものだと知らず（知らないことについて重大な過失のない場合に限ります）、売買契約やライセンス契約等の取引により営業秘密を取得するときには、その契約等で得た権原（法律上の権利のことで、例えば、売買契約なら所有権、ライセンス契約なら使用権）の範囲内で使用し、開示する行為（同六号）

例えば、後に保有者から警告を受け、悪意になった場合であっても、営業秘密を取得した契約の際に善意無重過失ならば、契約の範囲内での使用・開示は不正行為になりません。

⑦ コンテンツ技術的制限手段解除機器等の提供行為に関して、技術的制限手段の試験又は研究のために用いられる無効化のための装置又はプログラムを記録した媒体等の譲渡等又は当該プログラムを電気通信回線を通じて提供する行為（同七号）

以上の行為は、不正競争行為とはならず、差止請求を受けることなく、損害賠償責任もなく、また罰則も適用されません。③又は④に掲げる行為については、営業上の利益を害されるおそれがあるとして差止めを請求することができる者に係る商品又は営業と混同を生じるおそれがあります。したがって、その利益を害されるおそれのある者は、③又は④の行為をする者に対して混同を防ぐのに適当な表示を付すことを請求することができます（不競法一九条二項）。

2 営業秘密の不正使用に関する時効

営業秘密の不正使用が長期間継続する場合には、社会関係、法律関係の安定のため、差止請求権が時効で消滅することとなっています（不競法一五条）。

具体的には、①保有者が不正使用の事実と不正使用を行う者を知った時から三年間差止請求をしなかった場合、②不正使用の開始の時から二〇年（平成二七年改正）が経過した場合には、差止請求ができなくなります。

3 産業財産権の権利行使による適用除外規定の廃止

旧不正競争防止法では、商品主体混同行為、営業主体混同行為又は代理人などによる商標冒用行為などに該当する場合であっても、それが特許権、実用新案権、意匠権、商標権の権利行使と認められる行為であるときは、差止めなどを受けることなく、また、罰則の適用も除外されていました（旧法六条）。この規定は、平成五年改正で廃止されましたが、産業財産権の正当な権利行使については、改正前と取扱いは変わらないとされています。

四 外国紋章などの使用禁止

不正競争防止法は、パリ条約六条の三の規定を受けて、外国紋章など及び政府間国際機関の標章などの使用を禁止しています（不競法一六条、一七条）。

パリ条約六条の三は、国家の尊厳を保持するためなどから、パリ条約の同盟国相互で、国家の紋章などについて商標として登録することを拒絶又は無効とすること、また、その使用などを禁止することを約束しているものです。商標として登録をすることは、商標法で不登録事由として拒絶しており（商標四条一項一号〜三号）、不正競争防止法ではその使用などを禁止しているものです。

各同盟国は保護を求める紋章などをＷＩＰＯの国際事務局を通じて相互に通知し、これを受けて我が国では経済産業省令で定めます。同省令で定められた国の紋章などは公衆の縦覧に供されることとなっています。

昭和四〇（一九六五）年の改正で外国の紋章などのほかに政府間国際機関の標章などの使用も禁止され、国の紋章、旗章、その他の徽《き》章だけではなくて、例えば、国際連合のマーク、ユネスコのマークなども含まれることとなりました。

紋章などをそのまま商標として使用する場合だけでなく、その一部として使用する場合も含まれます。

五　外国公務員などに対する不正の利益の供与などの禁止

平成一〇（一九九八）年の改正で、我が国が「国際商取引における外国公務員に対する贈賄の防止に関する条約」を批准するに当たり、不正競争防止法を改正し、右条約の目的である不正手段による国際商取引を国際的協調の下で防止する趣旨の次の規定が追加されました。

我が国企業の社員など何人も、国際的な商取引に関して営業上の不正利益を得るために、外国公務員等に対してその職務に関して利益を供与することなどを禁止しています（不競法一八条）。

六　救　済

不正競争行為により営業上の利益を侵害されるおそれのある者は、差止請求などの民事上の救済及び不正競争行為をした者が刑事罰を受けることがありますので、刑事上の救済をも受けることができます。

1　民事上の救済

民事上の救済としては、差止請求権、損害賠償請求権、信用回復措置請求権などが認められています。

(1)　差止請求権

周知表示混同惹起行為などの不正競争行為をなす者があるときは、これによって「営業上の利益を侵害され、又は侵害されるおそれがある者」は、その行為を差し止めることができます（不競法三条）。

不正競争行為として挙げた中のいくつかには、不法行為による損害賠償（民法七〇九条）や刑法の信用毀損業務妨害罪（刑法二三三条）、詐欺罪（刑法二四六条）に該当する場合もあり、それぞれ救済を受けることができますが、不正競争の防止のためにはそれだけでは十分ではありません。したがって、不正競争防止法により差止請求権を認めたことは、不法行為による損害賠償などが事後的な金銭賠償であるのに対し、あらかじめ不正競争を防止し、損害の発生あるいは損害を最小限に食い止めることになりますので非常に実益があります。

これは、単に営業上の利益を害されるおそれのある者個人の利益保護のためだけではなくて、ひいては公衆の利益にもつながることは前に述べたとおりです。

「営業上の利益を侵害されるおそれ」とは、必ずしも不正競争行為者の行為によって自己の営業上の利益が現実に侵害されたことを要せず、将来、営業上の利益に損害が発生するであろう確定的関係の成立があれば足りると考えられます（ライナービヤー事件＝東京地昭三六・六・三〇判・昭三四（ワ）九〇九八、下民一二―六―一五〇八参照）。

営業上の利益を侵害されるおそれのある者は必ずしも現に相手方と競争関係にある必要はないといえるでしょう（はとバス事件＝名古屋地昭三九・六・一六判・昭三七（ワ）三一七、下民一五―六―一二四六参照）。したがって、バスなどの営業区域が現に相違し又は土木施工などの営業地域が離れている場合などであっても、他の要件が満たされれば差止請求が認められると思います。

病院・学校などの狭い意味での営利事業を行っていない者も、営業上の利益を侵害されるおそれのある者に含まれるでしょう。また、この中には、著名商標などがいわゆるフリーライドされ、その商標などが特定商品との結びつきの中で有するイメージが希釈化され、その商標などの顧客吸引力、広告力が減殺された者も含むとされています。

差止請求の内容は、不正競争行為に係る表示の使用差止め及び看板、商品、その包装・容器、広告などの表示の抹消などです。差止めの対象物としては、例えば、商品等表示が付されたコンピュータ・プログラムも含まれます（不競法二条八項）。登記商号の抹消も認められます。

なお、会社の原始商号の場合には他の適当な商号への変更手続請求権が認められた例があります（三愛事件＝東京地昭三七・六・三〇判・昭三六（ワ）八七〇六、下民一三―六―一三五四）。

また、営業秘密の不正行為の差止請求の内容は、その不正行為の態様により異なってきますが、例えば、使用行為なら、製造ノウハウを使用する生産活動の停止、顧客名簿を使用するダイレクトメールの発送の停止ということなどです。

⑵　**損害賠償請求権**

故意又は過失により不正競争を行って他人の営業上の利益を侵害した者はこれによって生じた損害を賠償する責めに任じます（不競法四条）。

不正競争防止法は、不正競争行為に対しては差止請求権とともに、営業上の利益を害された者に対して損害賠償請求権を認め、民事上の救済に万全を図っているわけです。

損害賠償請求権の要件などは、民法七〇九条の不法行為による損害賠償請求権と同様で、故意又は過失があり、不正競争行為があり、損害が発生し、かつ、不正競争行為と損害との間に因果関係があることが要件です。

⑶　**損害額の推定**

平成一五（二〇〇三）年の改正で、損害額の立証を容易にするため、逸失利益の立証については、営業上の利益を侵害された者（被侵害者）が、不正競争行為を組成した物品について譲渡数量を立証したときは、原則として、これに被侵害者が得たであろう単位当たりの利益額を乗じて得た額を損害額とすることができる旨など、特許法等と同様に、その容易化のための規定が設けられました。

⑷　**信用回復措置請求権**

周知表示混同惹起行為などの不正競争行為をした者に対し、裁判所は、被害者の請求により損害賠償に代えて又は損害賠償とともに営業上の信用を回復するに必要な処置、例えば、新聞への謝罪広告の掲載などを命ずることができます（不競法一四条）。

⑸　**侵害行為の立証容易化のための改正**

不正競争行為による営業上の侵害に関して、その侵害行為の立証を容易にするため、特許法等と同様に、具体的態様の明示義務や書類の提出等に係る規定が設けられています（不競法六条〜九条）。

平成三〇（二〇一八）年の改正で、書類提出命令に係る手続の拡充として、インカメラ手続（裁判所のみが書類をみることにより行う手続）が拡大され、裁判所は、必要と認めるときは、インカメラ手続により書類の所持者にその提示をさせることができること及び裁判所は、インカメラ手続において、提示された書類を開示して専門的な知見に基づく説明を聴くことが必要と認めるときは、当事者の同意を得て、専門委員に対し、当該書類を開示することができるとされました（不競法七条二項）。この手続に伴う秘密保持命令、その取消し及び当事者尋問等の公開停止の手続・要件が規定されています（不競法一〇条〜一三条）。

また、右秘密保持命令の導入に伴い、これに違反した者に対する罰則が設けられています（同法二一条一項一〇号）。

2 刑事罰

① 営業秘密不正に関し、以下の各行為を行った者については、刑事罰が科されます。

(i) 不正の利益を得る目的又はその保有者に損害を加える目的（以下「図利加害の目的」という）で、詐欺等の行為又は管理侵害行為により営業秘密を取得した者（詐欺・窃盗型。不競法二一条一項一号）

(ii) (i)により取得した営業秘密を、図利加害の目的で、使用又は開示した者（詐欺・窃盗型。同法二一条一項二号）

(iii) 営業秘密を保有者から示された者が、図利加害の目的で、任務に背き営業秘密の記録媒体等又は化体媒体を横領、複製の作成又は消去しないなどして、その営業秘密を領得したとき（横領型。同法二一条一項三号）

(iv) (iii)により領得した営業秘密を、図利加害の目的で、任務に背き使用又は開示した者（背任型。同法二一条一項四号）

(v) 営業秘密を保有者から示されたその役員又は従業者が、図利加害の目的で、任務に背きその営業秘密を使用又は開示したとき（(iv)を除く。背任型。同法二一条一項五号）

(vi) 営業秘密を保有者から示されたその役員又は従業者であった者が、図利加害の目的で、その在職中に任務に背き開示の申込みをし又は請託を受けて、退職後に使用又は開示したとき（(iv)を除く。背任型。同法二一条一項六号）

(vii) 図利加害の目的で、(ii)又は(iii)に当たる開示によって営業秘密を二次的に取得して、使用又は開示した者（同法二一条一項七号）

(viii) 不正の利益を得る目的又は保有者に損害を加え

る目的で、不正開示の介在を知って第三次以降に取得、使用又は開示した者（同法二一条一項八号）

ⅸ　技術上の営業秘密に係る不正行為については、不正の利益を得る目的又は保有者に損害を加える目的で、当該侵害物品の譲渡又は輸出入等をした者（同法二一条一項九号）

右の各罪については、平成二一（二〇〇九）年の改正で、主観的要件が「不正競争の目的」から「図利加害の目的」に改正され、また営業秘密の不正な取得だけでも処罰の対象となりました。また、ⅷ及びⅸは、平成二七（二〇一五）年の改正で追加されました。

以上のいずれかの一に該当する者は、一〇年以下の懲役若しくは二〇〇〇万円以下の罰金又はこれらが併科されます。

②　不正の目的で周知表示混同惹起行為（同法二条一項一号）、原産地等誤認惹起行為（同法一三号）を行った者（同法二一条二項一号）

「不正の目的」とは、「不正の利益を得る目的、他人に損害を加える目的その他不正の目的をいう。」（同法一九条一項二号）と定義されています。

③　他人の著名表示に係る信用若しくは名声を利用して不正の利益を得る目的で、又は当該信用若しくは名声を害する目的で、著名表示冒用行為（同法二条一項二号）を行った者（同法二一条二項二号）。

平成一七（二〇〇五）年の改正で、不正の目的の存在を条件として、処罰の対象としたものです。

④　「不正の利益を得る目的」で、商品形態模倣行為（同法二条一項三号）を行った者（同法二一条二項三号）

商品形態模倣行為として民事上規制されていましたが、刑事罰の対象ではありませんでした。平成一七（二〇〇五）年の改正で、これを「不正の利益を得る目的」の存在を条件として、処罰の対象としたものです。

⑤　図利加害の目的で、コンテンツ技術的制限手段解除機器等提供行為（同法二条一項一一号・一二号）を行った者

⑥　二条一項一四号に対応する原産地等誤認惹起行為について虚偽表示を行った者（同法二一条二項五号）

⑦　秘密保持命令に違反した者（同法一〇条、二一条二項六号）

⑧　外国の紋章等の使用禁止、政府間国際機関の標章等の使用禁止又は外国公務員等に対する不正の利益の供与等の禁止に違反した者（同法一六条～一八条、二一条二項七号）

一八条一項違反は、国外犯も罰せられます（同法二一条八項）。

右の各罪は、未遂行為も処罰の対象とされ（①ⅲの罪を除きます。同法二一条四項）、また、⑦を除き、非親告罪となりました（同法二一条五項）。平成二七（二〇一五）年の改正によるものです。

国外不正使用等に係る行為の重罰化が図られて、①国外使用目的で不正取得等をした者、②その目的の者へ開示した者又は③国外で不正使用した者については、それぞれ罰金三〇〇〇万円以下、法人一〇億円以下とされました（同法二一条三項）。そして、海外サーバーに係るインターネット上の窃取行為（クラウド）も処罰対象とされました（同法二一条六項）。

また、②～⑧のいずれかの一に該当する者は、五年以下の懲役若しくは五〇〇万円以下の罰金又はこれらが併科されます。

罰則は両罰規定となっていますので、業務に関して前記違反行為をしたときは、その行為者のほかに、法人の代表者なども罰金刑に処せられます（同法二二条。ただし同法二一条一項三号～五号該当を除く）。なお、法人に対しては、右の①営業秘密不正行為については「五億円以下」、その他の②以下については、「三億円以下」の罰金刑とされています（同法二二条一号）。

2―2　刑事訴訟手続の特例

平成二三（二〇一一）年の改正で、以下の刑事訴訟手続の特例が設けられました（同法二三条～三一条）。

右①の営業秘密不正行為に係る罪については、刑事訴訟手続の中で、当該営業秘密が公開されることをおそれて、被害者側が告訴を避ける事態に対処したものです。

裁判所は、被害者側の申出があったときは、営業秘密の内容を公開の法廷で明らかにしない旨の決定（秘匿決定）をすること、右秘匿決定をした場合、裁判所は、当該営業秘密の内容を特定するための呼称等の決定を行うことができ、そして、公開の法廷では被害者等の事業活動に著しい支障を生ずるおそれがあるときなどは、公判期日外でも証人の尋問等又は被告人に対する手続を行うことができることとされました。

平成二七（二〇一五）年の改正で、刑事罰に係る営業秘密の保護強化に伴い、没収に関する手続等の特例（七章）、保全手続（八章）及び国際共助手続（九章）が設けられました。

第6章

著作権法のあらまし

Patent

一　著作権法の概要

1　著作権とは
──利用態様ごとの権利の束

著作権法は、著作物を保護し、その公正な利用を促すことにより、文化の発展に寄与することを目的とする法律です（著法一条）。

著作物とは文学・音楽・美術などに属するものをいいますが（「二　著作物」参照）、著作権法はこれらをつくった人に対して著作者人格権や著作物を利用する権利（「三　著作権法において規定されている権利」参照）を与えています。例えば、小説家は自ら創作した小説の著作権者です。そうすると小説家は、出願等の手続を経ることなく（無方式主義）、著作権法一八条〜二七条の権利（公表権等の著作者人格権や複製権、上演・演奏権、口述権等の著作権）を取得します。著作権法は、著作者に著作物の利用に関する権利を与えることによって、更なる創作を促進し、文化の発展という目的を達成しようとしています。

〔無方式主義〕「著作権を保護するベルヌ条約」五条二項において、「…権利の享有及び行使には、いかなる方式の履行をも要しない」旨の規定があり、同条約に加盟する我が国を含む大多数の国では、「無方式主義」を採用しています。

2　侵害行為
──営利性の有無は関係なし

出版者は、小説家から著作権（複製権）を譲り受けたり、複製の許諾を得て小説を出版します。通常、小説家は許諾と引き換えに対価（使用料、許諾料）を得ます。許諾を得ていない者が、この小説をコピー機でコピー（複製）すれば著作権侵害となります。コピーしたものを販売せず、だれかに無償であげたとしても原則として侵害行為です（「一〇　権利侵害」参照）。

また、他人の絵をスキャナでとって自分のホームページに載せることは、たとえそのページが非営利のものであっても、著作権侵害（公衆送信権侵害）となります。

他人の著作物を利用する場合は、許諾を得るのが基本です。著作物の無断利用行為は、差止めを受けるばかりか、損害賠償や刑事罰の対象となります。

3　権利制限規定
——私的使用目的・引用等の場合は無許諾で利用可能

侵害行為に該当する行為であっても、権利の制限規定に該当する場合は許されます（「六　権利の制限」参照）。例えば、友人間や家族間のコピーのやりとり等の私的使用の範囲の複製や、他人の著作物の一部を引用する場合は、著作権者に無許諾で利用することができます。このような規定を置くことによって、著作物の公正な利用を図ろうとしています。

著作物は私たちのまわりにあふれています。そして、それらには権利者が存在しています。どのような権利が認められていて、どのような場合に権利を侵害することになるのかということは条文に記載されています。しかし、対象となる著作物も利用形態も常に新しいものが誕生していますから、既存の条文解釈では対応しきれないこともあります。そのような場合に対応するためには、著作権法の制度の趣旨を理解することが最も重要であると思われます。

4　著作権法の目的

(1)　著作者の権利と公正な利用とのバランス

著作権法はこの法律の目的について次のような規定を置いています。

「この法律は、著作物並びに実演、レコード、放送及び有線放送に関し著作者の権利及びこれに隣接する権利を定め、これらの文化的所産の公正な利用に留意しつつ、著作者等の権利の保護を図り、もって文化の発展に寄与することを目的とする」（著法一条）

この目的から分かるとおり、著作者等の権利保護と、著作物の公正な利用の両輪で文化の発展に寄与しようとしています。何か作品をつくる場合、完全にオリジナルなものというのはあり得ません。だれかの創作に接するという経験を積み重ねて、時には模写したり、作風をマネしながら、やがてその人なりの個性が表現されます。著作者等に対してあまりに強力な権利を与えてしまうと、先人の文化的所産から学ぶということができなくなってしまいます。そこで、著作者等の権利保護と公正な利用のバランスが大切になります。

(2) 表現の多様性＝文化の発展のために

文化の発展のためには、表現活動が促進されることが必要です。多様な表現がどんどん出てくることによって、文化が発展します。そのために、「優劣の判断」や「権利取得のための手続」という制度を設けていません。授業中に先生が学生の質問に対して「それはいい質問だ」ということがあります。先生は褒《ほ》めているつもりなのですが、この言葉によって学生たちは「いい質問をしなければ…」と思ってしまい、だんだん質問自体が減り、「良い質問」も出てこなくなるのだそうです。著作物の優劣で権利付与の可否を決めると、この例と同じように創作活動自体が減り、優れた創作も出てこなくなるということになりかねません。

特許権のように権利取得のための手続を設けることも、創作活動の減少につながります。手続というハードルを越えなければ、利用に対する権利を独占できないということになると、手続が困難な人々（子供など）は権利取得について不利な立場に置かれます。権利がなければ模倣に対して差止め等の主張ができず、このような状態は創作意欲を減少させます。また、権利取得が困難だと創作の財産的利用を妨げ、創作活動を経済的にサポートすることができなくなり、やがて創作活動自体も継続できなくなるおそれがあります。

5　産業財産権法（主に特許法）との違い

特許法も著作権法も、創作の保護という点では共通しますが、**表6-1**のような点で違いがあります。

権利の性質の違いは、権利侵害等の訴訟のときに現れます。

特許権はひとつの発明につき、必ずひとつの権利しか与えられません。一番最初に出願した人に特許権が与えられます。したがって、他人が自分の発明の実施品と同じものをつくっていた場合は侵害となります。相手の行為にかかわらず、たとえ相手方が、モノマネではなく独自に発明していたとしても、特許権者の主張が認められます（絶対的独占権）。

一方、著作権の場合は模倣者

表6-1　特許法と著作権法の違い

	特許法	著作権法
目的	産業の発達	文化の発展
保護対象	発明（技術的思想）	表現
権利の発生	出願等の手続が必要（方式主義）	手続は不要（無方式主義）
権利の性質	絶対的独占権	相対的独占権

に対してのみ独占権を主張できます。自分の創作と同じものをつくった人がいたとしても、自分の創作に依拠していなければ（接していなければ）、権利の主張ができません（ワン・レイニー・ナイト・イン・トーキョー事件＝最高昭五三・九・七判、民集三二―六―一一四五）。相手がどのようにして創作したのかによって、侵害か否かの判断が変わってきます。同じ創作が複数できたとしても、独自に創作したのであれば、それぞれの権利が併存することになります（相対的独占権）。

著作権法には、特許法のようにすべての創作について権利範囲を確定して登録し、公開する制度がありません。したがって、もし、著作権を絶対的独占権とする制度を採用したら、他人の権利を侵害するのではないかとビクビクして、自由な創作ができなくなってしまうのではないでしょうか。

6　産業財産権との交錯点

⑴　意匠法二六条・商標法二九条との関係

意匠や商標の審査では、出願されたものが他人の著作権を侵害するものかどうかの判断をしません。したがって、他人の著作物を含む意匠や商標が登録されることがあり得ます。しかし意匠法二六条・商標法二九条では、出願前に発生した著作権と抵触する場合には登録意匠の実施・登録商標の使用をすることができない旨を定めていますから、出願のほうが後で、かつ、先行する著作物に依拠して作成された商標・意匠だった場合は、たとえ登録されたとしても、著作権者に無許諾で実施・使用することはできません。出願後に発生した著作物に関しての適用はありません。出願が先であった場合は、著作権侵害の要件である「依拠性」が否定されるためであると考えられます。

意匠権者・商標権者が著作権者等に対して権利行使できるかどうかですが、最高裁は「商標法二九条は、商標権がその商標登録出願日前に成立した著作権と抵触する場合、商標権者はその限りで商標としての使用ができないのみならず、当該著作物の複製物を商標に使用する行為が自己の商標権と抵触してもその差止等を求めることができない旨を規定していると解すべきである。」としています。また、著作権者の許諾を得て、その著作物を使用した商品を販売している者に対して本件商標権の侵害を主張することは、権利の濫用に当たるとしています（ポパイ・マフラー事件＝最高平二・七・二〇判、民集四四―

五―八七六）。

著作権者側が意匠権者・商標権者を訴える場合も考えられますが、登録された意匠や商標が、著作権者の著作物に依拠せず、独自につくったものであれば著作権侵害には当たりません。

(2) 応用美術

美術の著作物には、もっぱら鑑賞を目的とするもの（純粋美術）と、実用品でありながら純粋美術品的な要素も持ち合わせているもの（応用美術）があります。後者は例えば、美術工芸品や装身具、家具に施された彫刻などが挙げられます。実用品のデザインならば、本来意匠法で保護されるものと考えられますが、実用性を離れて美術作品として美的鑑賞の対象となり得るものの場合は、著作物として認められます。裁判例では、「意匠と美術的著作物の限界は微妙な問題であって、両者の重畳的存在を認め得ると解すべきである」としています（博多人形赤とんぼ事件＝長崎地佐世保支昭四八・二・七決、無体五―一―一八）。

〔博多人形赤とんぼ〕

（正面図）

7 歴史的経緯

我が国で最初に著作権法の片鱗《へんりん》が見られるのは、明治二（一八七二）年の出版条例です。出版条例では、排他的出版権として「版権」が承認されています（明治八年改正）。その後、写真条例（明治九年）が制定され、写真にも版権が認められました。これらは、出版の取締りに関する規定であり、国家が有益であると認めた図書を出版した者に対して、一定期間の専売権を与えるというものでした。

このような特許制度の時代を経て、明治二〇（一八八七）年の版権条例では版権の登録制度を採用しています。出版条例は出版者に対して専売権を与えるものでしたが、版権条例においては著作者に対して版権を与えました。

我が国で最初に近代的な著作権法が制定されたのは、明治三二（一八九九）年です（旧著作権法）。この旧著作権法は、ベルヌ条約加盟準備のために制定されたものです。同年には、ベルヌ条約（文学的及び美術的著作物の保護に関するベルヌ条約、一八八六年成立）に加盟しています。このときに、出願等の手続を経ることなく著作権が発生する無方式主義がとられました。

昭和四五（一九七〇）年には、旧著作権法は全面改正され、現行著作権法となりました。その後、国際条約や国内の状況に対応するため、頻繁に（平成以降はほぼ毎年）改正されています。

8 関係する国際条約

著作物は無体物であるために、国境をいとも簡単に越えて流通します。殊に最近のインターネットや交通手段の進歩に見られる流通利便性の向上によって、その傾向が加速しています。一方、各国の法律は属地主義の原則により、その効力はその国の中でしか認められません。そこで、各国の国内法を制定する際の最低基準や、外国人の著作物の保護に関する規定を条約によって定め、国際調和を図るという仕組みをとっています。著作者の権利等に関しては、条約が優先して適用されます（著法五条）。我が国は著作権法に関連する条約として、ベルヌ条約、万国著作権条約等のいくつかの条約に加盟しています（我が国が加盟している国際条約は、序章一の「2 知的財産権関係主要条約」の項目を参照してください）。ある著作者がベルヌ条約の加盟国の国民である場合、他の加盟国においてもその国の著作者と同等の保護を受けることができます（ベルヌ条約三条一項、五条一項等）。

しかし、ベルヌ条約の加盟国であっても、我が国の未承認国である場合には保護の義務は負わないとされています。北朝鮮で製作された映画を日本の放送局がテレビニュース番組の中で一部放送した事案において、北朝鮮の国民の著作物が日本の著作権法上保護される著作物に当たるかが問題となりました。最高裁は「我が国は、我が国が国家として承認していない国（以下「未承認国」という）である北朝鮮の国民の著作物につき、ベルヌ条約三条(1)(a)に基づき、これを保護する義務を負うものではないから、本件各映画は、著作権法六条三号の『条約によりわが国が保護の義務を負う著作物』とはいえ』ないとしています（北朝鮮映画放映事件＝最高平二三・一二・八判、平二一（受）六〇二号）。

二 著作物

著作権法二条一項には、この法律の定義が規定されています。著作物は「思想又は感情を創作的に表現したものであって、文芸、学術、美術又は音楽の範囲に属するもの」とされています（著法二条一項一号）。さらに一〇条一項では具体的に著作物を掲げていますが、この規定は例示であって、これ以外のものであっても著作物の定義に当てはまれば著作物とされます。

創作の完成の有無は関係ありません。絶筆等の未完成作品であっても、客観的に判断し、著作物性が認められる場合もあります。

訴訟においては、原告側は自分の創作が著作物であることを前提に相手側を訴えるわけですが、著作物性が否定されると著作権法によって保護されるべきものではないということになり、訴えが棄却されることになります。どのようなものであれば著作物性が肯定されるのかは難しい問題です。最終的には、裁判所の判断によらなければなりません。

以下、1～5で、著作権法二条一項一号に規定されている著作物の定義について詳細を説明します。

1　著作物の定義

(1)　思想又は感情

著作物は人間の精神的所産であることを示しています。高尚な思想であるとか、何か特殊な感情ということではなく、「思っていること」「アイディア」という程度の意味です。自然界や社会に存在する事実や単なるデータの羅列は、人間の精神的所産ではないので該当しません。ただし、伝記などは歴史的事実をもとにして、それを伝えるために作者の思想感情の表現が盛り込まれることもありますから、その場合は著作物性が認められることになります（壁の世紀事件＝東京地平一〇・一一・二七判、判時一六七五―一一九）。

データベースはデータが単に集められただけですが、その情報の選択又は体系的な構成によって創作性を有するものは、著作物として保護されます（著法一二条の二）。

(2)　創作的

著作物に独創性とか芸術性などの、新規性や優劣を要求するものではありません。他人の著作物の模倣でないことや、ある程度の質をもっていることを意味します。だれがつくっても同じようになるものは著作物ではありません。例えば手紙におけるあいさつ文や、絵画等をそのまま真正面から写した写真が当てはまります（版画事典事件＝東京地平一〇・一一・三〇判、判時一六七九―一五三）。

ある程度の質というと漠然としていますが、思想又は感情の表現に著作者の個性がなんらかの形で現れていれば足りる（当落予想表事件＝東京高昭六二・二・一九判、判時一二二五―一一一）とされます。

量的なことに関しては特に基準はありません。あまりにも少ないものであった場合には、表現の幅は制限されますから、創作性が認められないことのほうが多いと考えられます。表題やキャッチフレーズ、標語のようなものでも、俳句に準ずるような程度に達していれば著作物として認められます。「ボク安心　ママの膝より　チャイルドシート」は、著作物性が認められています（交通標語事件＝東京地平一三・五・三〇判、判時一七五二―一四一）。

ネット上のニュース記事の見出しを自動的に収集して、インターネット画面上で電光掲示板のようなサービスを提供する業者に対して、新聞社が見出しの著作物性を争った事例において、裁判所は、当該見出しは記事中の言葉を抜き出したり短縮したにすぎず、「事実の伝達にすぎない雑報及び時事の報道」（著法一〇条二項）に該当し、創作的表現とは認められないとしました（ヨミウリ・オンライン事件＝東京高平一六・三・二四、判時一八五

キャラクターの著作物性

キャラクターとは、「漫画の具体的表現から昇華した登場人物の人格ともいうべき抽象的概念であって、具体的表現そのものではな」いとされています（ポパイ・ネクタイ事件上告審＝最高平九・七・一七判、民集五一―六―二七一四）。著作権法では、思想又は感情を創作的に表現したものを著作物と定義していますから（著法二条一項一号）、抽象的概念であるキャラクターの著作物性は否定されています。

しかし、漫画やアニメの中の絵という具体的表現そのものは、美術の著作物として保護されます。漫画の登場人物の絵を著作権者に無断で商品等に使用した場合は、漫画の特定の絵と同一でなくても、複製権侵害に当たるとされています。

漫画などの人気が高まると、そのキャラクターをもとにした商品もたくさん売れるようになります。この顧客吸引力を商品やサービスに利用する権利を「商品化権」とよんでいますが、法律で規定されている権利ではありません。訴訟の際にはその内容に応じて、著作権法・商標法・意匠法・不正競争防止法などが適用されることになります。

七―一〇八)。

(3) 表　現

著作権法では、思想や感情そのものではなく、それがなんらかのかたちで外部に表出したもの、すなわち表現が保護されます。ダイエット料理が説明された書籍を無断で出版したり、画像をスキャンしてホームページにそのまま掲載した場合は著作権侵害になりますが、書籍に書かれたレシピを利用して飲食店で料理を提供するのであれば、アイディアの利用ですから侵害行為には当たりません。

人間の精神活動において、思想感情のバリエーションというものはそれほど多くありません。どのレベルまで単純化して考えるかにもよりますが、例えば、「うれしい・おかしい・かなしい・こわい」という基本的なレベルを考えるとかなり少なくなります。また、世界中の物語のパターンを分類すると数十種類に集約されるのだそうです。このように、思想や感情は限られているので、これに独占権を与えたのでは新たな創作ができなくなってしまいます。

著作者はこれらの思想や感情を小説や音楽などの表現を通して伝えます。ある人にはAという作品の表現では伝わらなかった思想感情が、B作品では伝わることもあります。表現の多様性によって、思想・感情というメッセージをさまざまな方法で伝えることができます。

(4) もの

著作権法二条一項一号では「物」ではなく「もの」となっていることから、著作権法で保護されるのは無体物であることを示しています。小説や音楽などを実際他人に伝えるためには、書籍や音楽CDという有体物に記録することになりますが、これらの有体物は著作物の複製物です。複製のもとになった原稿(原作品＝著法一八条、一九条、二五条等)も有体物であり、著作物ではありません。

(5) 文芸、学術、美術又は音楽の範囲に属するもの

著作物は知的・文化的な創造物の範囲に属すること、また、技術的・実用的なもの以外であることを明らかにしています。ただし、応用美術のように実用品に装飾が施されたものや、著作物と実用品が組み合わされたものの場合は、実用品であるからといってただちに著作物に該当しないということではありません。

2 著作物の具体例

著作権法一〇条一項一号～九号では、著作物を例示しています。しかし例示に当てはまらない著作物も存在します。その場合は前記1～5の要件と照らし合わせて、著作物性を認定します（表6−2参照）。

3　二次的著作物

二次的著作物は、「著作物を翻訳し、編曲し、若しくは変形し、又は脚色し、映画化し、その他翻案することにより創作した著作物」をいいます（著法二条一項一一号）。

ある著作物をもとにして、新たな創作性が付加されたときには、二次的著作物として保護の対象となります。もとの著作物の表現上の本質的な特徴が感じられるものをいい、もとの著作物のアイディア・着想を得て、全く別のものができた場合には二次的著作物には該当せず、別個の著作物とされます。原著作者の許諾

表6−2　著作物の具体例

	具体例	説明等	判例
言語の著作物（1号）	小説、脚本、論文、講演	手紙も著作物性が認められる場合がある	東京高平12．5．23判、判時1725−165 ［三島由紀夫手紙］
音楽の著作物（2号）	楽曲、曲と歌が合わさったもの	楽譜がなく、即興であっても保護される	大審院大3．7．4判 ［桃中軒雲右衛門］
舞踊又は無言劇の著作物（3号）	バレエ、ダンス、日本舞踊、パントマイムの振付け	舞踊そのものは実演	東京地平10．11．20判、知裁集30−4−841 ［ベジャール振付］
美術の著作物（4号）	絵画、版画、彫刻、生花、書、Tシャツ原画、美術工芸品	産業用に量産される実用品（茶碗等）は含まない	知財高平28．11．30判、判時2338−96 ［スティック型加湿器事件］
建築の著作物（5号）	教会、市役所、博物館、学校、橋	建築芸術と評価できるようなもの	大阪地平15．10．30判、判時1861−110 ［モデルハウス事件］
図形の著作物（6号）	地図、図面、図表、模型	学術的なもの	富山地昭53．9．22判、判タ375−144 ［住宅地図］
映画の著作物（7号）	劇場用映画、テレビ映画、ビデオソフト	ゲームソフト等も該当する場合あり	東京地昭59．9．28判、判時1129−120 ［パックマン］
写真の著作物（8号）	写真、グラビア	被写体の選定、構図、露光、シャッターチャンス等に独創性があるもの	東京高平13．6．21判、判時1765−96 ［みずみずしいスイカ］
プログラムの著作物（9号）	プログラム	プログラム言語自体には保護が及ばない（10条3項）	東京地昭57．12．6判、判時1060−18 ［スペース・インベーダー・パートⅡ］

を得ずに二次的著作物を作成する行為は、原著作者等の翻案権や同一性保持権を侵害することになります。

原作原稿をもとにして創作された漫画は二次的著作物となります。そして、原著作者は二次的著作物の利用に関して、二次的著作物の著作者と同じ内容の権利を有することになります（著法二八条）。したがって、二次的著作物の著作者である漫画家が、原作者の許諾を得ずに、自分で描いた原画の利用をする行為は、たとえ自分が描いた漫画であっても、原作者の権利を侵害することになります（キャンディキャンディ事件＝最高平一三・一〇・二五判、判時一七六七—一一五）。

二次的著作物を利用する場合には、原著作者・二次的著作物の著作者の両者の許諾が必要です。

4　編集著作物・データベースの著作物

素材を集めて編集したものであって、その素材の選択又は配列によって創作性を有するものは編集著作物として保護の対象となります（著法一二条一項）。例えば、百科事典、新聞、雑誌、論文集、電話帳が該当します。素材自体についての著作物性は関係ありません。

データベースについては別の規定を置いています。データベースは、「論文、数値、図形その他の情報の集合物であって、それらの情報を電子計算機を用いて検索することができるように体系的に構成したもの」をいいます（著法二条一項一〇号の三）。その情報の選択又は体系的な構成によって創作性を有するものが保護されます（著法一二条の二）。

5　共同著作物・結合著作物・二次的著作物

複数の者が共同して創作した著作物のうち、その各人の寄与を分離して個別的に利用することができない（一体不可分）ものを、共同著作物といいます（著法二条一項一二号）。この一体不可分性の要件を満たしていないものは結合著作物と呼ばれます。歌謡曲など作曲家と作詞家の二人で創作されていても、それぞれ別々に利用することが可能である場合は、共同著作物には当たりません。また、一体不可分のものとなっていたとしても、複数の著作者に共同創作の意思がない場合は、二次的著作物と判断されます（基幹物理学事件＝東京地平二五・三・一判、判時二二二九—一〇五）。

6　権利の目的とならない著作物

次の著作物は権利の目的とならず、自由に利用することができます。

① 憲法その他の法令（著法一三条一項一号）

国内の法令だけではなく、外国の法令も含まれます。

② 国若しくは地方公共団体の機関、独立行政法人又は地方独立行政法人が発する告示、訓令、通達その他これらに類するもの（著法一三条一項二号）

白書や報告書などは権利の対象となります。

③ 裁判所の判決、決定、命令及び審判並びに行政庁の裁決及び決定で裁判に準ずる手続により行われるもの（著法一三条一項三号）

外国の判決も含まれます。

④ ①～③に掲げるものの翻訳物及び編集物で、国若

印刷用書体（タイプフェイス）の著作物性

タイプフェイスの著作物性については、周知の商品表示であるとして、不正競争防止法上の保護を認めた例がありますが（モリサワタイプフェイス事件＝東京高平五・一二・二四判、判時一五三四—一二八）、著作物性に関してはいずれの事案においても否定されています（ヤギ・ボールド事件＝東京高昭五八・四・二六判、判時一〇七四—二五。岩田書体事件＝東京地平五・四・二八判、判タ八三二—一六八）。

ゴナU書体の著作物性に関して、最高裁はタイプフェイスが著作物たり得る要件を、次のように判示しています（ゴナU書体事件＝最高平一二・九・七判、判時一七三〇—一二三）。「印刷用書体がここにいう著作物に該当するというためには、それが従来の印刷用書体に比して顕著な特徴を有するといった独創性を備えることが必要であり、かつ、それ自体が美術鑑賞の対象となり得る美的特性を備えていなければならないと解するのが相当である」。そして、これらの要件を緩和した場合には、当該書体を用いた小説等の印刷物を出版し、複製するに当たり、書体の著作権者の許諾が必要となり、また、既存の印刷用書体に依拠して類似の印刷用書体を制作し又はこれを改良することができなくなるなどのおそれがあり、著作物の公正な利用に留意しつつ、著作者の権利の保護を図り、もって文化の発展に寄与しようとする著作権法の目的に反することになると説明しています。

パブリシティの権利

著名人の肖像や氏名などによる経済的価値に対する独占的権利を「パブリシティ権」と呼んでいますが、これを規定する法律はありません。

歌手として活動していた女性デュオの写真を、出版会社が無断で雑誌に掲載したことについて、当該女性デュオが出版会社に対して損害賠償を請求した事案では、パブリシティ権はどのような場合に侵害されるといえるかが問題となりました。従来の下級審の判決においても、氏名及び肖像に関する財産的利益に対する侵害行為について法的救済を認めてきましたが（マーク・レスター事件＝東京地昭五一・六・二九判、判時八一七―二三等）、この事案で最高裁は、パブリシティ権の定義、及び不法行為法上違法となる行為を明らかにしました（ピンクレディ事件＝最高平二四・二・二・平二一（受）二〇五六号）。

最高裁はパブリシティ権の定義について「人の氏名、肖像等…の顧客吸引力を排他的に利用する権利」であり、「人格権に由来する権利の一内容を構成するもの」としました。

そして、「肖像等に顧客吸引力を有する者は、…その使用を正当な表現行為等として受忍すべき場合もある」ことから、パブリシティ権を侵害する行為は、「専ら肖像等の有する顧客吸引力の利用を目的とするといえる場合」としました。

そのうえで、本件雑誌に掲載された女性デュオの写真は、記事の内容を補足するものであり、肖像等の顧客吸引力の利用を目的とするものではないから、出版会社の行為はパブリシティ権を侵害するものではないとしました。

ゲーム内において使用された競走馬の馬名に対して、馬主が差止め等を請求した事件では、競走馬のパブリシティ権が認められるかが問題となりました。最高裁（ギャロップレーサー事件上告審＝最高平一六・二・一三、民集五八―二―三一一）は、「法令等の根拠もなく競走馬の所有者に対し排他的な使用権等を認めることは相当ではない」と判示し、競走馬という「人以外の物」についてのパブリシティ権を否定しました。

しくは地方公共団体の機関、独立行政法人又は地方独立行政法人が作成するもの（著法一三条一項四号）

三　著作権法において規定されている権利

著作権法で規定されている権利は、著作者の権利（著法二章）、出版者の権利（著法三章）、著作隣接権（著法四章）に分類されます。さらに、著作者の権利は「著作者人格権」と著作物の経済的利用に関する「著作権」に分類されます。著作隣接権については、それぞれの権利主体（実演家・レコード製作者・放送事業者・有線放送事業者）ごとに規定が置かれています。それぞれの分類は更に**表6-3・表6-4**のとおり細分化されています。

○著作者の権利（著法二章。表6-3）
○出版権（著法三章）
○著作隣接権（著法四章。表6-4）

表6-3　著作者の権利

著作者人格権	公表権、氏名表示権、同一性保持権
著作権	複製権、上演権及び演奏権、上映権、公衆送信権等、口述権、展示権、頒布権、譲渡権、貸与権、翻訳権・翻案権、二次的著作物の利用に関する原著作者の権利

表6-4　著作隣接権

実演家の権利	氏名表示権、同一性保持権、録音及び録画権、放送権及び有線放送権、送信可能化権、譲渡権、貸与権等、その他報酬請求権
レコード製作者の権利	複製権、送信可能化権、譲渡権、貸与権等、その他報酬請求権
放送事業者の権利	複製権、再放送権及び有線放送権、送信可能化権、テレビジョン放送の伝達権
有線放送事業者の権利	複製権、放送権及び再有線放送権、送信可能化権、有線テレビジョン放送の伝達権

四　著作権者

1　著作者と著作権者の関係

著作物を創作する者を著作者といいます（著法二条一項二号）。著作権法において規定されている権利の内容の条文を見てみると、「著作者は○○する権利を専有する」となっています。著作権は創作と同時に発生しますから、発生時には必ず著作者が著作権者となるからです（例外：映画の著作物）。著作権はさらに、著作者人格権と著作権（財産権）に分類されます。

著作権（財産権）は、支分権（複製権、上演権等、利用態様ごとの権利）ごとに他人に譲渡して経済的利用をすることができますが、譲渡した場合には「著作者＝著作権（財産権）者」という関係が崩れます。例えばAという著作者が上演権のみをBに譲渡し、複製権をCに譲渡した場合、Aは複製権と上演権以外の権利者となり、譲受人Bは上演権者、Cは複製権者となります。

2　職務著作

著作者は原則として実際に創作した者とされますが、次の要件が満たされている場合にはその法人等が著作物の著作者となります（著法一五条一項）。著作者人格権も発生します。特許法においては、発明者は自然人のみに限るとされ（特法二九条一項）、法人は発明者になれないのと対照的です。

① 法人等の発意に基づいて作成されるものであること
② その法人等の業務に従事する者が職務上作成するものであること
③ その法人等が自己の著作の名義の下に公表するものであること
④ 作成の時における契約、勤務規則その他に別段の定めがないこと

プログラムの著作物の場合は③の要件にかかわらず、法人等が著作者となります（著法一五条二項）。

3　共同著作物の権利者

二人以上の者が共同して創作を行い、その創作が各人の寄与を分離して別々に利用できない場合、その著作物は共同著作物（著法二条一項一二号）とされますが、この

ときの著作者を共同著作者といいます。単に指示や助言、アイディアや素材を提供しただけでは、共同著作者ではありません。

著作者人格権や共同著作権の行使に当たっては、共有者全員の合意が必要です（著法六四条一項、六五条二項）。権利侵害に基づいて損害賠償請求等をするときは、他の著作者の同意を得ることなく、単独でこれを行うことができます（著法一一七条）。保護期間は、著作者のうち最後の者の死亡時から七〇年を経過した時までとなります（著法五一条二項）。

4　映画の著作者・著作権者

映画の制作には監督、プロデューサー、役者のほか、音楽、脚本、舞台、照明の各担当者や、エキストラなど大勢の人が関与しています。映画という一体不可分の著作物の創作にかかわっているのですから、全員の共同著作ということになりそうです。しかし、これらすべての人を著作者にした場合、権利処理が煩雑になるなど現実的ではありません。そこで、著作権法では、映画全体としての著作者は「全体的形成に創作的に寄与した者」（制作、監督、演出、撮影、美術等の担当）としています（著法一六条）。この規定によれば、小説、脚本、音楽その他の著作物の著作者は除かれています。これらの著作者は映画とは別に小説、脚本、音楽その他の著作権を享有しています。職務著作（著法一五条）に該当するときは、映画製作者（映画会社等）が著作者となります（著法一六条ただし書）。

ところで通常、著作者は「著作者人格権」と「著作権（財産権）」の二種類の権利を享有しますが、映画の場合は映画監督が著作者とされているときでも、「著作権（財産権）」は映画製作者（映画会社）に帰属することになっています（著法二九条一項）。映画の製作には巨額の資金が必要ですから、著作権を有効に利用することによって、資金を回収する必要があるからです。

映画製作者は「映画の著作物の製作に発意と責任を有する者」（著法二条一項一〇号）とされています。また、裁判例では「映画製作者とは、自己の危険と責任において映画を製作する者を指すというべきである」（角川書店事件＝東京地平一五・四・二三判）としていることから、映画会社など経済的責任を負担する者であると解されます。

著作者人格権は著作者である監督や制作担当にありま

すから、特定映像をカットするような場合は同一性保持権侵害に該当します。

五　著作者の権利

1　概　要

著作者は創作すると、著作者人格権と著作権（財産権）の両方の権利をもつことになります。小説を書いた場合、著作者は自分の権利に基づいて、その原稿を複製して販売することができます。しかしこのように複製して販売するという行為は、なかなか自分ですべてを行うことができません。むしろ複製したり販売したりする行為を専門の業者に任せたほうが効率がいい場合が多いと思います。そこで、著作権を他人に譲渡したり、一定期間許諾を与えることになります。著作権（財産権）は細分化された権利ごとに譲渡等ができますから、複製権はAさんへ、翻訳権はBさんへ、ということも可能です。また、例えば複製権を、編集と印刷といった製作段階ごとに分割して、それぞれを譲渡することも可能です。

一方、著作者人格権は創作した人の一身に専属します。他人に譲渡することができません。複製権等を譲渡した後でも、著作者人格権は著作者のもとに残ります。このことによって、不適切な利用（例えば、勝手に改ざんしたり（著法二〇条）、作者の氏名の表示がない（著法一九条）など）に対して権利を主張することが可能になります。

2　著作者人格権

著作物を創作した者の一身に専属する権利で、次の三つの権利からなります。著作者と共にある権利ですので、著作者の死亡によって、権利は消滅します。ただし、「著作物の著作者が存しなくなつた後においても、著作者が存しているとしたならばその著作者人格権の侵害となるべき行為をしてはならない」という規定があることから（著法六〇条）、実質的には永久に存続するという説もあります。

(1)　公表権（著法一八条）

公表されていない著作物を、公衆に提供し又は提示する権利です。同意を得ないで公表された著作物を含みます。著名人の子供のころの作文が書籍や雑誌に掲載されることがありますが、学年文集に掲載されることを承諾して提出した詩は、公表されることへの同意が推定されます（中田英寿事件＝東京地平一二・二・二九判、判時一七一五―七六）。また、著作権を他人に譲渡した場合には、たとえまだ公表されていない著作物であっても、譲り受けた人が公衆に提供又は提示することについて、同意したものと推定されます（著法一八条二項）。

(2) 氏名表示権（著法一九条）

著作者名を表示するか否か、また、どのように表示するかを決定する権利です。ここでいう著作者名は実名だけでなくペンネームも対象となります。したがって、普段はペンネームを使って作家活動をしている人の作品について、勝手に実名で公衆へ提供するような行為は氏名表示権の侵害に当たります。

医学論文における特定人の氏名の脱漏は、氏名表示権の侵害とされています（医学論文事件＝東京高昭五五・九・一〇判、無体一二―二―四五〇）。

(3) 同一性保持権（著法二〇条）

著作物を著作者の意に反して改変されない権利です。絵画の著作物は、原作品が著作者以外の他人の所有物になっていることが多いと思います。その所有者（美術館等）が自分のものだからといって勝手に改変して公表した場合、著作者に対する評価が変わってしまうということが起こり得ます。このような場合に、同一性保持権侵害とされます。

ゲームソフトの事例では、プログラムそのものを改変しなくても、シミュレーションゲームの主人公の人物像を改変し、それによってゲームのストーリーを改変するメモリーカードを販売することは、同一性保持権侵害とされています（ときめきメモリアル事件＝最高平一三・二・一三判、民集五五―一―八七）。

ただし、次のような改変については適用されません。

① 学校教育で用いる教科書に掲載する際に用字又は用語の変更等を行うこと（著法二〇条二項一号）
② 建築物の増築、改築、修繕による改変（同二号）
③ プログラムの著作物について、別の機種で動作させるための改変（同三号）
④ ①～③のほか、やむを得ない改変（同四号）

3 著作権（財産権）

既述のとおり、著作権（財産権）は著作物を経済的に利用するための権利であり、利用形態ごとに譲渡（著法六一条）や利用の許諾（著法六三条）をすることができます。

(1) 複製権（著法二一条）

著作者は、その著作物を複製する権利を専有します。これは著作権のうち最も典型的な権利です。複製とは、「印刷、写真、複写、録音、録画などにより有形的に再製すること」と定義されています（著法二条一項一五号）。無形的な再製、すなわち、口述や演奏は含みません。「再製すること」ということですが、完全に同一である必要はなく、実質的に同一といえれば複製に当たります。

最高裁判決では、「著作物の複製とは、既存の著作物に依拠し、その内容及び形式を覚知させるに足りるものを再製することをいう」としています（ワン・レイニー・ナイト・イン・トーキョー事件＝最高昭五三・九・七判、民集三二―六―一一四五）。この裁判例による「複製」の解釈により、複製権侵害の要件は「依拠性」及び「実質的同一性」とされています。依拠は、その著作物に接近できたか、類似性の程度、創作の先後関係等によって判断されます。

著作権者等に無断で書籍をコピーしたり、音楽ＣＤのデータをＭＰ３形式に変換する行為は、複製権侵害に当たります。後述するように、「私的使用のための複製（三〇条）」に該当する場合などには複製が許されますが、ゲームソフトのコピーを防止するなどの技術的保護手段が施されたものについて、それを回避することによって行う複製は、たとえ私的使用を目的としていても許されません（著法三〇条一項二号）。

(2) 上演権・演奏権（著法二二条）

著作者は、著作物を公衆に直接見せ又は聞かせることを目的として上演し、又は演奏する権利を専有します。上演とは「演奏（歌唱を含む。）以外の方法により著作物を演ずること」（著法二条一項一六号）とされています。演劇の場合は上演、音楽の場合は演奏ということになります。著作権者の許諾を得ずに、飲食店の客にカラオケで歌わせることは、演奏権侵害であるとされています（クラブ・キャッツアイ事件＝最高昭六三・三・一五判、民集四二―三―一九九）。音楽著作物の場合、著作権者である作詞家や作曲家は通常、日本音楽著作権協会（ＪＡＳＲＡＣ）等の著作権管理団体に著作権の管理を委託しています（信託契約）。利用者は管理団体を通じて許諾をとる（著作権料を払う）ことになりますが、クラブ・キャッツアイ事件の経営者は著作権料を支払っていなかったため、演奏権侵害とされました。

(3) 上映権（著法二二条の二）

著作者は、その著作物を公に上映する権利を専有します。上映とは「著作物（公衆送信されるものを除く。）を映写幕その他の物に映写することをいい、これに伴って映画の著作物において固定されている音を再生することを含むものとする」と定義されています（著法二条一項一七号）。具体的には、映画館等で映画の著作物を上映することを指します。

映画の著作物には、本来的な映画のほかに「映画の効果に類似する視覚的又は視聴覚的効果を生じさせる方法で表現され、かつ、物に固定されている著作物を含む」（著法二条三項）とされています。裁判例では、ビデオゲーム「パックマン」は映画の著作物に該当し、喫茶店内に設置した「パックマン」の無断複製ゲーム機を客に使用させる行為は、ゲーム製作会社の上映権を侵害するとしています（パックマン事件＝東京地昭五九・九・二八判、判時一一二九—一二〇）。

(4) 公衆送信権等（著法二三条）

著作者は、公衆送信（自動公衆送信の場合にあっては、送信可能化を含みます）を行う権利を専有します（著法二三条一項）。公衆送信とは、公衆によって直接受信されることを目的として無線通信又は有線電気通信の送信を行うことをいいます（著法二条一項七号の二）。テレビ・ラジオなどの放送や、ＣＡＴＶなどの有線放送、インターネットのホームページを通じた通信（自動公衆送信）が該当します。希望者の求めに応じて、なんらかの情報を電子メールやＦＡＸで送信する行為も、受信者が公衆に該当する場合は、公衆送信に当たります。インターネットのホームページに他人の著作物を掲載するような場合は、サーバ上にそのデータを送った（アップロードした）時点で送信可能化という状態になり、公衆送信権侵害となります。

また、著作者は、公衆送信される著作物を受信装置を用いて公に伝達する権利を専有します（著法二三条二項）。喫茶店などで有線放送の音楽をＢＧＭとして流す場合や、大型モニターでテレビ放送を見せたりするような場合が当てはまります。ただし、家庭用の受信装置（テレビ、ラジオ）での伝達は除きます（著法三八条三項）。

日本のテレビ放送を海外でも視聴できるようにする仕組みである、ロケーションフリー機器を用いたサービスを提供する行為が、放送事業者の公衆送信権を侵害するものかどうかが争われた事案では、このような仕組みが自動公衆送信に該当するか、また、サービス提供者は送信可能化の主体であるかどうかが問題となりました（まねきＴＶ事件＝最高平二三・一・一八判、民集六五―一―一二一）。

最高裁は、個々の通信は一対一で行われたものであっても、当該装置に入力される情報を受信者（顧客）からの求めに応じ自動的に送信する機能を有する装置は、自動公衆送信装置であるとしました。そして、サービス提供者は、テレビアンテナで受信された放送が、その装置に継続的に入力されるように設定・管理しているのであるから、装置は顧客の所有するものであっても、そのサービス提供者が送信可能化の主体となり、当該行為は公衆送信権・送信可能化権の侵害に該当するとしました。

公衆に、公に

「公衆」は、特定かつ多数の者を含むものとされています（著法二条五項）。「特定」とは、行為者との間に個人的な結合関係があるもの、とされています。特定少数、不特定多数、不特定少数はどうなのかという疑問が出てきますが、特定少数以外の場合は「公衆」に該当するようです。

それでは「公に」とはどういうことかというと、著作権法二二条の上演権の規定において、「…公衆に直接見せ又は聞かせることを目的として（以下「公に」という。）…」とされています。

(5) 口述権（著法二四条）

著作者は、その言語の著作物を公に口述する権利を専有します。口述とは、朗読その他の方法により著作物を口頭で伝達することとされています（著法二条一項一八号）。朗読のほかには、講演や講義が該当します。口述の録音物を公に再生する場合も含まれます。

(6) 展示権（著法二五条）

著作者は、美術の著作物又はまだ発行されていない写真の著作物の原作品を公に展示する権利を専有します。美術の著作物の原作品とは、著作者が創作した作品そのもの（絵画等）を指します。著作権法上の「発行」とは、その性質に応じ公衆の要求を満たすことができる相当程度の部数の複製物が作成され頒布された場合とされています（著法三条）。したがって、まだ発行されていない写真の著作物の原作品とは、相当程度の部数が頒布される前の写真（プリントされたもの）をいいます。

ただし、美術の著作物の場合、著作者から絵画（原作品）を購入した人が、公にそれを見せる場合は著作者の許諾は必要ありません（著法四五条一項）。

⑺ 頒布権（著法二六条）

映画の著作物の譲渡に関する権利で、劇場用映画の配給制度という取引実態を踏まえて、映画の著作物について頒布権という特別の規定が設けられています。映画の著作者は、その映画の著作物をその複製物により頒布する権利を専有します（著法二六条一項）。また、映画の中で使われているＢＧＭ等の著作物を当該映画の著作物の複製物によって頒布する権利を専有します（同条二項）。

従来、映画は原作品の複製物（リールに固定したもの）を、製作会社から許諾を受けた各映画館に貸与して上映していました。リールは数が限られていますので、ある映画館での上映期間が終了すると次の映画館へというように、一本のリールが映画館を転々とするという形態がとられていました。第一回目の譲渡で著作権者の権利が消尽するとしたら、最初に貸与された映画館が、上映の許諾を受けていない映画館へ勝手に転貸しても、著作権者はこのような行為に対して権利主張できなくなります。これらの理由から、頒布権は第一譲渡によっても消尽しない強い権利であり、映画の著作物に該当すれば、複製物の行く先々まで著作権者は権利を行使できると解されていました。

ところが、中古ゲームソフトの最高裁判決（最高平一四・四・二五判、民集五六―四―八〇八）により少し解釈が変わっています。頒布とは有償であるか又は無償であるかを問わず、①複製物を公衆に譲渡し、又は貸与することをいい、②映画の著作物等にあっては、これらの著作物を公衆に提示することを目的として当該映画の著作物の複製物を譲渡し、又は貸与することを含む（著法二条一項一九号）、とされています。この最高裁判決では、①を映画の著作物を含む著作物全般についての頒布とし、②を公衆に提示することを目的とする映画の著作物のみに関する頒布として区別しました。

そして、①に関する頒布権は権利消尽の原則が適用され、②のように配給制度の下における取引については例外的に権利の消尽が適用されない、としました。

〔中古ゲームソフトの販売は適法＝頒布権は消尽する〕 ゲームソフト等のカセットやＣＤ等の媒体は、使用による劣化がほとんどないことから、中古市場が拡大してきました。ところが、中古市場が拡大すると新品が売れなくなってしまい、ゲームソフトの製作会社は開発に投資した資金を回収できなくなってしまいます。そこで、大阪と東京の二か所でゲーム製作会社と中古販売店の争いが始まりました。

ゲームソフトが映画の著作物に該当するのであれば、頒布権の行使ができます。頒布権は販売等によって消尽しないと解されていたので、これによって中古販売を差し止めることができます。そこで、ゲームソフトが映画の著作物に該当するか否かが争われました。この事件では、東京地裁（平一一・五・二七判）と、大阪地裁（平一一・一〇・七判）とでは全く逆の結論となったので話題となりました。高裁（東京高平一三・三・二七判・判時一七四七—六〇、大阪高平一三・三・二九判・判時一七四九—三）の段階で結論は一致しましたが（中古販売店側の勝訴）、両者は理論構成が異なっています。

最高裁（中古ゲームソフト事件＝最高平一四・四・二五判、民集五六—四—八〇八）では、ゲームソフトは映画の著作物に該当するが、その頒布権はいったん適法に譲渡されたことにより消尽すると判断され、中古販売店側の勝訴となりました。

(8) 譲渡権（著法二六条の二）

映画の著作物以外の著作物の譲渡に関する権利です。著作者はその著作物を、原作品又は複製物の譲渡により公衆に提供する権利を専有します。音楽の著作物であれば、ＣＤやレコードを販売するような場合が、譲渡に当たります。いったん適法に譲渡された後は、その後の譲渡について譲渡権の効力は及びません（権利が消尽します）。したがって、音楽ＣＤを中古ショップへ再譲渡（売却）する行為について、著作権者は譲渡権を行使できません。

(9) 貸与権（著法二六条の三）

映画の著作物以外の著作物の貸与に関する権利です。著作者はその著作物を、その複製物の貸与によって公衆に提供する権利を専有します。音楽ＣＤをレンタルするような場合が貸与に当たります。

なお、書籍又は雑誌の貸与については当分の間、貸与権を適用しないとされていました（著法附則四条の二）。貸与権立法当時、ほとんどの貸本業者は小規模なものであり、著作権者の利益を不当に害する状況ではなかったことや、集中的権利処理機構の未整備などの理由で設けられていた経過措置です。
しかし、大手貸本業者が事業展開しつつあり、著作権者の利益に多大な影響を与える可能性が出てきました。また、業界団体間での協議が整ったこともあり、平成一六年改正（平成一七年一月一日施行）により、この経過措置は廃止されました。これにより、書籍・雑誌を貸与して利用するには、平成一六年八月一日時点で所持している書籍・雑誌を除き、著作権者に許諾を得なければできなくなりました。

⑽　**翻訳権・翻案権（著法二七条）**

著作者は、その著作物を翻訳し、編曲し、若しくは変形し、又は脚色し、映画化し、その他翻案する権利を専有します。翻訳・翻案は、外国語の小説を和訳したり、クラシック音楽をジャズにアレンジする、小説をもとにして映画化する、教科書を要約してダイジェスト版をつくる、というような行為を指します。このような行為を行うには、原著作者（もとの著作物（原著作物）の著作権者）に許諾を得る必要があります。また、二次的著作物を翻訳・翻案した場合は、二次的著作物の著作権者だけでなく、原著作者にも許諾を得なければなりません。著作権法二八条の規定により、原著作者は二次的著作物の権利者と同一の権利をもつことになるからです。

編曲について裁判例は、「既存の著作物である楽曲（以下「原曲」という。）に依拠し、かつ、その表現上の本質的な特徴の同一性を維持しつつ、具体的表現に修正、増減、変更等を加えて、新たに思想又は感情を創作的に表現することにより、これに接する者が原曲の表現上の本質的な特徴を直接感得することのできる別の著作物である楽曲を創作する行為をいう」としています（記念樹事件＝東京高平一四・九・六判、判時一七九四―三）。

⑾　**二次的著作物の利用に関する原著作者の権利（著法二八条）**

二次的著作物のもとになった著作物の著作者（原著作者）は、二次的著作物の著作者と同一の権利を専有します。小説をもとにしてつくられた漫画は二次的著作物となりますが、小説の作者は漫画の著作者と同一の権利を専有します（キャンディキャンディ事件＝最高平一三・一〇・二五判、判時一七六七―一一五）。

六　権利の制限

著作者は、その著作物を利用する権利を専有しています。著作者に無断で利用した場合は、権利を侵害することとなります。原則的には著作者から許諾を得なければなりません。しかし、コンビニで書籍の一部をコピーしたり、自宅でCDをスマートフォンや音楽プレイヤーに録音したり、学校の授業で他人がつくった歌を歌ったりするたびに著作者の許諾を得なければならないとしたら、著作物の公正で円滑な利用が妨げられ、文化の発展に寄与することを目的とする著作権制度の趣旨に反することにもなりかねません。そこで、一定の場合（著作者の利益を不当に害さない場合、著作物の性質からして著作権が及ぶものとすることが妥当でない場合、公益上の理由、他の権利との調整など）に著作者の権利を制限しているのが、著作権法三〇条から四七条の九までの規定です。これらの規定に該当する場合は、著作者等の許諾を得ることなく利用することができますが、次の点に注意が必要です。

① 利用の際には、原則として出所の明示をする必要があります（著法四八条）。

② これらの規定に基づき複製されたものを目的外に使うことは禁止されています（著法四九条）。

③ 著作権が制限される場合でも、著作者人格権は制限されません（著法五〇条）。

以下、いくつかの制限規定について解説します。

1 私的使用のための複製（著法三〇条一項）

個人的に又は家庭内その他これに準ずる限られた範囲内で使用することを目的とするときは、著作者に許諾を得ることなく著作物を複製することができます。限られた小規模の範囲内での複製であれば、著作権者の利益を不当に害する可能性が低いことからこのような規定が置かれています。自宅で自分や家族のためにテレビ番組をビデオ録画するような場合が該当します。ただし、録画したものが不要になったからといって、フリーマーケット等で販売するのは、目的外の使用として許されません（著法四九条一項一号）。

会社内での複写については「企業その他の団体において、内部的に業務上利用するために著作物を複製する行為は、その目的が個人的な使用にあるとはいえず、かつ家庭内に準ずる限られた範囲内における使用にあるとはいえないから、同条所定の私的使用には該当しないと解するのが相当」とされています（設計図複写事件＝東京地昭五二・七・二二判、無体九―二―五三四）。

私的使用とされる範囲については、複製をする者の属するグループのメンバー相互間に強い個人的結合関係とグループ規模が小さいことが前提とされていますので、友人間・親子きょうだい間で音楽CD等を貸し借りして音楽プレイヤー等に録音する程度であれば同条に該当しますが、友人間といっても学校のクラス全員という場合は小規模とはいえず、私的使用の範囲を超えるものと思われます。

2　私的使用のための複製であっても許されない場合

次の行為は私的使用の複製に該当する場合であっても許されません。

①　公衆の使用に供することを目的として設置されている自動複製機器を用いて複製するとき（著法三〇条一項一号）

具体的には、レンタルビデオ店の店頭に置かれたダビング装置を使って、ビデオの複製をつくるような場合です。コンビニ店のコピー機も自動複製機器に該当しますが、文献複写機器については当分の間除外されることとなっています（著法附則五条の二）。

②　技術的保護手段の回避により可能となった複製を、その事実を知りながら行うとき（著法三〇条一項二号）

技術的保護手段とは、ゲームソフトやDVD、ブルーレイディスクなどについて複製等ができないようにする手段をいいます（著法二条一項二〇号）。複製防止策が回避されていることを知らず、私的使用目的の複製を行った場合は、同号に該当しません。中古店で購入するときには、偶然そのようなゲームソフトやDVDを入手してしまうこともあり得ると思われます。

③　違法にアップロードされた音楽・映像のダウンロード

現在、インターネット上の映像配信サイトやファイル交換ソフトなどによって違法に著作物がアップロードされ、それが多くの人々にダウンロードされています。そして、これらの行為によって、音楽CDや映画などの正規ビジネスが圧迫されています。従来、著作物を違法にアップロードする行為は公衆送信権違反とされていましたが、それらをダウン

自炊代行業者による複製

スマートフォンやタブレットなどの電子端末の普及により、紙の書籍を電子ファイル化して、電子端末で読みたいというニーズが生じてきました。しかし、個人が、書籍に対応できるような裁断機やスキャナーを用意し、自ら書籍を電子ファイル化するのは難しいということもあり、いわゆる自炊代行業者と呼ばれるサービスを行う業者が現れました。このような自炊業者によるスキャニングサービスは、著作権のある著作物に対して行われた場合、たとえ裁断後の書籍が廃棄ないしは利用者に返却され、作成された電子ファイルも利用者以外は使用できないようにしているとしても、複製権侵害にあたるのではないかということが問題とされるようになりました。

小説家・漫画家・漫画原作者らが、自炊業者二社とその代表者らを被告として訴えた事案では、被告らは、サービスの利用者が複製の主体であること、自炊業者は利用者の私的複製を補助しているにすぎないことなどを理由に挙げて、著作権侵害には当たらないと主張しました。

東京地裁は、この自炊業者のもとで行われる複製行為を、①利用者による電子ファイル化の申込み、②利用者から自炊業者への書籍の送付、③自炊業者による書籍の裁断、④裁断した書籍を自炊業者が管理するスキャナーで読み込んで行う電子ファイル化、⑤完成した電子ファイルを利用者がインターネットにより電子ファイルのままダウンロードするかまたはDVD等の媒体に記録されたものとして受領する行為という五段階に分けた上で、この事案の複製における枢要な行為は電子ファイル化であり、これを行っているのは自炊業者であるから、複製の主体は自炊業者であるとしました。また、自炊業者が利用者の管理下で複製していると見ることはできないから、利用者の手足として複製を行ったとはいえず、著作権法三〇条一項は適用されないと述べました（自炊代行業者複製権侵害事件＝東京地平二五・九・三〇判、判時二二一二―八六）。

被告らのうちの一社とその代表者が控訴しましたが、知財高裁は、前述の④の行為こそが複製行為であるから、その主体は自炊業者であると述べた上で、原判決を相当であるとして、控訴を棄却しています（知財高平二六・一〇・二二判）。

ロードする行為については、私的使用のための複製の範囲内、すなわち著作者の権利の及ばない行為とされていました。そこで、平成二一（二〇〇九）年の改正でインターネット上の音楽や映像が違法な行為によるものであることを知りながら複製（ダウンロード）することは、私的使用目的であっても違法な行為とされました（平成二一年法律第五三号、平成二二年一月一日施行）。さらに、平成二一年改正の段階では、違法ダウンロードは損害賠償責任のみを負うものとされていたところ、平成二四（二〇一二）年の改正により、世間において有償で取引されている著作物の違法ダウンロードについては、刑事罰の対象となりました（平成二四年法律第四三号、平成二四年一〇月一日施行）。

④　映画の盗撮の防止に関する法律（平成一九年法律第六五号、平成一九年八月三〇日施行）に規定する行為

著作権法の特別法として立法された法律です。

現在、家庭用ビデオカメラは、以前に比べ安価に入手できるようになってきました。また、高性能化により、プロ用機器と遜色ない品質の映像で録画ができるようになっています。さらに、スマートフォンでの動画撮影も一般的になっています。これらの機器を用いて映画館で映画の盗撮を行い、インターネット上で公開したり、海賊版ＤＶＤを販売する事案が問題となっていました。

著作権者の許諾を得ずに映画館で映画の録画を行う行為は、原則として著作権侵害（著法二一条）となり、刑事罰の適用もあります（著法一一九条等）。ところが、著作権法には私的使用の目的による複製については、著作権者の許諾を得なくとも侵害にはならない旨の規定があります（著法三〇条一項）。映画館での盗撮を発見しても、私的使用目的の複製であることを主張された場合に、著作権法ではただちに侵害と認めることが困難な状況になっていました。

そこで、平成一九（二〇〇七）年に著作権法とは別に「映画の盗撮の防止に関する法律」を制定して、映画館での映画の盗撮が私的使用の目的で行われていても、著作権法三〇条一項は適用されないこととし（同法四条一項）、損害賠償請求（民法七〇九条）・差止請求（著法一一二条）のほか刑事罰（著法

一一九条等）の対象となることとなりました。

3　私的録音録画補償金（著法三〇条二項）

デジタル方式の録音録画機器等を用いて著作物を複製する場合には、著作権者に対し補償金の支払が必要となります。CDの音楽をCD-ROMにコピーするような場合です。デジタル方式による録音録画は、アナログ方式に比べて高品質の録音が可能であり、複製を繰り返しても劣化しません。権利者が本来受けるべき経済的利益が害されていると見受けられる状況に対応するために、このような制度が各国で置かれています。

支払方法等の詳細は、著作権法一〇四条の二～一〇に規定されています。一般の人が、著作権者に対して直接支払うことは困難ですので、政令で指定された録音録画機器や記録媒体を購入する際に、補償金を上乗せした金額を販売店に支払うという仕組みになっています。支払われた補償金は、指定管理団体が管理・権利者への分配を行っています。

4　図書館等における複製（著法三一条）

政令（著法施行令一条の三）で認められた図書館、国立国会図書館、大学の図書館、公共の図書館等に限り、利用者の求めに応じて、公表された著作物の一部分の複製物を、一人につき一部提供することができます。また、図書館資料の保存のための複製や、他の図書館からの求めに応じて、入手困難な資料（絶版等）の複製物を提供することができます。

図書館に対し、複製物提供業務を行うことを義務付けたり、蔵書の複製権を与えたものではありません。また、図書館利用者に図書館の蔵書の複製権あるいは一部の複製をする権利を定めたものではありません（多摩市立図書館事件＝東京地平七・四・二八判、判時一五三一―一二九）。

一部分とは書籍の半分以下であることが必要です。したがって、書籍まるごと一冊のコピーはできません。複数の著作者による編集著作物（事典や論文集）で、項目・論文ごとに著作者の区分が明確になされている場合には、それぞれの項目・論文を一著作物単位として判断します。

5　引用（著法三二条一項）

公表された著作物は引用して利用することができま

す。引用とは、紹介、参照、論評その他の目的で自己の著作物中に他人の著作物の原則として一部を採録することをいいます。引用の要件を列挙すると次のようになります。

① 公表された著作物であること

② 公正な慣行に合致し、かつ、引用の目的上正当な範囲内で行われるものであること

具体的には、明瞭区別性、主従関係をいいます。判例においても、「引用を含む著作物の表現形式上、引用して利用する側の著作物と、引用されて利用される側の著作物とを明瞭に区別して認識することができ、かつ、右両著作物間に前者が主、後者が従の関係があることを要する」とされています（パロディ・モンタージュ写真事件＝最高昭五五・三・二八判、民集三四―三―二四四）。

③ 出所を明示すること

その複製又は利用の態様に応じ合理的と認められる方法及び程度により、明示しなければなりません（四八条）。

なお、他人の著作物をその趣旨に忠実に要約して引用することも、同条により許容されるものと解されています（血液型と性格の社会史事件＝東京地平一〇・一〇・三〇判、判時一六七四―一三二）。

6 学校その他の教育機関における複製等（著法三五条）

教育を担任する者及び授業を受ける者は、授業の過程で使用するために著作物を複製することができます。また、今後、文化庁長官の指定する管理団体への補償金支払いを条件として、公衆送信することも可能になります（平成三〇年法律第三〇号）。ただし、著作権者に経済的不利益を与えるおそれがある場合は、この限りではありません。市販のワークブックや問題集を、生徒の人数分印刷して配布するような場合や、大量の複製の場合は許諾が必要です。

また、遠隔授業において、副会場へ向けて複製物を提供することが可能です。

7 営利を目的としない上演等（著法三八条）

営利を目的とせず、観客から料金を受けず、実演家に報酬が支払われない場合は、公表された著作物を公に上演・演奏・上映・口述することができます（著法三八条

表6-5　権利の制限

	内容
30条	私的使用のための複製（１項） 私的録音録画補償金（２項）
30条の２	付随対象著作物の利用
30条の３	検討の過程における利用
30条の４	著作物に表現された思想又は感情の享受を目的としない利用
31条	図書館等における複製等
32条	引用
33条	教科用図書等への掲載
33条の２	教科用図書代替教材への掲載等
33条の３	教科用拡大図書等の作成のための複製等
34条	学校教育番組の放送等
35条	学校その他の教育機関における複製等
36条	試験問題としての複製等
37条	視覚障害者等のための複製等
37条の２	聴覚障害者等のための複製等
38条	営利を目的としない上演等
39条	時事問題に関する論説の転載等
40条	政治上の演説等の利用
41条	時事の事件の報道のための利用
42条	裁判手続等における複製
42条の２	行政機関情報公開法等による開示のための利用
42条の３	公文書管理法による保存等のための利用
43条	国立国会図書館法によるインターネット資料及びオンライン資料の収集のための複製
44条	放送事業者等による一時的固定
45条	美術の著作物等の原作品の所有者による展示
46条	公開の美術の著作物等の利用
47条	美術の著作物等の展示に伴う複製等
47条の２	美術の著作物等の譲渡等の申出に伴う複製等
47条の３	プログラムの著作物の複製物の所有者による複製等
47条の４	電子計算機における著作物の利用に付随する利用等
47条の５	電子計算機による情報処理及びその結果の提供に付随する軽微利用等
47条の６	翻訳、翻案等による利用
47条の７	複製権の制限により作成された複製物の譲渡

一項）。ここでいう料金は、名目はなんであっても、著作物の提供又は提示する行為の対価として受けるものをいいます。また、たとえ料金を受け取らなくても、営利目的の団体や、商品の宣伝をするためになされる場合は営利性があります。

8　美術の著作物等の展示に伴う複製（著法四七条）

美術の著作物の原作品等を展示する者は、観覧者のための解説、紹介用の小冊子や、タブレット端末等の電子機器などに展示する著作物を掲載することができます。また、必要と認められる限度においてサムネイル画像をインターネットで公開することができます。

七　出版権

著作物の出版は、通常、著作権者と出版会社との出版許諾契約を通じて行われます。出版会社は、著作権者から許諾を得れば、著作物を出版することができますが、単に出版の許諾を得ただけでは、他人が同じ著作物を出版することを止めさせる権限を持ちません。しかし、出版権の設定を受けていれば、出版の権利を独占できるため、他人に対して出版の差止めをすることが可能となります。

従来、出版権の対象となる行為は、著作物を文書又は図画として出版すること、すなわち紙媒体での出版行為でした。しかし、電子書籍が普及し始め、出版会社とは異なる事業者も電子出版に参入していることや、インターネット上の海賊版に対して、出版社が対応できないことなどの問題点に対応するため、出版権の規定が改正され、平成二七（二〇一五）年一月一日より、CD-ROM等による出版やインターネット送信などによる電子出版も対象とすることになりました。ただし、改正法の施行前に設定された出版権には、電子出版の権利は含まれません。

著作物について複製権又は公衆送信権を有する者（「複製権等保有者」）は、紙媒体やCD-ROM等による出版、インターネット送信による電子出版を引き受ける者に対し、出版権を設定することができます（著法七九条一項）。出版権の設定を受けた出版権者は、設定行為で定めた内容に従って、その出版権の目的である著作物について、頒布の目的をもって、原作のまま印刷その他の機械的又は化学的方法により文書又は図画として複製する権利を専有し（第一号出版権者）、原作のまま電子計算機を用いてその映像面に文書又は図画として表示されるようにする方式により記録媒体に記録された複製物を用いて公衆送信を行う権利を専有する（第二号出版権者）ことができます（著法八〇条一項）。これにより、出版権者は、インターネット等を用いた出版行為について独占権を得て、インターネット上の海賊行為も自ら差し止めることができるようになりました。出版権は、複製権等保有者の承諾を得た場合に限り、譲渡したり質権の目的とし（著法八七条）、他人に対して再許諾することができます（著法八〇条三項）。出版権の登録は、第三者対抗要件となります（著法八八条）。

出版権者は、設定行為に別段の定めがある場合を除いて、以下のような義務を負うことになります。

① 複製権等保有者から、原稿等の引渡しや電磁的記録の提供を受けた日から六か月以内にその出版権の目的である著作物について出版行為又は公衆送信行為を行う義務（著法八一条一号イ・二号イ）

② 出版権の目的である著作物について慣行に従い継続して出版行為又は公衆送信行為を行う義務（著法八一条一号ロ・二号ロ）

③ 著作物を第一号出版権者が増刷する場合において、正当な範囲において著作者に修正又は増減を加える機会を与え（著法八二条一項一号）、増刷の都度、あらかじめ著作者にその旨を通知する義務（著法八二条二項）

④ 著作物を第二号出版権者が公衆送信を行う場合において、正当な範囲において著作者に修正又は増減を加える機会を与える義務（著法八二条一項二号）。

出版権の存続期間は、特に定めていない場合には、最初の出版行為等があった日から三年間です（著法八三条）。出版権者が、①②の義務に違反した場合には、複製権等保有者は出版権を消滅させることができます（著法八四条一項・二項）。また、複製権等保有者である著作者は、その著作物の内容が自己の確信に適合しなくなったときは、その著作物の出版行為等を廃絶するために、出版権者に通知して、その出版権を消滅させることができます。その場合、出版の廃絶により出版権者に通常生ずべき損害を、あらかじめ賠償しなければなりません（著法八四条三項）。

八　著作隣接権

1　概　要

著作隣接権は、実演家、レコード製作者、放送事業者、有線放送事業者といった、著作物の伝達を担っている者の経済的利益を保護するための権利です。

著作権は基本的には創作した者（著作者）が権利を取得します。しかし、著作物を公衆に伝達するためには、著作者の力だけでは実現が難しい場合があります。例えば、音楽の著作物を伝達するためには、テレビやラジオで放送したり、音楽ＣＤとして販売することが必要になりますが、通常これらの伝達行為は著作者以外の者が行います。そして、著作者は放送局やレコード会社に、著作権料と引き換えに著作物を利用する許諾を与えています。もし違法複製品のＣＤをだれかが売っていた場合、著作者はこれに対してやめろということができます。しかし、著作者はレコード会社等から著作権料を得ているので、わざわざ訴訟を起こさないことが考えられます。そうすると著作権のないレコード会社は、違法複製品を販売している者に対して何もできなくなります。レコードの製作による利益を得ることができなくなると、やがて著作者への著作権料も払えなくなり、著作者も伝達の手段を失います。そこで、伝達という方法によって文化の発展を支えている者についてもなんらかの権利を与える必要があります。

著作隣接権の保護を受けるためには、著作権同様、手続等の必要はありません。無方式で権利が発生します（著法八九条五項）。

また、著作権と著作隣接権はそれぞれ別々の権利です。著作隣接権の規定は、著作者の権利に影響を及ぼすものと解釈してはならないとされています（著法九〇条）。

2　著作隣接権の特徴

実演家とレコード製作者が享有する権利は、「…を専有する」という排他権と、二次的使用料や報酬を受ける権利（報酬請求権）の二種類があります（著法八九条一項・二項）。放送事業者と有線放送事業者については報酬請求権の規定はありません。排他権に規定された行為は、他人がこれらの利用をするときにはあらかじめ許諾を得る必要があります。

3　実演家の権利（著法八九条一項）

⑴　概　要

実演とは、「著作物を演劇的に演じ、舞い、演奏し、歌い、口演し、朗詠し、又はその他の方法により演ずること（これらに類する行為で、著作物を演じないが芸能的な性質を有するものを含む。）」とされています（著法二条一項三号）。したがって、著作物を演じない、サーカスや手品、ジャグリングなども含みます。

実演家とは、「俳優、舞踊家、演奏家、歌手その他実演を行う者及び実演を指揮し、又は演出する者をいう」とされています（著法二条一項四号）。「業として」という要件はありませんから、アマチュアバンドも該当します。

⑵　ワンチャンス主義

実演家は、録音や録画することについて排他的権利をもちますが、その増製（レコードのプレスなど）についても同様に実演家等の許諾が必要です。例えば、歌手の歌をレコードに録音するときの許諾だけではなく、それを増製するときにも許諾が必要です。しかし、録音・録画の許諾を得て作成した映画の著作物に関しては、それを増製（ＤＶＤ化等）するときには、実演家の許諾は不要です（著法九一条二項）。映画にかかわる実演家（俳優・歌手）は多数であることから、このような規定になっています。実演家にとっては、最初の出演の一回限りしか利益を得るチャンスがないことから、「ワンチャンス主義」と呼ばれています。二次利用の際にも報酬等を得たい場合は、最初の出演許諾契約のときに、別途取決めをしておかなければなりません。

4　レコード製作者の権利（著法八九条二項）

レコード製作者とは、レコードに固定されている音を最初に固定した者をいいます（著法二条一項六号）。最初に固定した者とありますから、レコード盤に固定された音を他の媒体に記録しなおしたり、増製する者は、ここでいうレコード製作者には該当しません。

レコードとは具体的には、レコード盤、ＣＤ、カセットテープ、ＨＤ等の媒体に音を固定したものをいいます（著法二条一項五号）。

表6-6　実演家の権利

	権利	権利の内容	適用除外等
人格権	氏名表示権（90条の２）	・氏名・芸名を表示し、又は表示しないこととする権利	・映画のエンディングロールにおけるエキストラの氏名表示の省略等
	同一性保持権（90条の３）	・実演を改変（俳優の顔の表情を変えたり、セリフを野卑《ひ》な言葉に置き換えるような行為）されない権利	・公正な慣行に反しないと認められる改変については適用しない
隣接権	録音権・録画権（91条）	・実演を録音・録画する権利 ・録音・録画したものを増製することも含む	・許諾を得て映画の著作物の中で録音・録画された実演（映画をビデオ化する際には実演家の許諾は不要）
	放送権・有線放送権（92条）	・実演を放送・有線放送する権利	・放送される実演を有線放送する場合 ・許諾を得て録音・録画されている実演を放送・有線放送する場合 ・許諾を得て映画の著作物の中で録音・録画された実演を放送・有線放送する場合
	送信可能化権（92条の２）	・実演を送信可能化する権利 ・インターネット上のサーバに実演をアップロードするような場合をいう	・録音・録画の許諾を得て録画されている実演 ・許諾を得て映画の著作物の中で録音・録画された実演を送信可能化する場合
	譲渡権（95条の２）	・実演をその録音・録画物の譲渡により公衆に提示する権利	・録音・録画権を有する者の許諾を得て録画されている実演 ・許諾を得て映画の著作物の中で録音・録画された実演を公衆に譲渡する場合
	貸与権等（95条の３）	・実演を商業用レコードの貸与により公衆に提示する権利	・最初に販売された日から政令で定める期間（１～12月）の経過後は、独占権はなくなり、報酬請求権が与えられる（２項・３項）
報酬請求権	有線放送について報酬を受ける権利（94条の2）	・放送される実演の同時送信につき、相当な額の報酬を受ける権利	・非営利、かつ、無料で行われる場合は除く
	商業用レコード２次使用料請求権（95条）	・許諾を受けて録音された商業用レコードやインターネット等で配信された音源を用いて、放送・有線放送が行われた場合に２次的使用料を受ける権利	
	貸与報酬請求権（95条の３第３項）	・貸レコード業者から相当の金額の報酬を受ける権利	

表6-7　レコード製作者の権利

		権利の内容	適用除外等
隣接権	複製権（96条）	レコードの増製 各種媒体への変換	
	送信可能化権（96条の２）	インターネットのサーバ等にレコードの音をアップロードする行為	
	譲渡権（97条の２）	レコードの複製物（CD 等）の譲渡により公衆に提供する権利	いったん適法に譲渡された場合には、その後の譲渡に権利は及ばない
	貸与権等（97条の３）	商業用レコードの貸与により公衆に提示する権利	最初に販売された日から政令で定める期間（１～12月）の経過後は、独占権はなくなり、報酬請求権が与えられる（２項・３項）
請求権	商業用レコード2次使用料請求権（97条）	商業用レコードが放送・有線放送で使用された場合に２次的使用料を受ける権利	営利目的でなく、かつ、対価を受けずにする同時再放送は除く
	貸与報酬請求権（97条の３の３項）	貸レコード業者から相当の金額の報酬を受ける権利	

表6-8　放送事業者の権利

複製権（98条）	・放送事業者による放送を受信して、複製する行為にも権利が及ぶ ・テレビの画面を写真撮影等をして行う複製も含む
再放送権 有線放送権（99条）	放送事業者が送信する放送信号を受信して、再放送・有線放送をする権利
送信可能化権（99条の２）	放送を受信して、インターネット等で送信するために、サーバーコンピュータに蓄積し、ユーザーの求めに応じて送信することが送信することが可能な状態にする権利
テレビジョン放送伝達権（100条）	・放送を大型プロジェクターなどを用いて公衆に視聴させる権利 ・非営利の場合にも権利が及ぶ

5　放送事業者の権利（著法八九条三項）

放送事業者とは、放送を業として行う者をいいます（著法二条一項九号）。放送とは、公衆送信のうち、公衆によって同一の内容の送信が同時に受信されることを目的として行う無線通信の送信をいいます（著法二条一項八号）。具体的にはラジオ放送、テレビ放送をいいます。

6　有線放送事業者の権利（著法八九条四項）

有線放送事業者とは、有線放送を業として行う者をいいます（著法二条一項九号の三）。有線放送とは、公衆送信のうち、公衆によって同一の内容の送信が同時に受信されることを目的として行う有線電気通信の送信をいいます（著法二条一項九号の二）。具体的にはケーブルテレビ放送をいいます。

有線放送事業者には、複製権（著法一〇〇条の二）、放送権・再有線放送権（著法一〇〇条の三）、送信可能化権（一〇〇条の四）、有線テレビジョン放送伝達権（著法一〇〇条の五）が与えられています。内容は放送事業者と同一ですので前述5を参照してください。

九　保護期間

1　概　要

著作権の存続期間は原則として、著作物の創作の時に始まって、著作者の死後又は著作物の公表後七〇年を経過するまでの間です。例えば一〇歳の時に創作して一〇〇歳で死亡した場合は、一六〇年間保護されることになります。環太平洋パートナーシップ協定の締結に伴う関係法律の整備に関する法律（ＴＰＰ）（平成二八年法律第一〇八号）により、平成三〇年一二月三〇日から同日において保護期間中の著作物であれば、映画の著作物以外の著作物についても、起算点から五〇年だったものが七〇年に延長されました。

2　著作者人格権の保護期間

著作者人格権は一身に専属し、譲渡することができません（著法五九条）。したがって、著作者人格権は著作者の死亡によって消滅するものと考えられます。しかし、法は著作者が存しなくなった後における人格的利益の保護についての規定を置いており（著法六〇条）、著作者が存しているとしたならば、その著作者人格権の侵害となるべき行為をしてはならないとしています。したがって、実質的には、永久に保護され得るものと考えられます。

3　著作権の保護期間（表6-9）

期間を計算するときは、死亡、公表、創作等、その事由が生じた日が属する年の翌年から起算します（暦年主義）。例えば、著作者が二〇〇四年八月三一日に死亡した場合は、二〇〇五年一月一日が起算点になります（著法五七条）。

4　著作隣接権の保護期間（表6-10）

著作隣接権の存続期間は、実演やレコードへの固定などの行為を行った時に始まり、五〇年を経過した時に満了します。起算点は著作権と同じく、その行為を行った日の翌年の一月一日から始めます（暦年主義）。

5　継続的刊行物の公表の時

継続して刊行する雑誌のようなものの場合は、毎冊、毎号又は毎回の公表の時が公表時ということになります。一部分ずつ逐次公表して完成する著作物の場合は、最終部分の公表の時になります（著法五六条一項）。

「水戸黄門」のように、主たる登場人物が毎回ほぼ同じであっても、各回の間にストーリーの連続性がないもの（一話完結）については、毎回の番組放送の公表の時ということになります。新聞の連載小説や、大論文を何回かに分けて学会誌で公表するような場合は、最終部分の公表の時になります。

一〇　権利侵害

1　概　要

他人の著作物を著作者の許諾を得ずに利用する行為は、著作権の侵害となります。著作権者は民事上、刑事上の救済を受けることができます。民事上の救済としては、差止請求（著法一一二条）や損害賠償請求（民法七〇九条）が認められています。刑事上の救済については、侵害者がその行為を故意に行ったことが原則です。また訴訟外の紛争解決としてあっせん制度（著法一〇五条～

表6-9　著作権の保護期間

著作者の死後70年	原則(51条)	
	共同著作物(51条2項)	共同著作者のうち、最後に死亡した者の死後70年
	周知の変名の著作物(52条2項1号)	変名…ペンネームなど
	実名の登録がされている著作物(52条2項1号)	実名の登録（75条1項）
公表後70年	無名又は変名の著作物（52条）	・存続期間の満了前に著作者の死後70年を経過していると認められる場合は、その時に消滅したものとする ・変名がその者のものとして周知である場合や、実名の登録（75条1項）がされている場合などは、原則の保護期間（死後70年）が適用される（52条2項）
	団体名義の著作物（53条）	・創作後70年以内に公表されなかったときは、その創作後70年
公表後70年	映画の著作物(54条)	・創作後70年以内に公表されなかったときは、その創作後70年 ・映画の著作物の著作権が消滅したときは、その原著作物（小説等）の著作権も消滅したものとする（54条2項）

表6-10　著作隣接権の保護期間

	開　始	満　了
実演	実演を行った時（101条1項1号）	実演を行った日の翌年から起算して70年（101条2項1号）
レコード	その音を最初に固定した時(101条1項2号)	・レコードの発行日の翌年から起算して70年 ・発行されなかったときは、その音が固定された日の翌年から70年（101条2項2号）
放送	その放送を行った時(101条1項3号)	放送が行われた日の翌年から起算して50年（101条2項3号）
有線放送	その有線放送を行った時(101条1項4号)	有線放送が行われた日の翌年から起算して50年（101条2項4号）

一一一条）が設けられています。

近年、さまざまな侵害形態が出現するにつれて、侵害行為の主体が問題となる事案が増えてきました。「ロクラクⅡ」というインターネット通信機能を有するハードディスクレコーダーを用いて、国内に設置された装置（親機ロクラク）で録画された放送番組等を、海外に設置した装置（子機ロクラク）で視聴することが可能となるサービスが出現しました。親機ロクラクはサービス提供者の管理・支配下にあり、利用者側の子機からの録画操作によって、日本の放送番組等を受信し録画します。そして、録画したものは海外にある利用者側の子機に送信されるという仕組みです。このような放送番組の複製について、サービス提供者が複製の主体であるといえるのかが問題となりました（ロクラクⅡ事件＝最高平二三・一・二〇判、民集六五―一―三九九）。

最高裁は、サービス提供者は「複製の実現における枢要な行為」をしており、サービス提供者の行為がなければ、利用者は放送番組等の複製をすることは不可能であるから、複製の主体というに十分であるとしました。類似の事件として、まねきTV事件があります（最高平二三・一・一八判、二七三～二七四ページ参照）。

2　権利の侵害

「著作権」と一言でいっても、著作者人格権や、著作権（財産権）、出版権、実演家人格権、著作隣接権、とたくさんの権利があります。さらにそれが利用態様ごとに細かに分類されていますから、正確には「複製権侵害」「公表権侵害」「実演家の送信可能化権侵害」「放送事業者の送信可能化権侵害」というようになります。

それぞれの権利は「著作者（実演家）は○○する権利を専有する」となっていますので、許諾を受けずに他人が利用する行為は侵害となります。しかし、独自に創作したものが、たまたま他人の著作物に同一又は類似している場合でも、侵害には当たりません。複製は「実質的同一性」及び「依拠性」が要件とされます（ワン・レイニー・ナイト・イン・トーキョー事件＝最高昭五三・九・七判、民集三二―六―一一四五）。「依拠」という言葉は、条文上にありませんが、最高裁判決で複製の要件として判示されています。独自創作であり他人の著作物に依拠して作成されたものでない限り、複製には該当せず侵害には当たりません。

3 侵害とみなす行為

著作権法は次の行為を「侵害とみなす行為」としています。

① 侵害行為によって作成されたものを頒布目的で輸入する行為

国内において頒布する目的をもって、輸入の時において国内で作成したとしたならば著作者人格権、著作権、出版権、実演家人格権又は著作隣接権の侵害となるべき行為によって作成された物を輸入する行為は侵害とみなされます（著法一一三条一項一号）。外国で作成された海賊版の音楽CDを、販売目的で輸入するような場合が該当します。

② 侵害行為によって作成された物を情を知って頒布、頒布目的で所持、もしくは頒布する旨の申出をする行為。また、侵害行為によって作成された物を業として輸出、又は輸出の目的を持って所持する行為

著作者人格権、著作権、出版権、実演家人格権又は著作隣接権を侵害することによって作成された物を情を知って頒布し、または頒布の目的をもって所持し、もしくは頒布する旨の申出をする行為は侵害とみなされます（著法一一三条一項二号）。

「情を知って」とは、侵害行為によって作成された物であることを知って、という意味です。入手したものがたまたま違法複製品であった場合、所持し続けるだけなら侵害行為とはみなされませんが、違法複製品だと知りながら、これをインターネットのオークション等で売ろうとした場合には、この規定が適用されることになります。

平成一八（二〇〇六）年の改正で海賊版等を海賊版であることを知りながら、業として輸出等する行為、さらに平成二一（二〇〇九）年改正では、いまだ侵害物品を手元に所持していなくても販売サイトなどで頒布の申出をする行為も侵害とみなされることとなりました（著法一一三条一項二号）。

③ プログラムの違法複製物を情を知って、業務上使用する行為

プログラムの著作物の著作権を侵害する行為によって作成された複製物を、業務上電子計算機において使用する行為は、これらの複製物を使用する権原を取得した時に情を知っていた場合に限り、侵害

する行為とみなされます（著法一一三条二項）。

例えば、海賊版のソフトウェア（違法複製物）を、海賊版であることを知りながら入手し、会社のパソコンにインストールして使用するような場合が該当します。

④　アクセスコントロールの回避等

アクセスコントロールの回避をする行為は、それが施されている著作物の著作権、出版権、著作隣接権の侵害とみなされます（著法一一三条三項。TPP発効により追加）。著作物の視聴に当たる行為は著作権の大法ではありませんが、違法な複製を防止する手段として複製物を視聴できないようにする技術が用いられている場合があります。もっとも、こういった技術に係る研究や技術開発の目的などの場合は含まれません。

⑤　権利管理情報の付加・除去・改変等

権利管理情報に関する次の行為は侵害とみなされます。「権利管理情報」とは、著作権者名、権利期間、利用条件に関する情報などの、著作物の管理情報をいいます（著法二条一項二一号）。最近ではデジタル著作物に対して「電子透かし」技術などを活用して、ユーザには気づかれないようにこれらの管理情報を著作物に付加した上で販売するという手法がとられています。

(i)　虚偽の権利管理情報を故意に付加する行為（著法一一三条四項一号）

(ii)　故意に除去し、又は改変する行為（同二号）

(iii)　上記(i)(ii)の行為が行われた著作物若しくは実演の複製物を、情を知って頒布、頒布の目的をもって輸入、所持する行為（同三号）

(iv)　上記(i)(ii)の行為が行われた著作物若しくは実演等を情を知って公衆送信し、送信可能化する行為（同三号）

⑥　商業用レコードの逆輸入等をする行為（著法一一三条六項）

近年、国内レコード会社は、日本の楽曲が海外においても注目されるようになったことなどから、国内ばかりでなく海外においても生産・販売を行っています。その際の販売価格は、当該国の経済水準などを考慮して設定されています。日本では三〇〇〇円のCDが、日本以外のアジア諸国では一〇〇〇円前後とのことですから、価格の安い地域から輸入し販売されると、日本国内で販売しているCDが売れなくなってしまいます。そこで、音楽産業を保護する必要性からこのような規定が追加されました。国内のレコード製作者が国外で発行している商業用レコードの場合が対象です。国外の製作者が発行している音楽CD等の輸入は今までどおり認められます。

一一三条六項によって、国内で販売を行っている著作権者等が、国内で販売しているものと同一のCD等を、専ら国外で販売していることを目的として国外で販売しているような場合に、国内でそのCD等を販売する目的で輸入・頒布・頒布目的で所持する行為は、国外CDの輸入等によって、国内販売で見込まれる利益が不当に害されるときに限って、侵害行為とみなされます。

ただし、国内において最初に発行された日から起算して七年を超えない範囲内において政令で定める期間を経過した商業用レコードについては、適用除外となります。すなわち、発行してから一定期間を超えたレコード（CD）は適用されません。

また、改正法施行前に輸入され、施行時に頒布の目的で所持されている商業用レコードについても適用されません（著法附則二条）。

⑦　著作者の名誉・声望を害する方法による利用（平成二八年改正（平成三〇年一二月三〇日施行）で、著法一一三条六項から七項へ移動）

著作者の名誉又は声望を害する方法によりその著作物を利用する行為は、著作者人格権を侵害する行為とみなされます（著法一一三条七項）。

4　差止請求権

著作権者等（著作者、著作権者、出版権者、実演家又は著作隣接権者）は、その著作者人格権、著作権、出版権、実演家人格権又は著作隣接権を侵害する者又は侵害するおそれがある者に対し、その侵害の停止又は予防を請求することができます（著法一一二条一項）。

この請求をする場合、侵害の行為を組成した物、侵害の行為によって作成された物、侵害に供された機械の廃棄など、侵害の停止や予防に必要な措置を請求することができます（著法一一二条二項）。

例えば、違法複製物である海賊版CDやそれを作成した機械、技術的保護手段を回避するための機械の廃棄が該当します。これらをそのまま放置しておくことは、その後、同じ侵害行為が行われる可能性があるからです。

5　損害賠償請求権

著作権が侵害された場合、著作権者等は損害賠償を請求することができます（民法七〇九条）。一般不法行為責任の規定に基づく請求なので、著作権者等は侵害者に故意又は過失があることを証明しなければなりません。

損害の額は次のように推定されます（著法一一四条）。なお、著作権者等は「著作権者、出版権者、著作隣接権者」を、著作権等は「著作権、出版権、著作隣接権」を指します。

①　侵害者が受けている利益の立証が困難な場合や、侵害者が受けている利益が少ない場合（同一一四条一項）

> 著作権者等が受けた損害の推定額＝〔侵害者が譲渡等した物の数量〕×〔著作権者等が、侵害行為がなければ販売することができた物の単位数量当たりの利益の額〕

譲渡等数量は、侵害者は譲渡した物の数量や、公衆送信が受信されることにより作成された著作物や実演の複製物の数量をいいます。

また、著作権者等の当該物に係る販売その他の行為を行う能力に応じた額を超えない限度とされています。

②　侵害者が利益を受けている場合（同一一四条二項）

> 著作権者等が受けた損害の推定額＝侵害者が受けた利益の額

③　使用料・許諾料相当額による場合（同一一四条三項）

> 著作権者等が受けた損害の額＝その著作権等の行使につき受けるべき金銭の額に相当する額

この規定は、この金額を超える損害の賠償の請求を妨げるものではありません。

また、著作権等を侵害した者に、故意又は重大な過失がなかったときは、裁判所は損害の賠償額を定めるときに、これを参酌することができます。

④　使用料規定による場合（同一一四条四項）

著作権者等が受けた損害の額＝その侵害の行為に係る著作物等の利用の態様について適用されるべき規定により算出した著作物等の使用料の額

6　名誉回復の措置

著作者又は実演家は、故意又は過失によりその著作者人格権又は実演家人格権を侵害した者に対して、名誉若しくは声望を回復するための措置を請求することができます（著法一一五条）。損害賠償に代えての請求でも、損害賠償と同時の請求もできます。

7　著作者又は実演家の死後における人格的利益の保護のための措置

著作者又は実演家の死後は、その遺族が人格的利益の保護のための措置を請求することができます（著法一一六条一項）。請求ができる遺族の順序も規定されていますが（著法一一六条一項）、遺言により別に定めることも可能です（著法一一六条二項）。ちなみに規定されている遺族とその順序は、「配偶者、子、父母、孫、祖父母又は兄弟姉妹」とされています。

遺言をしておけば、遺族以外の者を指定することもできます（著法一一六条三項）。その場合は、当該著作者又は実演家の死亡から七〇年経過した後は請求できません。七〇年経過する時に遺族が存する場合は、存しなくなるときまで請求できます。

8　紛争解決あっせん制度

著作権等に関する紛争が生じた際、民事上の救済・刑事上の制裁のほかに、著作権法では、「紛争解決あっせん制度」が設けられています（著法一〇五条～一一一条）。

これは、一方の当事者の申請によって手続が開始されます。文化庁長官が他方の当事者の意向を確認し、あっせんに同意する場合には、あっせん委員に委嘱されます。あっせん委員は、著作権関係の学識経験者から、事件ごとに三人以内を文化庁長官が委嘱することとされています。あっせん委員は、当事者の主張を確認し、実情に即した解決を図ります。解決の見込みがないときは、あっせんが打ち切られることがあります。

費用は申請時の手数料四万六〇〇〇円となっていま

す。審理期間は約六か月とされています。昭和四五（一九七〇）年から平成二九（二〇一七）年までの申請実績は合計件数三七件となっています。

二　罰則

著作権や著作者人格権を侵害した場合、刑事罰の対象にもなります（著法一一九条～一二四条）。ただし、民事上の責任とは違い「故意」によるものを対象としています。自分の行為が他人の著作権等を侵害することを認識していることが必要になります。親告罪とされているものは、告訴がなければ公訴を提起できません（著法一二三条一項）。

近年のデジタル化に伴い、ひとたび侵害行為が行われると、その被害の規模は従来に比べて非常に大きくなる傾向にあります。そこで、懲役刑と罰金刑の併科も認められています。また、環太平洋パートナーシップ協定の発効に伴う法改正（TPP）（平成二八年法律第一〇八号）により、有償著作物等について、原作のまま複製された複製物を公衆に譲渡し、又は原作のまま公衆送信を行うことにより、著作権者等が得ると見込まれる利益を害する行為は、非親告罪となりました。

Winnyというファイル共有ソフトを用いて、他人の著作物をインターネットでダウンロード可能にした行為について、公衆送信権侵害罪が認められました（京都地平一六・一一・三〇判、判時一八七九—一五三）。そして、Winnyの開発者は、正犯者（公衆送信権侵害罪が認められた者）が公衆送信権を侵害することを幇助《ほうじょ》したとして、著作権法違反幇助に問われました。一審（京都地平一八・一二・一三判、判タ一二二九—一〇五）は幇助罪の成立を認め、被告人（Winny開発者）に対し罰金一五〇万円を言い渡しましたが、二審（大阪高平二一・一〇・八判・平一九(う)四六一号）、最高裁（最高平二三・一二・一九判・平二一(あ)一九〇〇号）ともに、被告人を無罪としました。最高裁は、「Winnyが適法用途にも侵害用途にも利用できること」、「著作権侵害を認識、認容しながらWinnyを公開したものでないこと」、「公開にあたって著作権侵害をしないように警告していたこと」などから、被告人には著作権法違反罪の幇助犯の故意が欠けるとしました。

表6-11　罰則

侵害行為	罰則	説明	
著作権、出版権、著作隣接権を侵害した者(119条1項)	10年以下の懲役 1,000万円以下の罰金又は併科	①私的使用目的の複製のうち除外されている行為（30条1項）は刑罰の対象としない ②113条の規定により、著作権等を侵害するとみなされる行為は、別の規定(119条2項、120条等)による。	親告罪
著作権人格権又は実演家人格権を侵害した者(119条2項1号)	5年以下の懲役、500万円以下の罰金又は併科		親告罪
営利を目的として、文献複写機器以外の自動複製機器をもって複製させる行為（119条2項2号）	5年以下の懲役 500万円以下の罰金、又は併科	レンタルビデオ店の店頭でダビング機器を設置して複製させるような場合	親告罪
113条1項、2項の規定により著作権等を侵害するとみなされる行為を行った者（119条2項3・4号）	5年以下の懲役 500万円以下の罰金、又は併科		親告罪
私的使用目的で、有償著作物等の著作権等を侵害する自動公衆送信を受信して行うデジタル方式の録音又は録画を、その事実を知りながら行った者（119条3項）	2年以下の懲役、200万円以下の罰金、又は併科	①録音・録画された著作物又は実演等であって、有償で公衆に提供され、又は提示されているもののみを対象とする ②国外で行われる自動公衆送信であって、国内で行われたとしたならば著作権等の侵害となるべきものを含む	親告罪
著作者又は実演家の死後における人格的利益（60条、101条の3）の侵害（120条）	500万円以下の罰金		非親告罪
技術的保護手段の回避専用装置・プログラムの製造・販売等（120条の2）	3年以下の懲役 300万円以下の罰金又は併科		非親告罪
業として公衆からの求めに応じて技術的保護手段の回避を行うこと（120条の2）			非親告罪
営利を目的として、権利管理情報の改変等(113条3項）を行うこと（120条の2）			親告罪
営利を目的として、国外販売用の商業レコードの輸入・頒布等(113条5項)すること(120条の2)			親告罪
著作者名を詐称して複製物を頒布すること(121条)	1年以下の懲役 100万円以下の罰金又は併科		非親告罪
商業用レコードの無断複製・頒布・所持(121条の2)	1年以下の懲役 100万円以下の罰金又は併科	レコード原盤に音を最初に固定してから70年以内に限る	親告罪
出所表示の明示違反（122条）	50万円以下の罰金		非親告罪
秘密保持命令に違反した者（122条の2）	5年以下の懲役、500万円以下の罰金又は併科		親告罪
両罰規定（124条）	3億円以下の罰金	法人等が著作権を侵害した場合。行為者を罰するとともに、法人には罰金刑	――

一二　著作権管理事業

他人の著作物を利用するにはいくつか方法がありますが、その中でも一番よく利用されているのは「許諾」という方法です。対価を要求しない場合もあるかと思いますが、通常、著作権者等に対して「使用料・許諾料」を支払うことによって、許諾を得ることができます。許諾を得るためには著作権者等と連絡をとり、話し合い、支払うというプロセスを経なければなりませんが、これをいちいち行うのはかなりの時間と労力を使うことになります。そこで、仲介業者によって使用料徴収や無許諾利用者への警告・請求を行う、という制度を設けました。これが仲介業務法（昭和一四年法律第六七号（著作権ニ関スル仲介業務ニ関スル法律））です。

その後、我が国の著作権の管理事業は、七〇年以上にわたって仲介業務法によって定められていましたが、社会的要請に合わなくなってきたことから、現在は「著作権等管理事業法」（平成一二年一一月二九日制定）が著作権等の管理事業の法的基盤となっています。同法により新規参入が容易になり、競争原理が働くことが期待されています。また、事業者の義務が詳細に定められることにより、事業の不透明さを排除しようとしています。令和二（二〇二〇）年二月現在、同法のもとで二八社が登録されています。

一三　著作権の登録制度について

我が国の著作権法では、著作権は著作物の創作と同時に発生し、権利取得のために手続を必要としません。したがって、ここでいう登録制度は、権利取得のためのものではありません。

ペンネームで活動している人が実名を登録することによって、実名による著作者と推定されます（著法七五条）。変名の著作物の場合の保護期間は、「公表後七〇年」が経過するまでですが（著法五二条一項）、実名の登録によって同条の適用外となり、保護期間の原則である「著作者の死後七〇年を経過するまで」（著法五一条）保護されることになります。また、権利の変動（権利の移転、質権の設定等）の登録は、第三者に対抗するための要件とされています（著法七七条）。

すなわち、著作権が「二重譲渡」された場合には、先に登録したほうが優先されることになります。原著作権者が、XとYの二人に著作権を譲渡した事案において、XはYに対し、自分が著作権を有することを主張しましたが、Yは著作権の移転について登録していたため、Yに対する移転が確定的に有効となると判断されました（東京地平一九・一〇・二六判・平一八(ワ)七四二四号）。なお、この事案の場合、その後の知財高裁において、原著作者とYとの契約は成立していないか、又は虚偽表示により無効であって（民法九四条）、Yに本件著作権は譲渡されておらず、少なくともYは背信的悪意者と認められ、対抗関係を主張し得る第三者に該当しないとして、地裁判決は変更されています（知財高平二〇・三・二七判・平一九(ネ)一〇〇九五号）。

なお、相続関係について民法が改正されたことに伴い、令和元（二〇一九）年七月一日より、相続その他一般承継による著作権移転についても、登録することが可能となりました。登録そのものは必須ではありませんが、法定相続分を超える部分については、登録しなければ第三者に対抗することができません。

現在、実名の登録（著法七五条）、第一発行年月日等の登録（著法七六条）、創作年月日の登録（プログラムに限ります。著法七六条の二）、著作権の登録（著法七七条）、出版権の設定等の登録（著法八八条）、著作隣接権の登録（著法一〇四条）があります。

プラーゲ旋風

ドイツ人のウィルヘルム・プラーゲ博士は、仲介業務法の制定のきっかけとなった人です。

我が国では一九三一年まで、外国の音楽は権利者の許諾を得ることなく、自由に利用されていました。そして一九三一年末、プラーゲ博士が来日します。一九三二年には、ヨーロッパ五か国の著作権団体の駐日代理人となり、日本での使用料徴収を始めます。その徴収のしかたは強硬で、また、実情とかけはなれた高額な使用料であったため、利用者とのトラブルが頻発しました。NHKでは契約がうまくいかず、一年間外国曲が使えないという事態にもなっています。この一連の騒動を「プラーゲ旋風」と呼んでいます。

このようなプラーゲによる過激ともいえる行動がきっかけとなり、作家や演奏家らは政府に働きかけ、一九三九年に仲介業務法が成立しました。

登録の申請は、申請書や明細書等を文化庁に提出することによって行います。登録は、文化庁長官が著作権等の登録原簿に記載して行います（著法七八条一項）。登録料（登録免許税）は、著作権の移転登録が一件一万八〇〇〇円、実名登録が一件九〇〇〇円です（登録免許税法：昭和四二年法律第三五号）。

プログラムの著作物については、別に規定が置かれています（著法七八条の二、プログラムの著作物に係る登録の特例に関する法律（昭和六一年法律第六五号））。登録事務等は文化庁長官による指定登録機関が行います。現在は、一般財団法人ソフトウェア情報センター（https://www.softic.or.jp/）で行っています。

第７章

産業財産権に関する国際的枠組み

Patent

一　特許は、条約が優先

ここでは、産業財産権に関する国際的枠組みについて触れてみたいと思います。

条約と法律のいずれが優先するかという議論はさておいても、我が国の特許法二六条では「特許に関し条約に別段の定めがあるときは、その規定による。」と明文で定めていますので、我が国の産業財産権に関する法律を理解するためには、条約などの国際的枠組みを理解することが不可欠です。国際的枠組みとしては、パリ条約が最もベースとなるものです。

さて、以下には、パリ条約のあらましについて述べることとします。

二　パリ条約とは

パリ条約は、一八八三年パリにおいて調印され、その後、一九〇〇年ブラッセルで、一九一一年ワシントンで、一九二五年ヘーグで、一九三四年ロンドンで、一九五八年リスボンで、一九六七年ストックホルムで改正されています。最初の署名国は、ベルギー、ブラジル、フランスなど一一か国であり、我が国は一八九九年に加盟し、現在、一七三か国が加盟国となっています。

1　パリ条約の保護対象

パリ条約一条(2)は、「工業所有権の保護は、特許、実用新案、意匠、商標、サービス・マーク、商号、原産地表示又は原産地名称及び不正競争の防止に関するものとする。」と規定しています。

このうち特許、実用新案、意匠、商標については既に説明しました。サービス・マークについても平成三（一九九二）年の商標法の改正によって登録制度の下で保護されることとなりました。

次に商号ですが、これは、商法二〇条（現会社法八条）以下、不正競争防止法二条一項一号又は二号等において保護されていることは周知のとおりです。

次に、原産地表示又は原産地名称についてです。これは、例えば、モーゼル、ボルドーなどを思い浮かべていただければよいと思います。パリ条約一〇条(1)では、「前条の規定は、産品の原産地又は生産者、製造者若しくは販売人に関し直接又は間接に虚偽の表示が行われている場合についても適用する。」と規定され、原産地などについて虚偽の表示が行われている場合、例えば、ブラジルで生産されたコーヒーでないにもかかわらず、あたかもブラジル産であるかのような表示をする場合には、当該商標などについて権利が認められているパリ条約の同盟国は、産品を差し押さえられるとしています。

次に不正競争ですが、意匠、商標、原産地表示や原産地名称の保護は、取引秩序・競業秩序の維持にも役立ち、これらの侵害は取引秩序・競業秩序を破壊することとなるため加えられていると思われます。

さて、パリ条約で保護されている対象について簡単に述べましたが、いくつかの点について補足をする必要があります。

第一には、パリ条約一条(2)に挙げられているものについて、それぞれの言葉の定義、概念は何か、具体的にどのような形・手段により保護をするのか、また保護の実体的内容をどうするかなどは、パリ条約には決められていない面が多いということです。これは、意匠についてパリ条約五条の五が、「意匠はすべての同盟国において保護される。」とだけ規定していることからも明らかでしょう。また、実用新案の制度を設けていない国が多いこと、特許を付与しなければならない発明は何なのか、商標権の存続期間は何年なのかなどなど多くの重要なことが各国の国内法令により定められることになるわけです。これはパリ条約が統一条約ではなく、加盟国が守らなければならない最小限の保護を定めた調整条約であるという性格からくるものと思われます。

第二に、発明者証について触れなければなりません。資本主義諸国の多くは、優れた発明に対して、独占的使用権と排他権を内容とする特許を与えていますが、かつての社会主義国の多くは、特許の代わりにあるいは特許に加えて発明者証という制度を設けていました。この発明者証は、発明者に賞状や報償金を与え、発明を実施する権利は国家に帰属するというものです。原則として経済主体としての公の組織のほか私企業を認めない、中央計画化を特色とする経済体制と技術革新のインセンティブとをうまく調和させたシステムといえましょう。発明者証は、現在のパリ条約では例外的な場合にしか保護の対象とはなっておらず、旧ソ連などがパリ条約上正式に発明者証を認知すべきである旨主張していました。

2　内国民待遇の原則（差別の禁止）

パリ条約で定められている原則のうち、最も重要なものの一つが、内国民待遇の原則あるいは内外人平等の原則といわれているものです。

パリ条約二条(1)は、「各同盟国の国民は、工業所有権の保護に関し、……他のすべての同盟国において、当該他の同盟国の法令が内国民に対し現在与えており又は将来与えることがある利益を享受する。すなわち、同盟国の国民は、内国民に課される条件及び手続に従う限り、内国民と同一の保護を受け、かつ、自己の権利の侵害に対し内国民と同一の法律上の救済を与えられる。」と規定しています。パリ条約は、先に触れたように、一八八三年に調印されたのですが、パリ条約成立の一つの理由として、各国の特許法が外国人に特許を付与しないとか、あるいは付与するにしても内外人を不平等に取り扱っているなどの差異があったことが挙げられます。

我が国特許法でも当然にこの規定を受けて、二五条三号に、「条約に別段の定があるとき」には、日本国内に住所又は居所（法人の場合には営業所）を有しない外国人でも特許権その他特許に関する権利を享有することができると定めています。この関係で判決を一つ簡単に紹介しておきたいと思います。

事件は、旧法（大正一〇年法）時代のものですが、旧東ドイツの法人が他人の商標権について、無効審判を請求したところ、特許庁では旧東ドイツを我が国がまだ承認していないから、その無効審判は認められないとしました。これに対して判決では、旧東ドイツは我が国により承認されていないが、これは外交上政策上の問題にとどまり、国家の実質的要件、すなわち、一定の領土と人民の上に、これを支配する永続的かつ自立的な政治組織を具有していれば、国といえるとしたものです（東京高民六昭四八・六・五判・昭四三(行ケ)六二、無体五―一―一九七）。

次に、パリ条約三条は、「同盟に属しない国の国民であって、いずれかの同盟国の領域内に住所又は現実かつ真正の工業上若しくは商業上の営業所を有するものは、同盟国の国民とみなす。」と定めています。これは、準同盟国民と略称されており、我が国でも、前述の特許法二五条により権利を享有することができます。

なお、パリ条約の内国民、同盟に属しない国の国民などの概念と国籍との関係が若干問題になります。二重国籍や無国籍の場合を考えるとなかなか難しい問題になるわけですが、一応、日本の国籍を有している者を内国民、したがって、二重国籍の者でも日本国籍を有していれば内国民となり、日本の国籍を有していない者を外国人、したがって、無国籍人も外国人となると考えるべきでしょう。

また、最近のように貿易、投資などの面で国際経済の交流が活発になると、当初このパリ条約二条が想定していなかったような複雑な問題が生じてきます。例えば、パリ条約二条では、内国民と内国民以外の同盟国の国民を二分し、平等に取り扱わなければいけないと定めていますが、合弁による法人に対して差別的取扱いをすることはこの規定に違反すると考えるべきか否かの問題などが挙げられましょう。発展途上国の多くは、先進諸国から進んだ技術を導入することを目的として合弁事業を望む一方、自国の産業の自立化をも目指しています。しかしながら、特に消資財などについては、合弁企業のブランドが著名であり、先進国の親元企業とブランド使用契約などを締結しているため、自国の国産企業は容易に育っていきません。そこで、合弁事業から生産される製品について、特に高税率の物品税を課するなどの政策をとることになるわけですが、このような問題がパリ条約二条の内国民待遇の原則に違反するかどうかは難しい問題です。二条の条文を形式的に読むと反しないようですし、趣旨・目的から考えると、それではオカシイ感じがしないではありません。

3　優先権制度

パリ条約上の、次に重要な制度は優先権制度です。この優先権制度は、産業財産権の専門家ならだれでも知っている最も基本的な制度ですが、他の領域では類似の制度がほとんどないため、一般の人々には馴染みが薄く、理解が容易でないものと思われます。そこで不正確ですが、簡単に述べますと、優先権の効果は、パリ条約の同盟国の一国に出願をし、その後、他の同盟国に出願をした場合には、後の出願の出願日は、最初の出願の出願日にまでさかのぼるということです。

パリ条約四条A(1)は、「いずれかの同盟国において正規に特許出願若しくは実用新案、意匠若しくは商標の登録出願をした者又はその承継人は、他の同盟国において出願することに関し、以下に定める期間中優先権を有する。」、同条Bは、「すなわち、A(1)に規定する期間の満了前に他の同盟国においてされた後の出願は、その間に行われた行為、例えば、他の出願、当該発明の公表又は実施、当該意匠に係る物品の販売、当該商標の使用等によって不利な取扱いを受けないものとし、また、これらの行為は、第三者のいかなる権利又は使用の権能をも生じさせない。優先権の基礎となる最初の出願の日前に第三者が取得した権利に関しては、各同盟国の国内法令の定めるところによる。」、同条C(1)は、「A(1)に規定する優先期間は、特許及び実用新案については十二ケ月、意匠及び商標については六ケ月とする。」とそれぞれ規定しています。

つまり、優先権を主張した場合には、その効果として第一国出願と第二国出願との間の中間の行為によっては、新規性や進歩性を失ったり、後願となったりはせず、また、第三者に先使用権は発生しないということです。

ポイントを簡単に要約すると、第一には、この制度の対象は、特許、実用新案、意匠、商標に限られており、サービス・マークなどについては定められていないこと（もっとも、我が国では平成三年改正商標法で新設された九条の二により、サービス・マークに係る商標登録出願についても優先権が認められています）、第二に、優先権の主張が認められるのは、最初の出願の日から、一二か月（特許と実用新案）あるいは六か月（意匠と商標）であること、第三に、最初の出願人だけでなく、その承継人も優先権を有すること、第四には、最初の出願、後の出願いずれもがパリ条約の同盟国にされたものでなければならないこと、第五には、後の出願の際には優先権主張の申立てをしなければならないことなどとなりましょう。

なお、いくつか補足しておきたいと思いますが、第一に優先権の法的性格あるいは最初の出願日にさかのぼるといった場合のさかのぼるとはどういうことかなどについては各種の見解があるということです。

第二には、保護対象のところで触れましたが、発明者証についてです。発明者証については、現在のパリ条約では、例外的な場合にしか保護の対象とはなっていないと述べましたが、その例外的な場合とは、優先権のところです。パリ条約四条I(1)は、「出願人が自己の選択により特許又は発明者証のいずれの出願をもすることができる同盟国においてされた発明者証の出願は、特許出願の場合と同一の条件でこの条に定める優先権を生じさせるものとし、その優先権は、特許出願の場合と同一の効果を有する。」と規定しています。この規定は、一九六七年のストックホルム改正で、特許と発明者証を併有する旧ソ連などの主張により設けられたものです。なお、出願人の自由選択は、当該発明に係る技術分野について保証されていることが必要と考えられます。

第三に、外国人による日本への出願件数のうち、優先権の主張に伴うものがどのくらいあるかを見てみましょう。平成七（一九九五）年においては、外国人による我が国への出願件数は、特許、実用新案、意匠、商標の合計で六万五〇〇件あり、そのうち、優先権主張を伴う出願は三万七〇〇〇件と約六〇％を占めています。特に特許は約九三％と非常に高率です。平成七年以降の統計は公表されていません。他方、我が国特許庁が外国出願のために発行した優先権証明書は、平成二二（二〇一〇）年では、特許・実用新案四万四七〇三件、意匠一万二七五七件、商標二五九六件となっています。特許が高いということは、意匠と商標、特に商標が文化・言語などに左右され地域性を有するのに対し、技術の開発というすべての国に共通する基盤に根ざしているためでしょう。

4 各国特許独立の原則（各国の主権）

次のパリ条約上の主要な原則は、各国特許独立の原則と称せられるものです。

パリ条約四条の二(1)では、「同盟国の国民が各同盟国において出願した特許は、他の国（同盟国であるかどうかを問わない）において同一の発明について取得した特許から独立したものとする。」と定められ、また、第六条(3)では「いずれかの同盟国において正規に登録された商標は、他の同盟国（本国を含む）において登録された商標から独立したものとする。」と定められています。

つまり、特許や商標は各国ごとに成立・消滅し、ある国で成立した特許は、たとえ同一人所有の同一発明に係る他国の出願や特許がある場合であっても、その動向に関係しないということです。この各国特許独立の原則は、国際社会の中で各国が主権を有する限りは当然のことといえましょう。パリ条約が一九世紀に検討されていた当初には、統一特許法のようなものをつくろうと意図したにもかかわらず、最終的には調整的な条約になってしまったことが、ここからもうかがえましょう。

各国特許独立の原則に関連していくつか述べますと、第一に、実用新案と意匠については触れられていませんが、考え方としては特許について定められたパリ条約四条の二を類推適用するということです。第二に、審査能力の十分でない発展途上国は、同一の発明等に係る出願が先進国と自国に出された場合に、先進国の審査結果を利用させろという主張をしています。この問題は、各国特許の独立の原則に反するといってしまえば簡単ですが、南北問題の本質、さらには、自らの意思による主権の一部放棄の本質などを考えると、なかなか難しい問題と思われます。

5 その他

以上、パリ条約の保護対象、内国民待遇の原則、優先権制度、各国特許独立の原則について略述しましたが、ここでは、パリ条約で定められている他の主な点を簡単に述べましょう。

第一には、パリ条約の加盟国は、同盟を形成することです（パリ条約一条⑴）。

第二には、特許制度の本来の趣旨――すなわち技術開発を促進し、産業を発展させ、国民経済を豊かにする――から生ずる問題ですが、特許に基づく排他的権利から生ずる弊害、例えば、ある国において特許を取得したが、何ら実施をせずに他人の利用を妨げるだけのような場合を避けるために、実施権（利用・使用する権利）を強制的に設定することができ、また、実施権の強制的設定では十分でない場合には、特許の効力を失わせることができます（パリ条約五条）。この規定に対し、発展途上国が批判しています。

第三に、商標については、周知商標の保護（パリ条約六条の二）、国の紋章等の保護（同六条の三）などいくつかの規定があります。

＊工業所有権法研究グループ

昭和54（1979）年１月に、特許庁制度改正審議室林洋和、特許庁審査第１部審査官工藤莞司と同田辺秀三により、特許庁工業所有権法研究会として発足した。

現在は、研究会の名称が変わり、弁理士工藤莞司が代表を務めている。

知っておきたい特許法（22訂版）——特許法から著作権法まで

昭和55年３月１日　初版発行（14訂版までは、独立行政法人国立印刷局から発行）
令和２年３月31日　22 訂 版

編著者　工業所有権法研究グループ

発行所　株 式 会 社　朝　陽　会
〒340-0003　埼玉県草加市稲荷2-2-7
電　話　048-951-2879（代表）
http://www.choyokai.co.jp/

印刷／製本　株式会社朝陽会

ISBN978-4-903059-61-7
C0032 ¥1800E